Os vizinhos
do número

Felicity Everett

Os vizinhos do número

Editado por HarperCollins Ibérica, S.A.
Núñez de Balboa, 56
28001 Madrid

Os vizinhos do número 9
Título original: The People at Number 9
© 2017, Felicity Everett
© 2018, para esta edição HarperCollins Ibérica, S.A.
Publicado originalmente pela HarperCollins Publishers Limited, UK.
Tradutor: Fátima Tomás da Silva

Desenho da capa: Diseño Gráfico
Imagem da capa: Arcangel e Shutterstock

ISBN: 978-84-9139-267-5
Impresso: CPI (Barcelona)

Distribuidor exclusivo para Portugal: Vasp - Distribuidora de Publicações, S.A.
Media Logistics Park, Quinta do Grajal - Venda Seca
2739-511 Agualva Cacém - Portugal

«No entanto eu já não sou eu,
nem a casa é minha casa.»

Federico Garcia Lorca

1

O olhar de Sara dirigiu-se para a janela. Já caíra a noite e via o seu próprio reflexo sobreposto como um holograma na casa que havia do outro lado da rua. Embora as cortinas estivessem meio fechadas, conseguia ver o brilho frio e azul da televisão e imaginou Gavin confortavelmente sentado na poltrona *Eames* e Lou recostada e descalça no sofá. Talvez estivessem a ver algum filme independente ou talvez estivessem a passar uma noite relaxada de sábado a ver qualquer coisa na televisão. Era tão, mas tão fácil visualizar a cena... A carpete puída à frente da lareira, o cheiro do Pinot Noir misturado com o cheiro a madeira queimada... Apesar de tudo o que acontecera, a cena continuava a exercer uma certa atração.

De onde estava o casal, a casa de Carol devia ser como uma montra aberta e luminosa. As persianas estavam abertas, havia imensas luzes acesas, a sala estava cheia e ainda continuavam a chegar pessoas. Sara desejou que se apercebessem, que se sentissem magoados por terem sido excluídos, mas duvidava muito que fosse assim. O seu olhar dirigiu-se novamente para a sua própria cara, que parecia um borrão fantasmagórico na superfície translúcida do vidro.

Há dezoito meses

A primeira vez que Sara viu o seu carro, pensou que alguém o deixara ali abandonado, pois era incongruente ver um carro daqueles entre todos os monovolumes e *Volkswagen*. Uma das rodas traseiras estava no passeio e as dianteiras estavam viradas, formando um ângulo alarmante. Tratava-se de um velho *Humber* vermelho e cinzento a que faltava uma jante e que tinha um montinho de lixo no tapete do passageiro e uma cadeirinha de bebé no banco traseiro. Ao longo dos dias seguintes, no entanto, voltou a ver o veículo várias vezes, embora nem sempre estacionado de forma tão errática. De facto, a maioria das vezes, viu-o muito perto da sua própria casa.

Estava parada à frente da casa de Carol, a conversar com ela depois de ir à escola buscar as crianças, quando a amiga concentrou a sua atenção em algo que havia do outro lado da rua e murmurou, apontando com um pequeno gesto da cabeça para o lugar em questão:

— Olha, ali está a nova vizinha.

Lançou um olhar para lá como quem não quer a coisa. A mulher, que usava um fato-macaco de trabalho e tinha o cabelo apanhado com um lenço (parecia Rosie, a Rebitadeira), estava a empurrar trabalhosamente um carrinho de mão carregado de escombros pelo caminho da entrada da sua casa.

— Viu-nos, sorri — murmurou Carol. — Cumprimenta-a com a mão.

Ela obedeceu enquanto, por dentro, se sentia mal devido à impressão de autocomplacência e elitismo que sabia que devia estar a dar. A mulher cumprimentou-as também com um sorriso cheio de nervosismo.

A casa da nova vizinha era ao lado da sua, mas, embora fosse um reflexo idêntico da outra (janelas panorâmicas, alpendres estucados e empenas inclinadas que coincidiam tijolo a tijolo e ladrilho a ladrilho), a sua exsudava uma respeitabilidade burguesa enquanto a do número 9 parecia um desastre. A tinta estava velha, os parapeitos das janelas estavam podres e os algerozes, caídos. Mesmo assim, estavam a arranjá-la e, por muito barulho e sujidade que esse processo gerasse, a verdade era que era bem-vindo. Tal como os novos vizinhos.

De forma impulsiva, deixou as crianças a cargo de Carol e atravessou a estrada.

— Parece um trabalho muito pesado! — comentou, antes de abrir o portão.

A vizinha levou o carrinho de mão para a rua, empurrou-o por uma rampa rudimentar e levantou-o para atirar os escombros para o contentor. Então, recuou e, assim que voltou a pôr o carrinho de mão na calçada, estendeu ambas as mãos à sua frente como se estivesse a tocar um piano imaginário.

Ela demorou um instante a perceber que estava a mostrar-lhe como lhe tremiam devido ao esforço de empurrar o carrinho de mão e comentou, surpreendida:

— Meu Deus!

— A quem o dizes! — A nova vizinha limpou a mão no fato-macaco antes de lha estender. — Sou a Lou.

— Sara.

Saah-ra. As sílabas pareciam fluir como um xarope suave que evocava contos de fadas e aulas de balé e, como tantas outras vezes no passado, desejou chamar-se de outra forma.

— A verdade é que me sinto mal — acrescentou.

— Porquê?

— Bom, porque estão aqui desde... Há quanto tempo? Uma semana?

— Duas.

— E ainda não tínhamos vindo cumprimentar-vos. Quase vim várias vezes, mas pareciam sempre muito ocupados.

E, agora, estava a dar a impressão de que era uma vizinha bisbilhoteira que passava o dia a espiar através das cortinas.

— Nem pensar, eu é que devia desculpar-me! — contradisse a

nova vizinha. — Estivemos muito distraídos. Supostamente, as obras acabariam antes de nos mudarmos, mas já sabes como são estas coisas. — Encolheu os ombros num gesto de desculpa.

— Sim, é claro.

— E depois, quando achávamos que a coisa não podia correr pior, os técnicos que tinham de se encarregar das obras de arte estragaram tudo. Tivemos de armazenar as obras do Gav, num valor de um milhão de dólares, com metade da casa desmantelada!

— Ena! — Foi a única coisa que lhe ocorreu dizer.

— Enfim, de certeza que tudo se resolverá...

Ao ver que ia voltar a agarrar no carrinho de mão, propôs, de forma impulsiva:

— Passa pela minha casa depois, se quiseres, estou sozinha com as crianças.

Lou chegou perdida numa nuvem de um perfume caro que cheirava a verde, tinha o cabelo húmido e trocara o fato-macaco de trabalho por uma camisa bordada e umas calças de ganga. Havia uma certa qualidade equina nela, uma cautela que despertava em Sara o impulso de querer reconfortá-la. Trazia só um dos seus filhos, uma menina de aspeto angélico com um cabelo loiro que lhe chegava à altura dos ombros.

— Sara, apresento-te o Dash.

— Olá, Dash! — Depois de receber como resposta um sorriso luminoso, mas que foi um pouco perturbador, chamou as crianças por cima do ombro. — Patrick! Caleb! — Ao ver que os sons procedentes da *Xbox* prosseguiam sem interrupção, virou-se para Lou com um ar de desculpa. — Talvez seja melhor se a menina entrar para jogar com eles, são umas crianças que se portam bastante bem.

— É um menino — afirmou Lou.

— Ah! — exclamou, mortificada pela sua gafe. — Eu pensava que... Por causa do cabelo.

— Chama-se Dashiell. Como Hammett, o escritor.

— Sim, é claro! Ena! Não sei como pude... Salta à vista que és um menino, Dash! Desculpa! Foi por causa do...

— Do cabelo. Sim, às vezes, confunde as pessoas.

A neutralidade de Lou ao lidar com o assunto, a completa ausência de vergonha ou rancor na sua reação, fez com que Sara se sentisse ainda pior. Então, os dois filhos já tinham aparecido. Patrick, o mais novo dos dois, corria de meias e parou com uma derrapagem enquanto Caleb o seguia com o andar desajeitado de um pré-adolescente.

— Este é o Dashiell — informou, com as faces ainda acesas de rubor —, vive na casa do lado. Dashiell, estes são o Caleb e o Patrick, os meus dois filhos.

Minutos depois, conduziu Lou à cozinha, que era o melhor espaço da casa. Para dizer a verdade, sentia que era a única divisão que refletia realmente os seus gostos. Neil teria preferido não gastar demasiado nas reformas, mas, encorajada por Carol, ela deixara-se levar. Encontrara uns azulejos artesanais que faziam realçar a cozinha *Aga* de cor vermelho-cereja e debatera-se entre um sem-fim de tonalidades que mal se distinguiam umas das outras até encontrar a perfeita para o parqué maciço de madeira sustentável. A questão era que se sentia imensamente satisfeita com o resultado obtido. Dezoito meses depois das reformas, a bancada de aço inoxidável estava um pouco amolgada e a parte da frente dos armários tinha alguns arranhões, mas era um espaço com um ambiente caloroso e íntegro. Mesmo naquele momento em que o lava-loiça estava cheio de pratos sujos, as marmitas das crianças estavam abertas na mesa e o lixo se espalhara, a impressão que dava não era de desordem nem sujidade, mas da agitação caseira do dia a dia. Estava tão habituada a aceitar humildemente os elogios e felicitações, que, de facto, se surpreendeu um pouco ao ver que Lou não oferecia nenhum. Em vez disso, a nova vizinha observou a cozinha com interesse antes de voltar a olhar para ela com um sorriso ininterpretável no rosto.

— O que queres beber? — Estava prestes a enumerar uma

lista de chás e infusões quando Lou encolheu os ombros e afirmou que gostava tanto do tinto como do branco.

Pouco depois, estavam sentadas à volta da mesa da cozinha com uma garrafa de Shiraz entre os pratos vazios de massa e, enquanto a convidada bebia vinho como se fosse sumo de uva e falava animadamente sobre o ambiente tão vibrante que reinava no bairro, aproveitou para a observar. Não podia dizer-se que era uma mulher bela, pois estava tudo um bocadinho descompensado (olhos demasiado afastados, nariz ligeiramente largo), e mesmo assim conseguia transformar esses defeitos em virtudes. Um toque de rímel, um aro discreto de prata no nariz e o resultado era que a mera beleza se transformava em algo carente de importância. O cabelo já quase secara por completo e o resultado era um penteado curto e frisado que Lou sacudia de vez em quando enquanto falava, como se o peso a incomodasse.

Como os filhos do casal não tinham aparecido em Cranmer Road, deduzira que deviam estar em alguma escola privada, mas a sua convidada corrigiu-a.

— Decidimos que era melhor esperar pelo ano que vem em vez de começarem quase no fim deste. O centro onde estavam antes era tão pequeno e o plano de estudos era tão diferente... Bom, digo «plano de estudos» para o chamar de alguma forma — admitiu, com uma pequena gargalhada.

— Onde era o centro?

— Ah, não sabes? Vivíamos em Espanha. Numa povoação nas montanhas, perto de Loja.

— Parece idílio.

— Era. — Lou assentiu, com um suspiro nostálgico. — Eu tenho muitas saudades, mas o Dash vai começar o sexto ano em setembro e tivemos de pensar bem nas coisas e tomar uma decisão.

Sara questionou-se se tinham tomado a adequada. Conhecia muitos pais que, ao ver-se imersos na luta encarniçada para conseguir lugares nos centros medíocres de ensino que havia na zona, teriam acabado por ver como melhor opção uma cabana nas montanhas com algumas cabras como pessoal académico.

— Adoraria viver fora — admitiu —, mas o trabalho do Neil mantém-nos bastante presos.

— Existe sempre alguma razão para não fazer as coisas. — Lou esticou um dos seus caracóis até o ter à frente dos olhos e observou-o por um instante antes de o soltar. — O que temos de fazer é procurar as razões para o fazer.

— Sim, tens razão. Suponho que seja um pouco indecisa. Seria um grande salto, não é? E teria medo de não encaixar.

— Claro.

A resposta direta da vizinha pareceu-lhe bastante ominosa, portanto, não pôde evitar perguntar:

— Foi muito difícil para vocês?

— Sim e não. Os espanhóis são pessoas muito diretas, se não gostarem de nós, dizem-nos na cara e os filhos deles atiram pedras aos teus.

Ela levou as mãos às faces num gesto mudo de consternação e Lou acrescentou:

— Sim, sei que é muito difícil, mas parece-me preferível a esse costume horrível e tão britânico de não nos dizerem o que fizemos de mal. Enfim, a outra face da moeda é que, se conseguirmos dar a volta à situação, temos amigos para toda a vida.

— Como se consegue isso?

— Bom, trabalhamos arduamente e colaboramos no que podemos... E dizemos aos nossos filhos para também atirarem pedras.

— A sério?

— Sim, a sério. — Disse-o com toda a naturalidade, nada indicava que estivesse a brincar. — A coisa mudou da noite para o dia e graças a Deus que foi assim, porque aquele primeiro inverno foi muito difícil. Não podemos ser autossuficientes numa comunidade assim, tem de haver algumas concessões. Tu cultivas as minhas azeitonas, eu arranjo o teu gerador... Coisas assim.

— Que maravilha!

— Sim, a verdade é que sim. Quando funciona bem, não existe um sistema melhor do que esse. Todos se apoiam uns aos outros, há um sentimento de comunidade. As pessoas partilham a sua produção restante para que não se esbanje nada.

— Como uma espécie de comuna...

Sara lançou o olhar para a janela e observou, melancólica, as cercas serradas dos jardins daquele pequeno enclave em que vivia, umas cercas que separavam um vizinho do outro até onde a vista alcançava. Virou-se novamente para Lou e ficou atónita ao ver que estava a apertar a ponte do nariz com o dedo do meio, como se tentasse conter as lágrimas.

— Estás bem?

— Desculpa — respirou fundo, trémula —, não sei de onde veio isto.

Ela manteve um silêncio discreto. Sentia-se um pouco incomodada, mas, ao mesmo tempo, lisonjeada, pois dava a impressão de que Lou estava prestes a fazer-lhe uma confidência.

— Passámos quatro anos e meio maravilhosos em Riofrío. Fizemos muitos bons amigos. Pessoas a quem confiaria a minha vida.

— Intuo que há um «mas»...

Lou bebeu um bom gole de vinho e recuperou, antes de responder.

— Foi um mal-entendido, na verdade. Nenhum tribunal em toda a Espanha lhes teria dado a razão...

— Um tribunal!

— Não se trata de algo terrível, a sério. Um mal-entendido, é só isso. Se tivéssemos dinheiro, teríamos conseguido provar que...

Sara franziu o sobrolho e chegou-se um pouco mais para a frente na sua cadeira, cada vez mais envolvida no seu papel de confidente.

Dolores e Miguel Fernández, contou-lhe Lou, eram uns vizinhos que viviam numa parcela próxima não muito grande... Tinham algumas ovelhas e uma horta. Miguel ajudou com a instalação elétrica do estúdio de Gavin e ele e Lou davam-lhes uma ajuda durante a colheita. Estava tudo a correr lindamente até os Fernández terem decidido criar trutas. Tinham-se deixado levar um pouco pela cobiça, segundo Lou, porque estavam bem tal como estavam, mas havia subsídios disponíveis e tudo parecia muito bonito em teoria.

— Típico de Espanha. Não se importam com a integridade da paisagem, ignoram o ecossistema... Se puderem ganhar mais euros, fazem tudo. — Abraçou-se, levantou o olhar para o teto e pestanejou, tentando conter as lágrimas. — O irónico do caso é que o Gavin os ajudou a construir os tanques. Esforçou-se a trabalhar quando devia ter estado a dedicar-se a preparar a sua exibição para a Bienal de Veneza.

Prosseguiu com o seu relato e contou-lhes que o viveiro só estava a trabalhar há uma semana quando se aperceberam de que aquilo era um desastre. Sentia enxaquecas por causa do zumbido constante do equipamento de bombeamento, não sabiam o que fazer com tanta truta de graça (bem sabe Deus que não iam comê-las com o cheiro que tinham) e os tanques eram uma monstruosidade. Mesmo assim, não se queixaram porque os Fernández eram seus amigos e conseguiam compreendê-los.

— E, depois, um fim de semana — estendeu as mãos como se fosse uma menina —, todos os peixes morreram e culparam o Gavin.

Ela abanou a cabeça num gesto de incredulidade e a sua nova vizinha assentiu antes de acrescentar:

— Sim, eu sei, que loucura! Mas eles disseram que tinha sido por causa dos resíduos do estúdio dele.

— Que resíduos?

— Os gerados pelo gesso de Paris. Não conheces as obras do Gavin, pois não? — Ao vê-la a encolher os ombros como que dizendo «Lamento, mas não», acrescentou: — Usa aquele material há anos. Enfim, a questão é que limpou o chão do estúdio com uma mangueira e eles disseram que a água se filtrou pelo terreno e lhes poluiu os tanques.

— Ena...

— Tanto faz que a quinta do lado esteja a usar sabe Deus o quê no seu viveiro. Tanto faz que o Miguel seja um alcoólico que pode ter posto alguma substância química errada nos tanques. Nós somos os recém-chegados, portanto, a culpa é nossa, não é?

A sua mão fletiu-se de forma convulsiva, uma única lágrima caiu e deslizou pela face e Sara sentiu-se incomodada ao vê-la assim. Estendeu a mão com a intenção de a pousar na dela, mas, no último momento, acabou por agarrar na caixa de lenços de papel.

— Obrigada, Sara. — Assoou ruidosamente o nariz e, então, olhou para ela e fez um esforço valoroso para sorrir.

Depois de um breve silêncio, ela afirmou com firmeza:

— Eu estou-lhes agradecida. — Apercebeu-se pelo seu olhar de perplexidade que não a entendera. — Aos Fernández ou seja como for que se chamavam. Vocês não estariam aqui se não fosse por eles e pelas suas trutas estúpidas, pois não? Não vos teríamos como vizinhos.

— Que amável! — exclamou Lou, com um sorriso trémulo.

Nesse momento, alguém bateu à porta e deu uma olhadela ao relógio.

— Merda! Aula de guitarra!

O feitiço quebrou-se num abrir e fechar de olhos. Lou era uma vizinha que mal conhecia, a cozinha estava tão desarrumada como se tivesse explodido e Caleb não praticara durante a semana. Percorreu o corredor a correr, fez o professor de guitarra entrar e, apesar de estar ocupada a desculpar-se atrapalhadamente pelo caos, conseguiu ver o brilho de interesse que relampejou no seu olhar quando passaram junto da porta da cozinha e viu Lou. Era o tipo de olhar de que ela própria nunca era objeto, um olhar que não expressava interesse sexual (embora esse elemento também estivesse presente), mas o facto de reconhecer alguém. «Tu és dos meus», dizia esse olhar sem palavras, «ou do tipo a que quero pertencer». E, embora desse a impressão de que era alheia ao que acontecia, a nova vizinha conseguiu responder àquela chamada muda enquanto, ao mesmo tempo, mantinha a distância.

Não pôde evitar sentir uma pontada de inveja.

Pouco depois, quando a acompanhou à porta e pararam na soleira para se despedir, ambas começaram a falar ao mesmo tempo.

— Não sabes quanto...

— Fico muito feliz por...

Desataram a rir-se e cedeu-lhe a palavra, mas Lou encolheu os ombros como se, de repente, não soubesse o que dizer.

— Obrigada! — exclamou, finalmente.

Desataram a rir-se novamente e Lou já estava à porta da cerca quando se virou para olhar para ela como se acabasse de ter uma ideia.

— Este sábado, vêm uns amigos, celebramos uma pequena festa para estrear a casa. Porque não vêm?

2

Depois de deitarem as crianças e saírem de casa, as luzes já estavam a passar de um cor-de-rosa ténue para o alaranjado do vapor do sódio. As casas germinadas de estilo vitoriano erguiam-se no azul-escuro crepuscular, altas e estilizadas, como freiras em plena reunião. O aburguesamento crónico ainda não afetara todos. Por cada arbusto artisticamente podado havia uma antena parabólica, por cada vidraça chumbada agradável à vista havia um alpendre de PVC. A casa de Gav e Lou ainda não refletia a personalidade que teria no fim e, embora o contentor que estava à frente desse algumas pistas interessantes (um protetor de lareira horrível dos anos cinquenta, o manequim nu de uma loja), ainda era demasiado cedo para saber com certeza que tipo de pessoas eram.

— Não sei porque te empenhaste em trazer o *Moët*! — queixou-se Neil, enquanto esperavam em vão que alguém ouvisse a campainha da porta e abrisse.

— Era a única coisa que restava.

A verdade era que, naquela tarde, abrira de propósito a última garrafa de *Sainsbury's Soave* que tinham. Fizera-o, em parte, para acalmar os seus nervos, mas o motivo principal fora certificar-se de que o *Moët* era a única opção disponível. Para dizer a verdade, tinha consciência de que Neil guardara a garrafa no fundo do frigorífico para o caso de ter um motivo de celebração. O marido estava a planear executar um golpe de mestre na direção da associação habitacional em que trabalhava e, na outra noite, durante o jantar, com aqueles olhos cinzentos a brilhar de entusiasmo e a boca a mastigar a salada como uma betoneira, dissera-lhe que já contava com muitos apoios para expulsar o diretor financeiro, o que eliminaria o único obstáculo que o afastava do lugar na direção a que aspirava há muito tempo. Durante esse jantar, enquanto olhava para ele e o ouvia falar, vira nele muito pouco do universitário humilde e idealista por quem se apaixonara.

Se tivesse dito a Neil naquele tempo que algum dia compraria um *Moët* para celebrar a sua promoção para a direção, fosse qual fosse, ele ter-se-ia rido e tê-la-ia chamado fantasiosa. E, no entanto, ali estava, um capitalista informal ao mesmo tempo que elegante com uma camisa de *Paul Smith* e os seus sapatos *Camper*. O marido esgrimia uma argumentação plausível para sustentar porque o facto de tomar as rédeas da Haven Housing beneficiaria os inquilinos, mas ela tinha a impressão de que, nos últimos tempos, o facto de «beneficiar os inquilinos» vinha de mão dada com beneficiar o próprio Neil. Começara a trabalhar na Haven com calças de ganga e camisas baratas e, de forma gradual, as primeiras tinham desaparecido e aparecera uma gravata («Os inquilinos gostam», assegurara-lhe, no seu momento). Uma época breve em que tinham reinado as calças de algodão e as camisolas sem mangas dera lugar à do fato. Aparentemente, os fatos causavam uma impressão melhor aos «acionistas», fossem quem fossem. Mesmo assim, se as pessoas olhassem para trás daquela fachada elegante, iam encontrar o idealista que continuava a lutar por aquilo em que acreditava, que continuava a defender os necessitados. Não, o seu Neil não era um cínico.

Farta de esperar, tentou empurrar ligeiramente a porta e abriu-se.

— Parece-me que temos de entrar.

Ainda não estava claro se o evento era uma reunião relaxada de amigos ou uma festa propriamente dita. Passara todo o dia atenta para tentar ouvir ou ver qualquer coisa, mas não descobrira grande coisa. Na casa, não se vira movimento até depois das duas da tarde (o que parecia uma façanha para uma família jovem num fim de semana de verão) e, de repente, tinham entrado em ação quando quase todos começavam a relaxar. Do seu ponto de observação privilegiado (a janela da cozinha) vira Gavin a cortar alguns ramos das árvores que havia ao fundo do jardim com o que devia ser uma serra, porque tinha o peito encharcado de suor. A temperatura devia rondar os vinte e cinco graus e, tal como acontecera durante todo o verão, estava bastante humidade.

A cerca era tão alta e a vegetação estava tão descuidada que só conseguiu vislumbrar fugazmente as crianças algumas vezes, mas ouvia-as a gritar, alvoroçadas. Das janelas abertas, saía música alta — algo bastante *kitsch* e dos setenta, talvez fossem os Supertramp —, mas Lou baixava o volume de vez em quando e ouvia-a a chamar o marido num tom de voz que, embora queixoso, possuía uma estridência que conseguia penetrar o ruído da serra: «Gaaaav!» Esperava que ele interrompesse a sua tarefa e se virasse para olhar para ela e, então, com o rosto radiante e a respiração agitada, perguntava-lhe alguma trivialidade. Dava a impressão de que não o fazia tanto para saber a resposta como para demonstrar que tinha o direito de o interromper.

Quando chegaram as seis da tarde, ele ainda estava a tratar da terceira e última árvore, esforçando-se para cortar o pedaço duro de casca que unia o último ramo de tamanho considerável ao tronco. Se fosse Neil que estivesse empoleirado na árvore e tivessem previsto celebrar uma «pequena festa» nessa noite, por muito improvisada que fosse, àquela altura, estaria a irritar-se e muito.

Debatera-se entre contratar ou não uma ama e, no fim, fizera-o, pois, na verdade, não sabia como seria a festa. Decidira que estaria atenta e, assim que chegassem convidados suficientes, Neil e ela sairiam para lá. Havia o problema de como se vestir, mas, tendo em conta como os seus anfitriões tinham lidado com a situação, supunha que seria algo bastante informal. Às oito, já tomara banho e estava quase pronta com umas calças de ganga da marca *For All Mankind*, uma camisola de seda e umas sandálias de tiras que trocou por umas *Birkenstock* assim que viu a cara de Neil. Sabia que, embora ficasse a olhar fixamente para a *t-shirt* dos Coldplay que o marido usava até a roupa deitar fumo, ele não perceberia a indireta, portanto, no fim, limitou-se a dizer-lhe com toda a amabilidade de que foi capaz para vestir outra coisa.

O vestíbulo estava deserto e em cada degrau da escada nua havia candelabros que desenhavam sombras titilantes na parede.

— Este lugar poderia arder em chamas num instante — murmurou Neil.

Das profundidades da casa emergia o ritmo da música amplificada e ela sentiu um nó no estômago de nervosismo ao ouvir o murmúrio próximo de vozes a conversar. Espreitou pela porta da sala de estar e a primeira coisa que viu foi um tipo barbudo vestido com um fato de linho amarrotado. Estava sentado num sofá de couro de estilo escandinavo e enrolava um charro em cima da capa de um disco como se estivessem em 1979. O que conseguia ver da sala era uma combinação estranha de desordem caótica e vazio. Nas paredes, havia quadros pendurados que não combinavam, num canto havia livros amontoados até ao teto e, noutro, um candeeiro de pé cromado com vários braços erguia-se por trás de uma poltrona *Eames*. Por cima da lareira, tinham pendurado uma cabeça de veado dissecada entre cujas hastes tinham posto uma grinalda de luzes às cores. O lugar cheirava a caril e a marijuana e sentia-se um ligeiro cheiro a mofo que indicava que ainda não tinham resolvido o eterno problema de humidade que afetava a casa desde que se lembrava. Dirigiu o olhar para outro canto da sala e, no meio da penumbra, conseguiu distinguir um homem com uma cartola e uma mulher vestida como uma *Rockabilly*. Ambos tinham uma lata de *Red Stripe* na mão.

Depois de os cumprimentar com um sorriso inseguro, virou-se novamente para Neil e sugeriu:

— Cozinha?

Dirigiram-se para lá e pestanejaram quando entraram e foram atingidos pela luz fluorescente. Se na sala de estar mal havia luz ou pessoas, o ambiente cheio de luz e bulício da cozinha era exatamente o contrário. O nível de decibéis era intimidante por si só e, por um instante, ao ver-se à frente do que parecia ser um muro impenetrável de cordialidade, a primeira reação instintiva que teve foi querer fugir dali. Os convidados não eram pessoas da zona, pareciam tirados de alguma galeria de arte nova-iorquina vanguardista. Havia septuagenários com calças de ganga muito justas e rapazes de vinte anos com roupa de lá, havia intelectuais anticapitalistas e raparigas das que pintavam os olhos com *Kohl* e marcavam tendências, dândis presunçosos a pavonear-se e *punks* desalinhados.

Depois de dar a mão ao marido de forma instintiva, abriu caminho entre a multidão buliçosa até chegar a porto seguro num espaço livre que ficava junto da mesa da cozinha. Ao ver que Neil se dispunha a pousar a garrafa de *Moët*, avisou-o com o olhar de que não o fizesse.

Não tinham feito nada para embelezar a cozinha nem para criar um ambiente próprio. Era um lugar puramente funcional e, se bem se lembrava, continuava tal como estava quando a casa fora posta em leilão. Talvez Lou e Gavin tivessem usado todo o seu dinheiro a remodelar a cave ou, como o estilo retro dos setenta voltava a estar em voga, os azulejos castanhos com motivos florais e os armários amarelos lhes parecessem de um bom gosto supremo.

— Que bom, champanhe! Abre-o!

— Olá, Carol! — Ela própria se surpreendeu um pouco com o pouco entusiasmo com que lhe saiu o cumprimento.

Carol escolhera um dos seus vestidos cruzados da *Boden* para a ocasião. Tanto os brincos como as meias e o verniz que escolhera eram do mesmo tom verde-jade do que cada terceiro ziguezague da roupa e o cabelo ruivo e curto parecia recém-saído do cabeleireiro. Parecia uma professora de economia doméstica que saíra para dar uma volta e entrara por erro num clube de *jazz* medíocre.

Embora soubesse que a sua reação não era correta, a verdade era que não queria que a vissem com ela. Não é que Carol não fosse uma grande pessoa, claro que era. Sim, era uma mulher leal e prática, inteligente e de bom coração. Podia contar com ela, tanto quando precisava de conversar com alguém e justificar-se como quando precisava de uma chávena de cuscuz. Ao longo dos anos,

24

houvera confissões e lágrimas. Carol liderava um grupo de leitura nada desprezível e organizava jantares que não eram maus e, embora as listas de convidados de ambos os eventos costumassem ser iguais e as conversas se repetissem, não podia ignorar a sua hospitalidade generosa. Mesmo assim, não era uma boémia.

Mesmo naquele momento, enquanto lhe servia, contrariada, uma taça de champanhe, Carol estava a reparar nos móveis e na decoração.

— Parece que esta cozinha é *retro* ou apenas velha?

— Não sei, na verdade — respondeu, sem muito interesse. Estava a tentar ouvir uma conversa próxima sobre música *rap* e misoginia, mas era impossível com Carol a tagarelar de um lado e Neil e Simon a falar de futebol do outro.

— Eu esperava encontrar uma daquelas de última geração, é curioso que ainda esteja assim com todo o tempo que os pedreiros passaram a trabalhar.

— Estiveram a criar um estúdio, Carol.

— Ah, sim, já me esquecia de que ele é um artista. — Fez uma careta satírica e, então, lançou um olhar para o mar diversificado de pessoas que as rodeavam. — Conheces alguém?

Ela abanou a cabeça. A verdade era que queria conhecer aquelas pessoas, mas isso seria uma tarefa impossível se Carol se colasse a ela como uma lapa. A cozinha começava a esvaziar-se a pouco e pouco à medida que os convidados enchiam os seus copos e saíam para o jardim. Ao ver que Carol se inclinava para ela para fazer algum novo comentário, pôs-lhe uma mão no braço para a deter e desculpou-se com a primeira coisa que lhe ocorreu.

— Desculpa, tenho de ir à casa de banho.

Ao descer os degraus que davam para o jardim, compreendeu finalmente o porquê da poda intensiva daquela tarde. Ao fundo, tinham posto um caramanchão que tinham enchido de almofadas e tapetes e as lanternas de papel que brilhavam no seu interior criavam um ambiente muito atraente. Tinha de reconhecer que Lou e Gavin sabiam gerar a atmosfera perfeita para uma ocasião especial. O caramanchão devia ser uma espécie de zona de relaxamento e só Deus sabia o que poderia acontecer ali à medida que a noite fosse avançando. Ia haver mais marijuana, isso estava claro, mas apareceriam outras drogas? Questionou-se o que ia fazer se alguém lhe oferecesse cocaína e supôs que o melhor seria rejeitá-la. Tinha de pensar nas crianças. Além disso, se aceitasse, não saberia como usá-la e pareceria uma idiota.

Ainda não vira os anfitriões. Os convidados iam formando pequenos grupinhos por todo o jardim, conversavam, bebiam, fumavam e mexiam a cabeça como serpentes sinuosas ao ritmo do *trip hop*. Dava a impressão de que a maioria deles se conhecia e ela sentiu-se como um fantasma enquanto ia à deriva de um grupo para o outro, mantendo-se na periferia e sorrindo, esperançada, incapaz de ganhar coragem e apresentar-se. Houve algumas pessoas que estabeleceram contacto visual com ela, uma ou duas que retribuíram o sorriso e se afastaram um pouco para que pudesse juntar-se ao grupo, mas as conversas eram tão brilhantes, vivazes e fluidas que não havia forma de se juntar. Era como tentar entrar num rio cujas águas corriam a toda a velocidade. Sentiu-se aliviada ao encontrar uma conhecida que vivia a várias ruas dali. A mulher fizera um curso de iniciação à arte com Lou, mas, naquele momento, só queria falar de áreas escolares. Depois de passar vinte minutos a assentir e sorrir, a mudar o peso de um pé para o outro e a brincar com o copo, chegou ao limite da sua paciência e desculpou-se.

Abriu caminho entre a multidão rumo à casa e encontrou o anfitrião por acaso, quando estava a descer os degraus do jardim.

— Queres que te encha o copo? — ofereceu ele, enquanto aproximava uma garrafa de vinho do seu copo.

— Obrigada. És o Gavin, não é?

— É verdade. — Encheu-lhe o copo e prosseguiu o seu caminho sem mais nem menos.

— Na verdade, somos vizinhos! — apressou-se a dizer ela.

Ele parou ao ouvir aquilo e virou-se para olhar para ela com um interesse que estava claro que não era fingido.

— Ah! Deves ser a Sara!

3

Gavin desculpou-se por ter demorado tanto a agir como um bom vizinho e cumprimentá-la. Explicou-lhe que fora como um cão que não parava de dar voltas e mais voltas na sua cesta, ainda que, no seu caso, a cesta em questão fosse o seu estúdio. Dizia: «Não é que tenhamos tido de o construir na rocha viva, mas tivemos de o extrair a pazadas da argila de Londres.» Apontou com um gesto da cabeça para a cave, cujo acesso ainda estava cortado com lonas azuis. Sentiu-se aliviada ao ver que, visto de perto, era apenas moderadamente atraente. Tinha uma pálpebra um pouco descaída, o que lhe dava um certo ar de mauzão, e um perfil cujo único problema que conseguia encontrar era que tinha os dentes um pouco saídos para fora. O sotaque de Lancaster com que falava fazia com que tudo o que dizia parecesse um pouco sarcástico e isso impulsionou-a a responder com uma certa sedução. Disse-lhe que tinha a certeza de que não tinham transformado a cave num estúdio, mas num desses ginásios subterrâneos por que os oligarcas de Chelsea sentiam tanta predileção. Ele respondeu que adoraria demonstrar-lhe como estava enganada, mas que não poderia ser naquela noite, pois não era um lugar onde qualquer pessoa pudesse entrar (apontou com a cabeça para os convidados, que estavam cada vez mais buliçosos). Era um pequeno elogio velado que a fez sentir um formigueiro de excitação no estômago.

— O que fazes, Sara? — perguntou ele, depois de uma pequena pausa.

— Sou redatora publicitária.

— Que bom! Deve ser divertido trabalhar com anúncios.

— Não penses que sou como os da Saatchi nem algo parecido. O meu trabalho é bastante aborrecido. Basicamente, redijo textos internos para empresas. E também alguns pontuais destinados ao público. — Ao ver que se limitava a assentir, antes de se virar e percorrer os convidados com o olhar, supôs que devia estar à procura de alguém mais interessante com quem conversar e apressou-se a acrescentar: — Mas escrevo nos meus tempos livres. Não profissionalmente, mas porque gosto de o fazer.

Ele virou-se novamente para olhar para ela.

— Ah, incrível! O que escreves?

— Pequenos contos, alguns poemas. Comecei um romance, mas ficou um pouco estancado.

— Devias falar com a Lou.

— Sobre o romance? — perguntou, um pouco perturbada.

— Sim, ela pode dar-te alguns conselhos. Dependendo do tipo de romance que for, claro.

— É escritora?

— Guionista e realizadora.

— Não me digas! De filmes?

— Sim. Agora, está a trabalhar numa curta-metragem. O conceito inicial é fantástico.

— Não sabia, ela não me disse nada.

— Não é de estranhar, a minha mulher é muito modesta. Uma dessas pessoas que trabalha como uma formiguinha num segundo plano e, depois, aparece com algo incrível que nos deixa alucinados. Suponho que já tenhas uma ideia.

— Claro.

Foi a única resposta que lhe ocorreu. Mal começara a sentir-se confortável com a ideia de Lou, a perita em moda, a mãe terra e a musa e, afinal, também teria de lidar com o facto de, além disso, ser um génio da criatividade.

— Enfim... — Gavin olhou em redor à procura de mais copos para encher.

Impulsionada por uma necessidade súbita e imperiosa de evitar que se afastasse, disse a primeira coisa que lhe passou pela cabeça:

— O que achas do cinema espanhol?

Observou-a, um pouco surpreendido, como se não soubesse de onde vinha aquela pergunta.

— Não sou um perito no assunto, na verdade. Almodôvar pode ser entretido, mas é muito inconsistente.

— Sim, é verdade. — Assentiu, enquanto, por dentro, rezava para não ter de dar uma resposta mais elaborada. — Não te deixa nervoso que sejam tão incompetentes com as legendas? — Mostrou um ar de exasperação. — Alguns dos filmes franceses que vi...

— Falas francês? — Parecia impressionado.

— Safo-me.

— *Ce qui expliquerait le mystère subtil de votre allure* — disse ele, com um sotaque mais do que passável e os olhos faiscantes.

— Eh... Está bem, fiquei no nível da iniciação — admitiu, com uma careta. — Já me esqueci um pouco.

Entreolharam-se em silêncio por um segundo e, de repente, desataram a rir-se.

— Ótimo! — exclamou ele, enquanto abanava a cabeça, sorridente. — Adoro!

— Qual é a piada?

A pergunta foi feita por Neil ao aparecer de repente e ela cumprimentou-o sem demasiado entusiasmo enquanto tentava não se sentir incomodada com ele devido à interrupção inoportuna.

— Ah, olá. Gavin, apresento-te o Neil, o meu marido.

Depois de apertarem a mão, Neil virou-se novamente para ela e lançou-lhe um olhar eloquente.

— São dez e meia, Sara.

Antes de conseguir responder, Gavin pousou uma mão no ombro de Neil e replicou, sorridente:

— A sério? Então, terão de me perdoar, eu já devia estar a ajudar a minha mulher com a comida. Foi um prazer conversar contigo, Sara. — Ainda continuava a sorrir e a abanar a cabeça quando se foi embora.

— Não achas que já está na hora de nos irmos embora? — inquiriu Neil.

— Porquê?

— Bom, para começar, porque as crianças estão sozinhas em casa.

— Vai dar uma olhadela, se estás tão preocupado...

— Estás a divertir-te assim tanto aqui? — Parecia surpreendido.

— Sim, porque não estou presa na cozinha com a Carol e o Simon.

— Eles já se foram embora, vê-se que ninguém falava com eles.

Aquilo fê-la sentir-se um pouco culpada e acabou por ceder.

— Eu vou ver como estão as crianças. Tu, enquanto isso... Fica aqui e tenta relacionar-te um pouco, estes são os nossos novos vizinhos.

Ele percorreu o jardim com o olhar. Não parecia nada convencido enquanto observava aqueles grupinhos de pessoas integrados por mulheres belas e estilizadas, por homens cujas patilhas grossas e óculos refinados já eram uma declaração de princípios, mas acabou por assentir.

— Está bem. — O ar de segurança com que o disse não foi muito convincente.

Levantou o copo à frente dela num brinde mudo e o gesto fez com que a percorresse uma onda súbita de amor por ele, porque a fez pensar em Patrick no seu primeiro dia de escola. O filho esforçara-se para ser valente e sorrir, mas estava claro que ia estar à beira das lágrimas assim que ela se fosse embora. Talvez Neil estivesse prestes a entrar na direção da Haven Housing Association, mas ambos sabiam que isso não serviria para quebrar o gelo naquela festa.

As crianças estavam bem. Patrick ressonava com suavidade e tinha o lábio superior cheio de suor. Vê-lo a dormir dava a impressão de que os anos não tinham passado, recuperava a carinha de querubim por muito que ele, dia a dia, se esforçasse para que essa cara refletisse beligerância e rebeldia.

Depois de lhe aconchegar o edredão, alisou-lhe o cabelo para um lado com a palma da mão e virou-se para Caleb, que estava a ler um dos livros do *Harry Potter* na cama.

— Como está a correr a festa? — perguntou, ensonado.

— Não é má.

— Fazem muito barulho.

O menino tinha razão. Estavam a dedicar algum tempo à música hispana e o ritmo da *salsa* reverberava nas paredes. Para dizer a verdade, era preciso ter coragem para submeter os vizinhos a uma coisa dessas quando tinham acabado de se mudar para o bairro, muitas das famílias da zona tinham crianças pequenas... Questionou-se de repente se fora precisamente por isso que os tinham convidado, para que não se queixassem do barulho.

— Vou pedir-lhes para baixarem um pouco o volume.

Inclinou-se para lhe dar um beijo, mas ele cobriu a cabeça com o edredão para a impedir. O gesto entristeceu-a e, com um sorriso cheio de nostalgia, voltou a endireitar-se.

Já estava a descer a escada quando o ouviu dizer:

— Boa-noite, mamã!

— Boa-noite! — respondeu, tentando não levantar muito o tom de voz.

Ao chegar à casa do lado, descobriu que a porta principal estava fechada. Apoiou-se na campainha, mas sabia que, com tanto bulício, era impossível que alguém a ouvisse. Lançou um olhar em redor sem saber o que fazer e foi então que se apercebeu de que a porta do beco lateral estava aberta. Foi por lá sem pensar duas vezes e, quando chegou ao jardim, a música parou de repente. Por um instante, pensou que o seu regresso coincidira com o fim da festa, mas soube que não era assim por algo intangível que sentiu no ambiente. Os convidados tinham formado um círculo em redor do jardim e, enquanto avançava para a frente, abrindo caminho entre uns e outros, viu o casal anfitrião parado no meio. Estavam um ao lado do outro, muito coladinhos, e Lou tinha a cabeça inclinada com submissão contra o ombro de Gavin.

Ao princípio, pensou que deviam ter discutido por alguma razão, mas, segundos depois, apercebeu-se de que, à frente do caramanchão, havia um guitarrista sentado num banco. Fez-se um silêncio carregado de expectativa... Tap!, tap!, tap! Três vezes foram as que o músico bateu com a palma da mão na caixa-de-ressonância do instrumento e o som ouviu-se com uma clareza diáfana no meio do silêncio, apesar de não haver amplificador. O homem arrancou do seu peito um gemido agudo e melodioso e começou a interpretar um tango acompanhado pela sua guitarra.

Sentiu-se um pouco incomodada ao ver que Lou e Gavin estendiam os braços à altura do ombro, entrelaçavam os pulsos e começavam a dançar. Mesmo assim, não demorou a ser evidente tanto o virtuosismo do guitarrista como a entrega dos bailarinos e, antes de dar por isso, estava a observar a cena, fascinada. Lou e Gavin traçavam círculos pela pista de dança improvisada, os seus tornozelos entrelaçavam-se em movimentos intrincados e o vestido vermelho justo de Lou acariciava as coxas de Gav enquanto se abraçavam e se afastavam um do outro, enquanto se atraíam e se repeliam mutuamente. E os convidados, enquanto isso, acompanhavam-nos, aplaudindo... Mas não eram aplausos de apoio nem de felicitação, era um desafio que incitava a fazer algo perigoso e ilícito. Talvez Gav e Lou carecessem do estilo depurado e da coordenação perfeita de uns bailarinos profissionais, mas tinham algo que a prendia ainda mais, uma qualidade que detinha sem complexos qualquer possível ambivalência ou desconforto que pudesse existir em algum dos espetadores. Esse «algo» era a entrega total com que dançavam. A tensão sexual que crepitava entre eles era flagrante enquanto os seus olhares chocavam, enquanto juntavam as faces e as coxas, enquanto fechavam os olhos e erguiam o queixo. Era como presenciar um cataclismo, como ver em câmara lenta um choque de carros em que havia metal espalhado, ossos partidos e carne rasgada. Tinha consciência de que não devia estar a observar, mas era incapaz de desviar o olhar. Ela própria sentia como a sua resistência enfraquecia enquanto continuava ali parada, como fazia com que o chão firme que pisava começasse a cambalear.

A dança chegou ao seu fim. Lou tinha uma perna apoiada na anca de Gavin, a outra estendida para trás e o corpo lasso numa posição de rendição total. Os convidados rebentaram numa ovação sonora e, enquanto todos aplaudiam e assobiavam, Lou desatou a rir-se e levantou a outra perna para se agarrar com ambas à cintura do marido. Ele fê-la girar com abandono e a que, há segundos, fora uma mulher fatal transformou-se de repente numa rapariguinha que se ria, entusiasmada.

Ela aplaudiu, sorridente, juntamente com os outros, é claro, mas, no fundo, sentia um desassossego profundo. Foi buscar alguma coisa para beber e viu Neil no caramanchão, reclinado num *puf*.

Levantou-se depressa ao vê-la chegar, como um menino que fora apanhado a fazer uma travessura.

— Foi fantástico, não foi?

O sorrisinho palerma que tinha na cara denunciou-o. Saltava à vista que estava drogado.

— Sim, impressionante. — Limitou-se a responder ela.

— Viste o guitarrista? Que espetáculo! Tocava tão depressa que nem se viam os dedos!

— Deves ter sido o único que estava a olhar para ele.

— Talvez lhe pergunte se pode dar algumas lições ao Caleb.

— Não acho que queira fazê-lo. O mais provável é que nem sequer saiba falar inglês.

— Bom, então, vou ver se tem algum CD à venda. Com certeza que sim, um tipo com esse talento tem de ter um CD.

— Nem pensar!

— Porquê?

— Porque seria ridículo.

Deu-lhe a mão ao ver que o ferira um pouco com aquela resposta e sentiu que tinha a palma húmida.

— Vamos dançar — propôs ele, ao ver que punham música outra vez. Atraiu-a para ele e beijou-lhe o pescoço.

— Não querias ir já para casa?

— Depois de dançar esta canção.

Não era um tema que servisse para dançar, porque não era suficientemente rápido para se deixarem levar nem suficientemente lento para inspirar um pouco de romantismo e para dançarem apertadinhos. Portanto, dedicaram-se a ir girando sem se mexer de o sítio nem saber o que fazer. Agarrava-a pelas ancas sem exercer pressão nenhuma, pôs-lhe as mãos nos ombros e, depois, deslizou-as e segurou-a pelos cotovelos numa tentativa de imprimir um pouco de ritmo aos seus movimentos. Por sorte, quase todos tinham regressado à cozinha para se servirem de outra bebida, portanto, só contavam com a companhia de uma mulher com a compleição delicada de um duende que dançava com uns movimentos estranhos de pulso e uma rapariguinha que usava umas asas de fada por cima do pijama.

Assim que a canção chegou ao seu fim, deu um pequeno beijo nos lábios do marido e chegou-se um pouco para trás para que a soltasse.

— Muito bem, vamos despedir-nos dos anfitriões? — perguntou ele, enquanto olhava em redor com os olhos um pouco desfocados.

— Vai andando, eu já te alcanço.

Ficou mais de uma hora na festa, mas sentia-se como uma mera espetadora. Recebeu imensos sorrisos de pessoas que claramente tinham tomado alguma coisa, mas ninguém lhe ofereceu drogas. Dançou na periferia de alguns grupos e os integrantes ampliaram o círculo com amabilidade para a incluir. Um homem chegou a abanar os ombros como que dizendo «Se te atreveres a deixar-te ir, eu também o farei» quando começou a tocar um tema de Steely Dan, mas, apesar de ter bebido uma garrafa de vinho ao longo da noite, foi incapaz de se deixar levar pela música e optou por ir à cozinha. Ficou ali parada, junto da mesa, enquanto comia, sem fome, uns pedacinhos de *roti* caseiro acompanhado de picles de lima, até se aperceber finalmente de que Lou e Gavin já tinham ido dormir e era melhor ir para casa.

4

Sara aproximou-se da janela do seu quarto e foi testemunha dali de como a vizinhança ia acordando. Viu como o homem da casa germinada com acabamentos de empedrado árido saía com o cão (um animal imponente que assustava um bocadinho, na verdade), como o levava até à casa com venezianas, como lhe permitia levantar a pata e fazer as suas necessidades no arbusto que os vizinhos tinham plantado num vaso antes de o levar de volta a casa. Viu como Marlene, a vizinha do número doze, punha o rabo gordinho no seu *Ford Ka* e rumava para o Salão do Reino, com a cabeça devidamente penteada e tapada com um chapéu. Viu como um homem com cara de cansaço, depois de levar um carrinho duplo de bebé pelos degraus da nova casa remodelada, se dirigia para o parque. Viu como se abria a porta da casa de Carol...

— Para onde irá? — murmurou. Ignorou o pequeno gemido que saiu de baixo do edredão e seguiu a amiga com o olhar, que atravessou a rua com um envelope na mão. — Meu Deus, não irá... Sim, vai fazê-lo! Vai entregar-lhes um bilhete de agradecimento. — Virou-se para Neil, que conseguira endireitar-se com esforço até ficar recostado contra as almofadas. — Consegues acreditar? — inquiriu, com um sorriso de incredulidade.

— Sim, que horror! Como pode ter boa educação?

— Para com isso. Tu próprio disseste que não se divertiram na festa!

Tal como estava naquele momento, recostado contra as almofadas e com uma expressão de indulgência altiva no rosto, teria encaixado perfeitamente entre os bustos esculpidos em Monte Rushmore.

— Talvez não seja um bilhete de agradecimento — disse ele.

— Que outra coisa poderia ser?

— Um cartão de aniversário, por exemplo — propôs, com despreocupação, antes de estender a mão para o seu telemóvel.

— Não digas tolices, acabaram de conhecer os vizinhos.

Mesmo assim, não gostava da ideia de Carol tomar a iniciativa. Devia ser ela a estar na primeira linha para ganhar a amizade dos novos vizinhos, não a amiga. Tudo o que Carol sabia sobre Lou e Gavin fora descoberto porque ela lho contara: A idade e o sexo dos filhos; que tinham regressado de Espanha recentemente; o trabalho que Gavin desempenhava... Dera essas pequenas informações à amiga e, ao fazê-lo, sentira-se ufana e satisfeita. Mesmo assim, guardou para si as confidências (as trutas e as lágrimas). A ideia de Lou e Carol começarem uma amizade era absurda, pois não tinham nada em comum.

— Na verdade, o que aconteceu quando me fui embora?

Neil perguntou-lhe aquilo sem desviar o olhar do telemóvel e com aparente indiferença, mas conhecia-o perfeitamente e sabia que realmente desejava sabê-lo.

— Não muito — respondeu, antes de se deitar novamente na cama e puxar o edredão para que ele não monopolizasse tudo. — O Gavin e a Lou desapareceram. Conversei com algumas pessoas, dancei um pouco e voltei para casa.

— Desapareceram? Para onde foram?

— Para a cama, suponho. — Ela própria percebeu que parecia um pouco afetada ao dizê-lo.

— A sério? Mas para a cama para... Já sabes?

— Viste-os, deu-me a impressão de que aquela dança era um joguinho erótico para eles.

— A sério? — Parecia atónito e entusiasmado, como um adolescente brincalhão.

— Abusaram um pouco, não achas? Comportar-se assim na sua própria festa...

— Não me parece mau. Talvez não tenham conseguido conter-se.

Ficaram um bom bocado assim, deitados na cama em silêncio. A cacofonia das crianças a ver televisão no andar de baixo competia com o zumbido de um cortador de relva procedente do exterior. Embora Neil continuasse entretido com o telemóvel, o tema do sexo flutuava sobre eles. Costumavam aproveitar a manhã de domingo para ter relações e, a julgar pela pressa com que o marido estava a consultar os resultados do futebol, de certeza que tinha uma ereção. Ela também estava excitada, mas tudo se misturou com Gavin e Lou e esse tango estúpido que tinham dançado. Tinha ressaca, estava mal-humorada e excitada. Suspirou, zangada, tirou um braço de baixo das mantas e deixou cair a mão por cima do cobertor. Segundos depois, ele começou a acariciar-lhe o pulso como quem não quer a coisa, como se continuasse absorto no resumo do jogo. Era a mais leviana das carícias, poderia passar por um gesto quase inconsciente, mas não conseguia enganá-la: O marido não estava a perceber nada do que estava a ler no telemóvel. Ela fechou os olhos e tentou relaxar, mas não conseguia parar de pensar na festa... O ambiente estranho, a música, o comportamento inusitado dos anfitriões... Neil começara a encher-lhe o pescoço de beijinhos enquanto deslizava a mão por baixo do edredão e seguia o percurso habitual, passando de um lado para o outro: Um beliscão no mamilo, uma carícia breve num seio e prosseguindo para baixo. Ela deitou a cabeça para baixo e tentou entregar-se ao prazer, mas era incapaz de se deixar levar. Gemeu e retorceu-se, agarrou na mão de Neil e, depois de lhe mostrar como e onde queria que a acariciasse, fechou novamente os olhos, mas foi em vão. Gavin e Lou apropriaram-se novamente dos seus pensamentos, só que, daquela vez, estavam nus e Gav tinha a cabeça entre as coxas de Lou, em cujo rosto se refletia um prazer intenso. Sentiu-se horrorizada e apressou-se a apagar aquela imagem da sua memória enquanto reprimia

37

imediatamente o formigueiro suave de um orgasmo incipiente. Àquela altura, já tinha o membro de Neil contra a coxa e raciocinou consigo própria que, se se autocensurasse naquele momento, a única coisa que ia conseguir era fazer com que ambos ficassem frustrados... Mal acabara de se dar permissão para abrir novamente essa porta da sua memória quando já estava lá, do outro lado da parede, no quarto dos vizinhos, a vê-los a ter relações como animais no chão enquanto Gav penetrava Lou com movimentos cada vez mais fortes e profundos, enquanto Lou batia no chão com as mãos e deitava a cabeça para trás, enquanto o suor voava por todo o lado, gemiam, gritavam de prazer e chegavam ao orgasmo, um orgasmo eterno e...

— Oh, meu Deus! Sim! Oh, sim!

Abriu os olhos e o quarto e o dia regressaram à normalidade, mas ainda continuava a sentir contra a coxa uns espasmos musculares leves e o marido continuava com o olhar desfocado. Pôs-lhe uma mão no ombro e, como um cachorro quando a sua dona faz uma concessão por uma vez e lhe permite subir para o sofá, pôs-se em cima dela e já deviam faltar apenas alguns movimentos para alcançar o orgasmo quando a porta se abriu de repente. Lançou o olhar para lá, exasperada e disposta a repreender algum dos seus dois filhos por se esquecerem de bater antes de entrar, mas, em vez disso, encontrou uma menina com uma fralda. Não a conhecia, mas deixou escapar uma exclamação abafada quando o cabelo loiro e encaracolado da pequena e os seus olhos azuis penetrantes a fizeram aperceber-se de quem era.

Uns quinze minutos depois, quando regressou novamente a casa, fechou a porta com o salto do sapato e disse, em voz alta:

— Bom, espera até te contar! — Não recebeu resposta do marido, portanto, seguiu o cheiro apetitoso do pequeno-almoço acabado de fazer e parou à porta da cozinha com os braços cruzados. — Não se tinham apercebido de que a menina tinha saído! — Ao ver que ele continuava a fritar os ovos sem fazer nenhum comentário, acrescentou: — Não sabiam que ela estava aqui. É incrível, na verdade. A pobre ainda nem tem três anos. Aposto que nunca adivinharias como se chama. — Ele não propôs um só nome, continuou a cozinhar de costas para ela. — Zuleika, mas chamam-lhe Zuley. Ainda não sei se gosto ou não.

— Poderás avisar-me quando decidires.

— De onde terão tirado um nome assim?

— Não sei, talvez do *Grande Livro de Nomes Pretensiosos*.

— Certamente, veio atrás do Dash e do Arlo. Não é de estranhar que tenha preferido sair de sua casa. Digamos que, neste momento, não é um lugar apto para crianças. Devias ver como está tudo... Pessoas estranhas deitadas nos sofás, cinzeiros cheios, garrafas vazias... Só Deus sabe o que essa menina poderia ter levado à boca! — Por muito que tentasse, não conseguiu evitar que, na sua voz, se refletisse uma admiração relutante. — Enfim, a questão é que estamos convidados para ir lá jantar hoje. — Esforçou-se para reprimir o sorriso de satisfação que queria aflorar aos seus lábios.

— Podes pôr a mesa, por favor?

Aparentemente, o marido sofria de surdez seletiva por causa do *coitus interruptus*.

Depois de afastar o jornal dominical, levou os pratos e os talheres para a mesa e avisou as crianças, que irromperam na cozinha como um redemoinho de energia e testosterona. Competiram aos empurrões para conseguir a melhor cadeira, o prato com mais comida e o copo mais cheio e Dash ganhou em todos os casos. De facto, chegou a tirar o *ketchup* das mãos do irmão mais novo e, antes de conseguir protestar sequer, já pusera tal quantidade que formou um lago vermelho no seu prato.

— Eh... Nesta casa, servimo-nos por turnos... — avisou-o, com firmeza.

Dash respondeu com aquele sorriso que parecia ser típico nele. Era um sorriso alegre e natural que, ao mesmo tempo, deixava claro que não queria saber o que estava a dizer e era muito mais perturbador do que uma atitude desafiante. Era um menino bonito, isso era indubitável, e possuía um encanto inato que não parecia nada sincero. Mesmo assim, não entendia como pudera confundi-lo com uma menina ao princípio, porque, ao observá-lo, saltava à vista que tanto o seu físico como o seu comportamento eram os de um macho alfa. Arlo, pelo contrário, parecia um cachorrinho necessitado. Era de compleição bela e tinha o queixo um pouco afundado. Herdara os olhos afastados da mãe, mas sem o brilho de inteligência que os dela tinham. Tinha os dentes um pouco saídos para fora, tal como o pai, mas, ao contrário dele, carecia desse sentido de humor que compensava qualquer pequeno defeito. Era uma daquelas crianças que, mesmo que interviesse para impedir que continuassem a meter-se com ela, despertava o impulso mesquinho de a incomodar um pouco mais. Por isso, sentiu-se comovida e com a sensação de que acabara de receber uma lição ao ver que, assim que Caleb e Dash acabaram de tomar o pequeno-almoço e saíram da cozinha, Patrick, numa demonstração de lealdade, ficou sentado junto daquele «amigo», um que aparecera sem ele o procurar, e conversava animadamente enquanto Arlo se esforçava para apanhar os últimos feijões elusivos que lhe escorregavam pelo prato.

Quando as duas crianças saíram também da cozinha e ficou novamente a sós com Neil, começou a pôr os pratos sujos na máquina de lavar loiça.

— De certeza que vamos divertir-nos no jantar desta noite, será agradável passarmos algum tempo os quatro — comentou.

— Ontem à noite, já estivemos em casa deles — respondeu ele.

— Sim, nós e mais cinquenta pessoas.

— Não entendo de onde vem tanta pressa.

— Não é pressa, mas também não há motivo algum para nos recusarmos a jantar com eles. A menos que, na verdade, não nos apetecesse ir, claro.

— Mas a questão é que já lhes disseste que sim.

— Bom, não exatamente. Disse-lhes que falaria contigo primeiro.

— Ena, muito obrigado. Portanto, agora, se não formos, pensarão que sou um canalha miserável.

Ela arqueou uma sobrancelha num ar eloquente e ele suspirou e continuou a lavar a frigideira para tirar os restos de ovo frito.

— Neil, são pessoas amáveis e interessantes e querem ser nossos amigos. Por muito que me esforce, não vejo qual é o problema.

Ele encolheu os ombros com resignação. Para dizer a verdade, o marido era uma alma simples, uma pessoa afável, direta e curiosa. Construíra uma carapaça de masculinidade que era credível e que, normalmente, era muito subtil. Quase nunca recebia chamadas de trabalho quando estava em casa, mas, quando o fazia, era impossível saber se estava a falar com o seu assistente pessoal ou com o presidente da empresa. De facto, era esse o principal motivo por que era candidato a ocupar um lugar na direção, independentemente do aumento recente obtido no grau de satisfação dos inquilinos ou do número de construções que se tinham completado sob a sua jurisdição. O igualitarismo instintivo do marido era totalmente louvável, é claro, mas via um problema: Era resistente a reconhecer o facto de existirem pessoas que, por alguma razão, eram realmente excecionais.

Naquela noite, enquanto esperavam à frente da porta da casa de Lou e Gavin pela segunda vez em vinte e quatro horas, virou-se para olhar para ela e murmurou:

— Ficamos até às onze no máximo, está be...? — interrompeu-se de repente ao ver que a porta se abria e sorriu como se estivesse contente por estar ali. — Olá!

Ela esperou enquanto entregava uma garrafa de vinho a Lou e a beijava em ambas as faces (na verdade, o gesto pareceu-lhe um pouco excessivo por parte do marido, não era preciso ser uma lapa) e, então, cumprimentou-a também.

— Trouxe a sobremesa. Pensei que, com tudo o que terás tido de limpar hoje... Nada muito elaborado, uns figos no forno e *mascarpone*.

— Ena, obrigada.

Parecia surpreendida com a sua simpatia, mas o sorriso também revelava uma leve diversão. Para dizer a verdade, a sua anfitriã

41

não devia ter limpado demasiado, porque a casa estava quase tão desordenada como quando fora devolver-lhes Zuley naquela manhã. Havia caixas cheias de garrafas vazias amontoadas junto da porta principal e, junto delas, uma fileira de sacos pretos de lixo cheios até quase rebentar. Ao fundo da escada havia uma toalha húmida e imensas peças de *Lego* espalhadas. A cozinha estava gelada e cheirava a fumo rançoso de tabaco. Não havia cheiros de comida a encher o ambiente, nem frascos de especiarias na bancada ou algum livro de receitas aberto... Nada que indicasse que, em breve, ia servir-se um jantar. Se não fosse pelo facto de saltar à vista que Lou se dera ao trabalho de se arranjar, teria pensado que talvez se tivesse enganado na noite, mas a sua anfitriã estava muito bonita. Parecia um leão-marinho sensual. Tinha o cabelo puxado para trás e com gel, os olhos pintados com *Kohl* e a roupa que escolhera para a ocasião (uma blusa de gaze com uma laçada ao pescoço e umas calças de ganga) não podia contrastar mais com o vestido espetacular e comprido da noite anterior. Não havia dúvida de que tinha a habilidade de fazer com que qualquer conjunto que decidisse usar fosse dela.

Lou convidou-os a sentar-se e não tiveram outro remédio senão fazê-lo, apesar de as cadeiras estarem peganhentas e de a mesa da cozinha ainda continuar cheia de bocados de piza mordiscados e de manchas de sumo.

— Abro a garrafa que trouxeram ou preferem mais champanhe? — Lou abriu o frigorífico e tirou uma garrafa meio cheia de *Krug*.

— Uma festa em que sobra álcool, devemos estar a envelhecer... — comentou Neil.

— Ou mais católicos no que diz respeito a gostos — respondeu a anfitriã, com um sorriso enigmático, antes de servir três copos.

Ao fim de um instante, enquanto a via a passear pela cozinha com John Coltrane a tocar de fundo e o linóleo imundo a colar-se como ventosas nas plantas descalças dos pés, Sara debatia-se entre a repugnância devido a semelhante abandono e a curiosidade ao ver que Lou parecia ser totalmente indiferente àquela desordem. Interrogou-se como seria viver assim, vestir-se como quisesse e quando quisesse e convidar pessoas para casa de um momento para o outro. Para ser sincera, o aspeto desenvolto e informal da situação tinha um certo encanto e contrastava totalmente com os jantares perfeitamente coreografados e supostamente informais que ela própria organizava. A própria Lou admitiu como quem não quer a coisa que não tinha jeito para ser anfitriã e, com os braços até aos cotovelos na água onde estava a lavar a loiça, contou-lhes por cima do ombro que Javier Barden ficara com lombrigas uma vez por causa de um prato de porco demasiado mal passado que lhe servira. O que podia responder a uma coisa dessas? A verdade é que a sua anfitriã conseguira deixá-la sem palavras novamente.

Quando Gavin apareceu, por volta das oito e cinco, vestido com umas calças de ganga e uma *t-shirt* de linho amarrotada da cor das campainhas, o crepúsculo já escurecera as janelas e Lou conseguira uma transformação. Depois de limpar a mesa, pusera nela uma jarra com anémonas e uma vela curta cor de âmbar e, ao redor daquele centro decorativo, pusera pratos de azeitonas, anchovas e alcachofras, para além de pão numa tábua de madeira. Bastou que Gavin fechasse as persianas e abrisse a garrafa de vinho e, de repente, o ambiente tornou-se alegre e promissor. Aquilo parecia uma barcaça ou uma caravana cigana... Bom ou, pelo menos, uma espécie de mistura entre uma casa e um veículo criada à medida, em que os quatro estavam a começar uma viagem. A receção informal que antes tinham percebido como uma demonstração de abandono começava a parecer um grande elogio. Gavin agarrou a esposa pela cintura e beijou-a no pescoço, bebeu de um gole quase todo o seu copo e, então, mudou a música que tocava na aparelhagem e começou a cozinhar.

À medida que as velas se consumiam e o álcool contribuía para que a conversa fluísse, foi esquecendo tanto a sua preocupação com a hipótese de estar corretamente vestida como com o costume desagradável que Neil tinha de chupar os dedos quando comia azeitonas e começou a desfrutar da noite. Criou-se um ambiente relaxado e íntimo que convidava às confidências e, antes de dar por isso, estava a admitir com um risinho que se sentira intimidada quando Gav e Lou tinham chegado à vizinhança.

— A sério? Porquê? — perguntou Lou, surpreendida.

— Bom, já sabes... Por causa do vosso carro, pela forma como se vestem, pela cabeça de veado que têm pendurada por cima da lareira...

— É a *Beryl*, um antílope, e ninguém poderia sentir-se intimidado por ela. É vesga e tem uma haste sarnenta. Quanto ao *Humber*, nem sequer me lembro de como chegou às nossas mãos...

— O Damien ia livrar-se dele — recordou Gav —, e nós tínhamos os bolsos cheios.

— Ah, sim, porque tinhas acabado de ganhar o prémio Tennent de escultura! Portanto, já vês, Sara, foi algo bastante casual. — Inclinou-se para a frente e olhou para ela com um olhar eloquente. — Na verdade, estimada senhora, deixa-me dizer-te que o sentimento foi mútuo. Lembras-te de quando falaste comigo pela primeira vez? Fiquei muito nervosa! — Olhou para Neil e para Gavin como se procurasse uma confirmação. — Ali estava ela, tão elegante e perfeitamente arranjada depois de ir buscar as crianças à escola... Eu parecia um desastre com o fato-macaco de trabalho sujo e, para o caso de ser pouco, essa outra vizinha... Como se chama? Ah, sim, Carol. A Carol estava a olhar para mim como um falcão do outro lado da rua. Senti-me como se estivesse a fazer um teste de acesso ou uma coisa dessas e, quando me convidaste para uma bebida, quase comecei a dar saltos de alegria.

Sara não soube como agir com aquela informação inesperada. Corou, agradada e, com a ponta de um dedo, começou a brincar com uma migalha que viu na mesa.

Foi Gav que quebrou o silêncio ao dizer, num tom resmungão fingido:

— Bom, se ninguém vai dizer-me como sou maravilhoso, suponho que será melhor servir o jantar.

Todos desataram a rir-se. Sara apercebera-se de que o seu novo vizinho tinha a capacidade de fazer com que as pessoas se sentissem confortáveis e relaxadas. Não era um desses artistas torturados e introvertidos que alguém costumava imaginar. Embora a verdade fosse que também não podia dizer-se que era um homem encantador, porque, nessa sua capacidade, não havia magia alguma nem artifício. Era um homem que se sentia confortável consigo próprio e fazia com que os outros se sentissem bem, era tão simples quanto isso. O seu papel de cozinheiro deixou-o atarefado durante um bom bocado e passeou pela cozinha enquanto cantarolava uma canção em voz baixa e lançava alguns comentários por cima do ombro. Serviu-lhes uma tajine de cordeiro que cheirava muito bem com tanta naturalidade como se fosse apenas um prato com simples torradas com feijões e, quando se sentou finalmente, falou sobre si próprio sem reservas, expressou as suas opiniões sem filtro e pareceu sinceramente interessado quando perguntou pelo trabalho de Neil.

— Parece-me incrível toda a ajuda que oferecem — afirmou, num momento dado, num tom de admiração.

— Não penses que sou uma espécie de Madre Teresa! — protestou Neil, com a boca cheia. — É uma tarefa importante, claro que sim, e acredito a cem por cento no que faço, mas pagam-me bastante bem. E se soubesses de todos os problemas que os anarquistas das associações de inquilinos me dão, qualquer um diria que sou o Rachman!

— Quem é esse? — Lou olhou para ele com olhos interrogantes depois de cravar um pedaço de cordeiro com o garfo.

— Um senhorio dos anos cinquenta com muito má fama, o seu nome transformou-se em sinónimo de exploração e corrupção. A minha tese de doutoramento foi sobre a influência que ele teve sobre a lei de múltipla ocupação. A verdade é que foi fascinante.

— Neil, não podes dizer que a tua própria tese foi fascinante — murmurou Sara.

— Não me referia à tese em si, mas ao processo de a elaborar.

— Portanto, és o doutor Neil, não és? — replicou Gav. — Que

impressionante, não acho que tivesse a perseverança necessária para fazer uma coisa dessas.

— A verdade é que tive de trabalhar arduamente, mas aposto que não saíste da barriga da tua mãe totalmente formado e com um pincel na mão.

— A quem o dizes! Ainda que, se fosse por ela, tivesse saído com uma pá de pedreiro. — Adotou um sotaque de Lancashire ao acrescentar: — «Gavin, filho, aprende um ofício se queres pôr comida na mesa.»

— Mas é o que fazes como artista — alegou Sara —, suponho que os teus pais se sintam orgulhosos dos teus sucessos.

— O que pensas, Lou? — Gav virou-se para a esposa com um sorriso cheio de ironia. — Sentem-se orgulhosos?

— Não sei — replicou, num tom gélido.

— A Lou sente-se muito indignada com a atitude dos meus pais comigo, a verdade é que eles não entendem o meu trabalho. Adorariam que fosse médico ou advogado, mas a minha mãe vê um quadro de cavalos a galopar pela praia e acha que isso é arte, portanto...

— Ela sabe que tiveste sucesso na tua profissão, não vai morrer se o admitir — murmurou Lou.

— Não é algo que me incomode. Além disso, sempre estive à sombra da nossa Paula.

— Referes-te à tua irmã, não é? O que faz? — perguntou Sara.

Foi Lou que respondeu:

— É uma mera professora da escola primária, mas devias ouvir como a mãe do Gav fala dela. Qualquer um diria que é um prodígio! — Imitou a sogra com um sarcasmo flagrante. — «A nossa Paula está a organizar uma assembleia sobre multiculturalismo, Gavin. A nossa Paula vai levar as crianças ao parque de esculturas de Yorkshire.» Nesse parque, está exposta uma das obras do Gav, mas ela nem sequer o menciona. Não lhe passa pela cabeça que poderia parar de jogar bingo na Internet por dois minutos para ir ver a escultura do filho por si própria.

46

Gav pôs-lhe uma mão no braço e disse-lhe, num tom tranquilizador:

— Não faz mal, Lulu.

Ela não respondeu, mas os seus olhos cintilavam de raiva.

— Isso parece um pouco injusto — comentou Sara.

— Nem tanto — disse Gav, com pragmatismo. — A verdade é que os artistas não são demasiado úteis. A arte não é algo que as pessoas precisem para viver.

Lou explodiu imediatamente ao ouvir aquilo.

— Meu Deus, Gavin, não suporto quando te menosprezas assim! És um artista contemporâneo importante, és representado por uma galeria de arte de primeiro nível!

Ele desatou a rir-se.

— Sim, isso é verdade! E tenho sempre a impressão de que vão apanhar-me de um momento para o outro.

— O que queres dizer? — perguntou Neil.

— Se parar para pensar nisso, o que faço realmente? Basicamente, brinco, como essas crianças a que a nossa Paula dá aulas. Limito-me a plasmar em três dimensões o que tenho dentro de mim, brinco com pedaços de coisas velhas e imprestáveis até começarem a parecer-se com aquilo que me assusta, que detesto ou que amo e, então, exponho-as e, por incrível que pareça, quem as vê compreende a mensagem.

— Nem todos — corrigiu Lou.

Neil acabou a bebida e deixou o copo na mesa, antes de dizer:

— A Sara é demasiado tímida para pedir, portanto, terei de ser eu a fazê-lo. Quando vamos poder ver o teu estúdio, Gav?

— Neil! — Sara olhou para ele, indignada.

— Ainda não vos mostrei? — perguntou Gavin, com um ar de surpresa. — Ah, não, é verdade, mostrei-o ao Stephan e à Yuki. Vá, vamos lá! — Deu uma palmada nas coxas e levantou-se.

Sara resignou-se ao facto de a conversa relaxada da noite anterior não ter uma continuidade e de os oligarcas da Chelsea terem ficado no esquecimento. Mesmo assim, ao levantar-se, um pouco cambaleante e disposta a segui-lo, não pôde evitar sentir um formigueiro de excitação no estômago. Teria gostado de ter a mente limpa, de se sentir em plenas faculdades para poder fazer comentários brilhantes e eloquentes, mas estava bastante alegre por causa da bebida. Enquanto se dirigia para a escada de caracol que conduzia ao estúdio, tentou recordar algumas das análises que lera quando procurara informação no Google sobre a última exposição do seu anfitrião, mas a única coisa que lhe vinha à mente era «formalismo espasmódico» e via-se incapaz de dizer uma coisa dessas como quem não quer a coisa.

Lou limpou as mãos num pano de cozinha e decidiu segui-los, mas Gav virou-se para ela e observou-a com um ar de desculpa.

— Seria melhor se um dos dois ficasse aqui, para o caso de a Zuley acordar.

— Ah! Bom, está bem. — Esboçou um sorriso tenso antes de se virar.

Sara teve a sensação incómoda de que acabara de usurpar de alguma forma o lugar da amiga, mas pensou que a ideia era absurda. De certeza que Lou subia e descia aquela escada quando queria, não ia estar à espera de receber um convite do próprio marido!

As suas dúvidas foram substituídas por espanto e fascínio assim que entraram no estúdio, que, longe de ser o lugar pitoresco e desordenado que imaginara, era um espaço austero e bem iluminado que a fazia pensar numa morgue. Bastou-lhe uma olhadela superficial para saber que, naquele lugar, tinham investido imenso dinheiro. Bastava ver os candeeiros de halogénio de nível profissional, os canais que percorriam ambos os lados do chão de betão, a mangueira enrolada que pendia de um suporte na parede e os lava-loiças reluzentes de aço inoxidável. Havia rolos de tecido e também fileiras de baldes manchados de branco e, no meio da sala, havia uma grande mesa de trabalho sobre a qual se encontrava a única coisa que poderia considerar-se, sendo generoso, uma demonstração de criatividade. Aproximou-se com lentidão para poder observá-la mais de perto e viu o que parecia ser uma forma humana rudimentar

construída a partir de uma malha metálica que aparecia aqui e acolá através de uma camada de estuque muito pouco uniforme. Fê-la
pensar, tanto pelo seu pequeno tamanho (uns dois terços do de um
humano real) como pela sua atitude torturada, nos corpos retorci-
dos e petrificados que vira nas ruínas de Pompeia.

— Céus! — Foi a única coisa que lhe ocorreu.

— Suponho que seja uma obra em que ainda estás a trabalhar,
não é? — comentou Neil, esperançado.

— E se te disser que já está acabada? — perguntou Gavin, com
um sorrisinho.

— Diria que não sou um perito em arte, mas percebo quando
alguém está a gozar comigo — redarguiu, num tom afável.

Sara lançou-lhe um olhar cheio de nervosismo, mas Gavin desatou a rir-se.

— Tens toda a razão. Têm de ver isto.

Conduziu-os através de uma porta que dava para uma sala três
vezes maior do que a anterior e Neil deixou escapar um assobio
cheio de admiração.

Mais tarde, quando regressaram a casa e se deitaram, Neil e ela
passaram algum tempo sentados na cama, a falar sobre os seus novos amigos com o entusiasmo de dois antropólogos que tinham acabado de encontrar uma tribo perdida.

— O que mais me chocou foi como é enorme! — exclamou
Neil, a certa altura. — Já sabia que tinha de ser grande pelo tempo
que duraram as obras e pelo barulho, mas não esperava que fosse
tão enorme. A instalação de canalização só por si deve ter custado
umas... — fechou um olho, os tijolos e o cimento eram a sua espe-
cialidade e não demorou a fazer os cálculos —, quatro ou cinco mil
libras e o transformador que têm deve ser uma monstruosidade para
aguentar com todas aquelas luzes. Ainda bem que não sou eu que
pago as contas.

— Sim, mas o que mais me chocou foi o contraste. A área de
trabalho é muito prática, mas, depois, vemos o produto final e é tão
comovente, tão humano.

— Eh... Sim, claro — concordou, sem demasiada convicção.

— Não gostaste?

— Não é isso. Gostei, mas não entendo porquê... Salta à vista que é um mestre que domina a técnica, mas algumas das obras pareciam um pouco ásperas, como se não estivessem acabadas.

— Eu acho que isso é algo deliberado, porque havia outras com um acabamento extremamente meticuloso. As que estavam cobertas desses pedacinhos refletores que formavam uma espécie de mosaico, por exemplo... Acho que a ideia é que pareçam fraturadas e danificadas, não te parece?

— Não sei, mas a verdade é que temos de reconhecer o talento dele. Não pode negar-se que o tipo tem sangue-frio e confia em si próprio. Atrever-se a carregar com a hipoteca que, certamente, terá tido de pedir, sabendo que tem quatro pessoas que dependem dele...

— A Lou trabalha.

— Sim, mas trabalha na indústria do cinema. Só Deus sabe o que ganhará. O Gav deve ter gastado imenso dinheiro para acondicionar o estúdio, qualquer um diria que estava a construir o seu próprio hospital privado. E tudo para fazer algo tão particular, tão pouco comum. Como sabe que as pessoas vão entender esse tipo de arte?

— O seu público não é tão restringido como pensas. Procurei-o na Internet e está entre os cinquenta artistas vivos mais cobiçados pelos colecionadores.

— Não me interpretes mal... A sua obra impressionou-me, mas não sei se a entendi.

— Eu, sim — afirmou ela, antes de respirar fundo. — Estou convencida de que está obcecado com a mortalidade e também me pareceu ver um forte interesse pelo sagrado e o profano. As que têm essas formas retorcidas e esquálidas, por exemplo, devem fazer referência a Auschwitz ou a algo parecido. Depois, há as que têm asas e que está claro que são anjos, mas eu diria que são anjos caídos porque há algo sórdido neles, parecem cabisbaixos e envergonhados.

50

Mas a minha preferida, a que mais me impressionou, é aquela a que colou imensos brinquedos e caiu de cima abaixo, viste-a? Parece que está doente, até nos aproximamos e percebermos que são brinquedos. Fez-me pensar na infância, em como as experiências que vivemos quando somos crianças nos formam e nos marcam. O Gav parece-me um homem muito valente, na verdade.

— Eh... Está bem.

5

O novo ano escolar ia começar e Sara prometera a Gav que seria a sua guia e lhe mostraria como as coisas funcionavam ali (aparentemente, era ele que se encarregava de levar e trazer os filhos da escola). Ao longo do verão, criara-se entre eles uma relação sólida de amizade e, mesmo assim, quando, naquela manhã fresca de setembro, abriu a porta de casa bem cedinho e o viu à espera dela ali, por alguma razão estranha, sentiu-se nervosa e sem saber o que dizer.

— Olá. Não está a chover, pois não? — Foi a primeira coisa que lhe ocorreu.

Ele franziu o sobrolho, estendeu a mão e, depois de observar o céu por uns segundos (que estava totalmente limpo), respondeu, finalmente:

— Não acho que haja perigo de nos molharmos.

Ela indicou a Patrick e a Caleb que saíssem, entreteve-se uns segundos com a tarefa desnecessária de rever o conteúdo das marmitas e as mochilas enquanto tentava disfarçar o seu nervosismo e, então, começou a andar junto do carrinho de Zuley.

Não estava frio, mas a rua já se despedira do verão. As sebes de ligustrina estavam salpicadas de pó, as árvores agarravam-se às suas folhas com relutância e, entre a relva alta que havia à frente das moradias municipais, apareciam alguns desperdícios. Aqui e acolá, alguma bagageira que ainda não fora retirada do tejadilho de um carro evocava esses dias embriagadores de agosto passados em Carcassonne ou na Cornualha, mas para todos aqueles que iniciavam o dia e andavam pela rua a passo apressado, falando pelo telemóvel e com o olhar fixo no chão, as férias já pertenciam a um passado remoto.

O único que ainda parecia encontrar-se na temporada de verão que ficara para trás era Gavin, que usava calções e chinelos, e ela não pôde evitar lançar-lhe alguns olhares de soslaio enquanto caminhavam. Gostava de como dava um empurrãozinho um pouco mais forte ao carrinho de Zuley a cada poucos passos para fazer a menina rir-se, de como dava liberdade aos filhos para se adiantarem sem receio e os travava com alguma palavra de aviso se se descontrolassem. Talvez não passasse muito tempo com os filhos, mas não havia dúvida de que, quando estava com eles, era um bom pai. De facto, poderia dizer-se que cuidava melhor deles do que Lou. Quem não o conhecesse, poderia pensar, ao vê-lo passar, que era apenas um pai que trabalhava por conta própria como qualquer outro, que desenhava páginas de Internet ou era jornalista. Ser conhecedora de como era excecional fazia-a sentir-se especial, como quem sabe um segredo que muitos desconhecem.

— No fim, não puderam ir? É uma pena — disse ele, a certa altura.

— Não, não pôde ser. O Neil queria que as crianças e eu fôssemos sem ele, mas não queria ter umas férias em que não pudesse desligar-me de tudo. Portanto, ficámos aqui e levei-os a nadar, a ver museus... Enfim, o típico. Perdemos o sinal que tínhamos dado ao reservar a casa, mas o que podemos fazer? Não é o fim do mundo.

Mostrara-se menos calma e pragmática quando Neil lho dissera, faltando apenas alguns dias para a data que tinham programado, que não poderia ir a Dorset. No trabalho, tinham-se enganado ao distribuir os turnos de férias e, embora ele não tivesse a culpa, para transmitir a imagem adequada e aumentar as suas possibilidades de conseguir a promoção que ambicionava, teria de dar o exemplo.

— Mas vocês divertiram-se muito, não foi? — acrescentou, com um bocadinho de inveja.

— Sim, foi incrível voltar a ver alguns velhos amigos — respondeu ele.

Dobraram uma esquina e passaram junto de uma paragem de autocarro. Lá, como um cordeiro que se dirige para o matadouro, esperavam pelo 108 algumas crianças que iam começar o seu sétimo ano escolar e cujos uniformes ainda ficavam demasiado grandes.

— Vocês foram... Para onde era, não me lembro...

Lembrava-se perfeitamente bem: Tinham ido para a casa que Tom e Rhiannon tinham no Distrito dos Lagos. Recebera um resumo detalhado da viagem e sabia que tinham subido ao Helvellyn, que tinham nadado nus num lago e que tinham torrado *marshmallows* em fogueiras. Enquanto conseguia esconder com muita dificuldade a inveja que sentia, dedicara-se a sorrir e a assentir e dissera a Lou que sim, que claro que seria boa ideia se os três casais fossem juntos e que estava claro que Tom e Rhiannon eram encantadores.

— Aos lagos, mas esteve um tempo horrível — declarou, como se nada fosse.

Sentiu vontade de lhe dar um beijo.

Pouco depois, enquanto esperavam que um semáforo ficasse verde, virou-se para olhar para ela e perguntou:

— O Neil continua a estar no topo da lista para a promoção?

— Parece que sim.

Sentiu-se um pouco envergonhada ao admiti-lo, pois, porque é que alguém como Gavin haveria de se importar com uma promoção? Ele era um homem cujo sucesso se media por como arrepiava os pelos da nuca dos que viam as suas obras e pela forma como a venda caía dos olhos em tantos sentidos.

Atravessaram a rua quando o semáforo ficou verde. As crianças pediram-lhes para parar para comprar rebuçados ao passar junto de um quiosque de imprensa, mas eles ignoraram as suas súplicas insistentes e fizeram-nas passar ao lado do quiosque a passo rápido.

— O teu marido é um tipo inteligente.

Lançou-lhe um olhar de soslaio ao não saber como aceitar aquele comentário e ele insistiu:

— Não, a sério que o admiro. Tem integridade, perseverança. É muito tenaz, não é? — Ao ver que ela se limitava a encolher os ombros, acrescentou: — É um homem que se compromete com as coisas... Com o seu trabalho, a sua família, a comunidade... Isso é algo que eu admiro.

— Estás a dizer que és dos que não se comprometem, dos que desistem das coisas à primeira mudança? — A pergunta saiu-lhe sem pensar.

— Di-lo porque saímos de Espanha?

Ela desviou o olhar e sentiu que corava. Fazia sempre o mesmo, abusava e dizia o que não devia. Uma mulher saiu naquele momento com um ar de cansaço de uma casa dos anos trinta. Ainda estava a pôr a camisa por dentro de uma saia elegante e esperou, com uma irritação mal disfarçada, que eles passassem com a sua pequena procissão para poder dirigir-se para o seu carro, portanto, esboçou um pequeno sorriso de agradecimento antes de se virar novamente para Gav.

— Não o disse nesse sentido. Está claro que não és dos que se rendem. És uma pessoa que se compromete com o que faz, isso salta à vista. Estás comprometido com a Lou, com o teu trabalho... Pelo amor de Deus, ninguém pode duvidar da tua total entrega ao teu trabalho!

— Achas que estou obcecado com ele?

— Não, claro que não! Mas não seria um problema se estivesses, não teria nada de estranho. Supostamente, os artistas entregam-se por completo à sua arte, não é? — Deu uma gargalhada um pouco estridente. — Não imagino o Picasso a levantar-se uma manhã e a dizer: «Bom, Françoise, hoje não sei se devo reinventar a arte moderna ou dar-te uma ajuda com as crianças.»

— Sim, suponho que tenhas razão... — disse, sem demasiada convicção, enquanto empurrava o carrinho pela rampa e atravessavam a porta da escola.

— Não, Gav, não tens razões para te preocupar. Somos nós, os meros mortais, que temos de encontrar uma forma de conciliar o trabalho e a vida pessoal.

— Mas tu és escritora!

Gritou-o para se fazer ouvir por cima do bulício do pátio e ela sentiu-se um pouco incomodada e rezou para que mais ninguém tivesse ouvido.

— Sou redatora publicitária. O meu trabalho diário está primeiro, nem me lembro da última vez que pude dedicar um pouco de tempo ao que faço nos tempos livres. Embora o Neil possa parecer um homem muito caseiro, cada vez passa menos tempo em casa por causa da promoção. E, quando está lá, tem a cabeça noutra coisa. Não sei se consigo explicar.

— Para ser sincero, costumam acusar-me do mesmo.

— A sério? Eu achava que, como ambos são pessoas criativas... Crianças, não se esqueçam das mochilas...!

Demasiado tarde, os filhos já tinham desaparecido entre o barulho das crianças.

— Não me refiro à Lou, ela tem um sexto sentido nesse aspeto. Dá-me todo o espaço de que preciso para pensar e trabalhar e vice-versa. Não, referia-me a outras pessoas.

Sentiu-se um pouco desanimada ao ouvir aquilo e limitou-se a responder:

— Ah...

Não sabia a quem estaria a referir-se, quem mais poderia ter o direito de se queixar do tempo que dedicava ao seu trabalho, para além de Lou? Não havia dúvida de que aquele homem continuava a ser um mistério para ela em muitos sentidos. Teria adorado passar o resto do dia a falar com ele, mas chegara o momento de se separarem. Ele tinha de levar Zuley à ama e ela devia dirigir-se para Cannon Street.

— Em qualquer caso, quero que saibas que o Neil também gosta muito de ti — declarou, com firmeza.

O sorriso de agradecimento que esboçou bastou-lhe para saber que, apesar dos admiradores e das críticas entusiastas dos peritos, continuava a ser um ser humano tão necessitado de apoio e amizade como qualquer outro. Conteve com muita dificuldade a tentação avassaladora de estender a mão e tocar na sua pele.

Um dia, à hora do lanche, Carol foi ver se Neil e ela queriam bilhetes para a nova peça do Royal Court Theatre e perguntou, como quem não quer a coisa:

— Tens outra vez aqui os filhos da Lou?

— Sim — disse-o com uma certa aspereza e, ao ver que a amiga arqueava uma sobrancelha num ar eloquente, optou por acrescentar: — É um acordo que dá jeito às duas. Eu cuido dos dela enquanto ela trabalha e ela fica com os meus quando tiver de chegar tarde a casa.

— Mas quase nunca chegas tarde...

— A verdade é que tenho estado sobre pressão desde que faço mais horas — afirmou, um pouco irritada. — A Lou salvou-me a pele várias vezes.

Sentiu-se como uma traidora ao vê-la a retorcer a boca em algo que mal poderia considerar um sorriso. Ao fim e ao cabo, a própria Carol também lhe salvara a pele muitas vezes ao longo dos anos. Quando tinham tido de levar Caleb ao hospital a toda a pressa porque pensavam que poderia ter meningite, por exemplo, ou no dia em que o hámster desaparecera.

— Enfim, avisa-me o mais depressa possível se decidirem vir, por favor — pediu a amiga, antes de lhe entregar o folheto.

Ela aceitou aquelas palavras como uma referência velada à última vez que tinham ido juntos ao teatro e, como Neil e ela tinham demorado tanto a decidir-se, no fim, só tinham encontrado bilhetes para a apresentação com legendas para pessoas com problemas auditivos.

Respondeu com um sorriso, fechou a porta quando Carol se virou e se foi embora e o folheto foi diretamente para o caixote do lixo destinado ao papel.

Lamentava o distanciamento que estava a criar-se entre as duas, mas, às vezes, evoluía-se e era preciso deixar algumas pessoas para trás. O facto de aparecerem amigos como Lou e Gavin não era algo que acontecia todos os dias. Tinha-lhes tanto afeto, estava tão agradecida por terem chegado ao seu mundo e terem transformado a sua vida em algo tridimensional e vívido... Era como se tivesse estado sonâmbula, anestesiada pelo conformismo e pela complacência de todos os que a rodeavam. Como podia conversar no clube de leitura de Carol sobre o último livro galardoado com o Prémio Costa, depois de descobrir, graças a Lou, os realistas mágicos sul-americanos que expressavam as suas ideias através de contos hilariantes e cheios de fantasia, uns relatos que pareciam contos de fadas para adultos? Estava a aprender muitíssimo, isso era inegável, mas também contribuía com a sua parte. De facto, às vezes, ela própria se surpreendia com a acuidade do seu próprio intelecto. Há dias, por exemplo, expusera a sua teoria de que as flores dos quadros famosos e freudianos da Georgia O'Keefe poderiam ser simplesmente isso, umas flores, em vez da representação simbólica de vaginas, tal como afirmava a comunidade artística, e a própria Lou confirmara-lhe que fora o que ela sempre defendera.

Contudo, o mais gratificante daquela amizade não tinha a ver com a mente, mas com o coração. Num espaço de tempo surpreendentemente breve, começara a confiar a Lou coisas que nunca antes confessara a ninguém, nem sequer a Neil. Lou marcara o ritmo desde aquela primeira tarde ao falar-lhe entre lágrimas do viveiro de trutas, mas, a partir de então, quer fosse rodeada pelo bulício das crianças ou a meio da noite, a ouvir Dory Previn à frente do fogo mortiço da lareira, tinham partilhado alguns dos aspetos mais íntimos das suas respetivas vidas. Para dizer a verdade, boa parte das vezes as palavras saíam-lhe assim, sem mais nem menos, sem ter tomado antes a decisão consciente de fazer essas confidências a Lou. Falara-lhe da sua época de adolescente descontente e promíscua. Contara-lhe os problemas causados pela episiotomia que lhe tinham feito e o impacto que a sua vida sexual com Neil sofrera. Confessara-lhe que a sua vida profissional estava encalhada e que tinha a suspeita de que, no fundo, Neil se alegrava por isso, pois queria ter uma esposa tradicional. Lou sabia ouvir. Tinha a habilidade de encontrar a pergunta certa e fazia também alguma confissão íntima que apertava ainda mais os laços de confiança. Conseguia fazê-la sentir que as suas ansiedades eram algo totalmente normal e os seus talentos eram algo completamente excecional.

Dizia coisas como: «Mas és muito bonita! Como é possível que tenhas tido de te atirar a imensos rapazes cheios de acne para o provar? Não consigo acreditar!», ou também «A criatividade sai-te pelos poros, Sara. Olha como educas os teus filhos, por exemplo. Parece-me que não sabes como isso é inspirador para alguém como eu.»

Embora fosse verdade que Lou tinha os seus defeitos, transformavam-na em alguém ainda mais interessante. Às vezes, perdia a paciência com as crianças e ouvia-a a gritar com elas. E mostrava um claro favoritismo por Dash em detrimento do pobre Arlo. E, por outro lado, havia o assunto complexo da relação de Lou com Gavin. Mostrava uma dependência por ele que não parecia muito saudável. Em teoria, uma mulher não devia competir com os próprios filhos para ganhar a atenção do marido, mas a própria Sara fora testemunha disso com bastante frequência. De facto, acabara de presenciar um exemplo claro.

Ela estava na cozinha a conversar com Gavin, à espera que Lou acabasse de se arranjar (ambas tinham combinado ir ao cinema, mas se Lou não se apressasse, iam perder o princípio do filme). Ele tinha a pequena Zuley sentada no seu colo e estava a entretê-la com umas figurinhas pequenas de animais da quinta que tinha na mesa e ia misturando a conversa entre adultos com mugidos e gemidos teatrais que os faziam rir-se. Estavam tão entretidos que tinham demorado uns segundos a aperceber-se da presença de Lou que, envolta numa nuvem de perfume e vestida como uma vampira acabada de sair da escola de arte, começou a abrir e a fechar ruidosamente as portas dos armários e as gavetas no que parecia ser uma tentativa clara de chamar a atenção. Zuley não tinha nem três aninhos, era realmente necessário calá-la de repente com um biberão quando a menina estava a imitar o balido de uma ovelha, só para poder girar como uma criança à frente do marido e perguntar se estava bonita?

Apesar de tudo, não sabia se estava a ser objetiva, porque a verdade era que sentia inveja da corrente de atração sexual que crepitava entre Gav e Lou. Se os papéis se invertessem e se encontrasse na mesma situação do que Lou, importar-se-ia com a opinião de Neil? Se ele estivesse entretido a brincar com as crianças... Bom, antes de mais nada, beliscar-se-ia para se certificar de que não estava a ter visões e, depois, aproveitaria para desaparecer sem ser vista. Sem girar como uma criança ou pestanejar com sedução. Tudo isso ficara no passado. Pelo amor de Deus, estavam casados há quinze anos e era normal, até desejável, que existisse uma certa complacência, não era?

Mas... A questão era que continuava sem conseguir esquecer aquele tango. Depois de ver Gav e Lou a dançar assim, começara a questionar-se se passara toda a vida a ter sexo de forma incorreta ou, pior ainda, com a pessoa errada. Naquele momento, Lou inclinou-se para a frente e beijou Gavin com frouxidão nos lábios. Zuley, que estava a divertir-se a beber o biberão, levantou um punho gordinho e agarrou o braço da mãe, mas ela desprendeu-se dos dedinhos que a agarravam e deu-lhe uma pequena sacudidela a modo de reprimenda.

— A mamã tem de ir. — Lançou um olhar para o relógio em forma de sol que pendurara na parede da cozinha. — A mamã vai atrasar-se por tua causa.

Chegaram ao cinema cinco minutos atrasadas, exatamente quando começavam a aparecer os créditos iniciais. Era um filme cru e de baixo orçamento que recebera quatro estrelas do *The Guardian* e custou-lhe um pouco a habituar-se, mas, ao fim de meia hora, começou a envolver-se na trama e a desfrutar. Lou, pelo contrário, cada vez parecia estar mais descontente. Abanava a cabeça várias vezes, ria-se baixinho ao ver coisas que, em teoria, não deviam ter graça e, finalmente, depois de uma cena que poderia considerar-se bastante comovedora, deixou escapar um gemido sonoro e apoiou a cabeça no ombro.

— Queres ir embora? — perguntou ela, com obrigação, mortificada com a reação da amiga.

Lou assentiu e, desculpando-se em voz baixa, foram passando por cima dos joelhos dos espetadores que ocupavam aquela fileira de lugares. Foram diretamente para o bar do cinema e Lou comentou:

— Já esperava que fosse assim.

Questionou-se o que quereria dizer com isso, mas optou por ficar em silêncio e deixar que a amiga continuasse a falar.

— Quase disse qualquer coisa quando me convidaste para vir, mas decidi que o tipo merecia pelo menos um voto de confiança.

— Conheces o realizador?

— Estava um ano à minha frente na St. Martins. É um tipo com muito talento, sempre sonhou ver o seu nome em grandes cartazes luminosos e conseguiu. Mas é uma pena que tenha tido de renunciar à integridade do filme.

— Porque dizes isso?

— Por tudo. A estética, a banda sonora, a equipa... Viste aquele efeito granulado tão cinematográfico? Lamento dizê-lo, mas que aborrecimento.

— Sim...

— Já para não falar do protagonista masculino, não há quem consiga vê-lo nesse papel. Recém-saído da Real Academia de Arte Dramática, mas tem uma carreira bastante possante e conseguir contratá-lo é um grande golpe para o filme, portanto...

— Claro. A quem terias dado o papel?

— A algum desconhecido, é claro. Eu nunca poria a integridade do filme em risco por um ator de suposto renome. Não vale a pena.

Sara bebeu um gole da sua bebida e esforçou-se para falar de forma desinteressada ao perguntar:

— Estava cheia de vontade de te perguntar sobre o tema da tua seguinte obra.

Corou ao ver que a amiga franzia o sobrolho com indignação fingida.

— O tema? Bom, não tem uma trama propriamente dita. Não é dessas obras. Suponho que, se tivesse de a resumir, diria que é uma espécie de conto de fadas urbano.

— Estou a ver. É uma curta-metragem?

— Sim, mas as pessoas das curtas-metragens têm de trabalhar muito mais arduamente para ganhar o sustento. Não há espaço para caprichos nem para indulgências gratuitas, contam desde o primeiro até ao último dos fotogramas. E, como não são destinadas a um público maioritário, as expectativas que se depositam nelas são... Não direi mais elevadas, deixemo-lo em «diferentes».

— Entendo. Desculpa a minha ignorância, mas quem as vê?

— Bom, hoje em dia, há uns festivais fantásticos que...

— Como o Sundance?

— Esse é um pouco antiquado, mas há outros realmente interessantes por todo o mundo: San Sebastian, Austin e Praga, para dar alguns exemplos. Esperamos poder apresentar as nossas curtas-metragens num deles e obter boas críticas.

— Então, o público a que estão destinadas são eles, não é? Os críticos.

— Não, são para todos.

— Mas não têm uma estreia generalizada, pois não?

— O objetivo não é encher os lugares com rabos...

— Então, qual é?

— Bom, conseguir um público...

— Mas não um muito numeroso.

— Um que seja exigente.

— Ah...

— E outro objetivo é angariar dinheiro suficiente para poder financiar o projeto seguinte. Fazer qualquer coisa é canja em comparação com ter de a financiar, às vezes, desejaria ter estudado contabilidade.

— Lou...

— Diz.

— Questionava-me se...

— O que foi?

— Não, esquece, estás muito ocupada...

— Vá lá, desembucha. O Gav comentou que estás a escrever qualquer coisa, queres que lhe dê uma olhadela?

Sara sorriu, esperançada.

— Adoraria saber a tua opinião!

— Seria um verdadeiro privilégio para mim.

— Talvez te pareça horrível. Tens de me prometer que, se não gostares, mo dirás com sinceridade...

— Duvido muito que não goste! Se fosse assim, dizia-te, é claro que sim, porque não o fazer seria como uma traição à nossa amizade. Mas custa-me muito a acreditar que alguém como tu, alguém tão inteligente, sensível e pouco convencional, possa escrever alguma asneira.

Sentiu-se transbordante de orgulho e felicidade ao ouvir aquelas palavras. Era uma mulher pouco convencional? Esperava que sim!

Naquela noite, também estiveram a conversar até às tantas. Estavam bastante alegres quando saíram do táxi, um pouco cambaleantes, e Lou aceitou imediatamente o seu convite para entrar e beber alguma coisa em sua casa. Neil devia ter-se deitado pouco antes, porque só precisou de atiçar um pouco a lenha para ter as chamas a arder na lareira. Pôs Nick Drake na aparelhagem, abriu a garrafa de *Calvados* e a conversa seguiu para os assuntos do coração. Pouco depois, estava a recordar, com olhos chorosos, Philip Baines-Cass, um rapaz com quem atuara numa representação de *As Filhas do Sr. Hobson* no liceu.

— Não era bonito, mas tinha um carisma incrível — comentou, com um sorriso nostálgico. — Era uma dessas pessoas para quem é impossível não olhar. Era inteligente e carismático e era uma combinação que não abundava no meu liceu. Surpreende-me um pouco que não se tenha tornado ator, era algo perfeito para ele.

— O mais provável é que trabalhe como programador informático em Slough — disse Lou, com um risinho. — Vá lá, continua.

— Era um ator com muito talento e eu era uma amadora trôpega e nervosa e havia uma cena em que tínhamos de nos beijar e eu tremia à medida que ele se aproximava. Por um lado, sentia pavor porque, quando o fazíamos durante os ensaios, todos assobiavam e aplaudiam na brincadeira, mas, por outro lado...

— Estavas desejosa de que chegasse o momento.

— Exato. Enfim, a questão é que chegou a grande noite e a obra estava a correr bem, muito bem. Notava-se que o público estava do nosso lado, os companheiros que costumavam estragar tudo estavam a interpretar bem o seu papel, a nossa grande cena começava a aproximar-se e eu estava muito nervosa. Mas, de repente, foi como se alguém tivesse carregado num interruptor na minha cabeça, pensei «à merda!» e lancei-me sem pensar duas vezes. Todos emudeceram e podia ouvir-se o voo de uma mosca. Foi incrível!

— Durante quanto tempo saíste com ele? — perguntou Lou, sorridente.

— Não saímos, ele tinha namorada.

— Mas suponho que, pelo menos, tenhas ido para a cama com ele uma vez, não é?

— Não. Ele propôs-mo na festa de depois da peça, mas eu era virgem.

— Não me tinhas dito que...?

— Isso foi depois, ressarci-me. — Desatou a rir-se, mas os olhos encheram-se de lágrimas. — Portou-se muito mal, disse-me que era uma frígida e uma atrevida e atirou-se à Beverly Wearing à frente do meu nariz.

— Que canalha!

— Sim, mas por muito canalha que fosse, sempre me perguntei como teria sido fazê-lo com ele. Transformou-se numa espécie de obsessão, porque a verdade é que nunca desfrutei com os outros. Suponho que estava a tentar demonstrar-lhe que não era o que ele tinha dito.

— Bom, pelo menos, conseguiste demonstrar-lhe.

— Para ser sincera, acho que nem sequer se apercebeu. Nunca fui uma namorada potencial para alguém como ele, só soube da minha existência por causa da peça de teatro e estraguei a minha única oportunidade de ir para a cama com ele. Ainda me lembro daquele beijo...

Era a pura verdade. De facto, ultimamente, cada vez pensava mais e mais no beijo em questão. O único problema era que, quanto mais se esforçava para recordar as feições de Philip Baines-Cass, mais tendência tinham para se metamorfosear com as de Gavin.

Houve uma pausa na conversa enquanto Lou se deixava cair da poltrona até se sentar no chão e, depois de encher ambos os copos com o que restava de *Calvados*, recuava pelo tapete até apoiar as costas contra o sofá. Então, bebeu um gole e comentou, pensativa:

— Tem graça, não tem? Como tudo teria sido diferente. Bom, é que o meu caso é parecido com o teu. Meu Deus, tremo só de pensar nisso! Quase fiquei com aquele programador informático de Slough.

— Não me digas! — exclamou ela, surpreendida.

— Sim, consegues acreditar? Na verdade, não era programador informático, a questão não foi assim tão grave. — Partilharam uns risinhos. — Chamava-se Andy, era uma doçura e, hoje em dia, é rico. A minha mãe nunca perde a oportunidade de falar desse detalhe quando falo com ela. «Este fim de semana, vi o Andy Hiddleston, Louise. Alguma vez te disse que é agente imobiliário?» — Fez uma careta antes de acrescentar: — Ela nunca me perdoou por ter acabado o noivado com ele.

— Não me digas que estiveram noivos!

Lou assentiu, saltava à vista que estava contente por parecer tudo tão incongruente.

— Sim, até ir à reunião para entrar em St. Martins e perceber que o mundo tinha outros planos para mim.

— Pobre Andy! — exclamou, com um risinho.

— A verdade é que não o aceitou demasiado bem. — Lou abanou a cabeça e esboçou um sorriso afetuoso. — Mas está claro que não teria sido feliz comigo. Imaginas-me a viver numa casinha com fachada dupla e construída com pedra de Bath, com uma araucária e vestida com um casaco impermeável...?

— Com duas vírgula quatro crianças...

— Um *Range Rover*...

— E uma lobotomia! — Desatou a rir-se e, ao ver que era incapaz de parar, cobriu a boca com o dorso da mão para tentar controlar-se.

— Vá lá, Camilla, vamos chegar atrasados às aulas de hípica no clube! O teu pónei está à espera! — exclamou Lou, com o sotaque afetado de uma snobe.

— Não chores, Nicholas! Todas as crianças grandes vão para o internato! — Estava a chorar de tanto se rir. Enquanto Lou dava umas palmadas contra o tapete entre gargalhadas, adicionou, num tom ofegante: — Apresentamos-te... a... a nova diretora de... Da Associação de Cidadãs! A esposa do Andy Hiddle...! — Não pôde continuar a falar. Chegou-se para a frente e deixou-se cair no tapete sem conseguir parar de se rir.

6

Para Sara, não foi uma tarefa nada fácil concentrar-se no dia seguinte. Em parte, era devido à ressaca, mas o motivo principal era que, em algum ponto do caminho, perdera o mínimo vestígio do entusiasmo que, em algum momento, sentira pelo seu trabalho. Leu e releu sem parar a mesma frase, «Não tenho predileção por nenhum supermercado em especial, costumo usar o que me dá mais jeito», até as palavras começarem a misturar-se umas com as outras e deixarem de fazer sentido. Os outros criativos que tinham começado a trabalhar ao mesmo tempo do que ela já se tinham ido embora há muito tempo. Anders, o sueco taciturno, dedicava-se a redigir os segmentos de voz off do *Masterchef*; Tracy Jackson entrara no mundo político e era membro do partido ambiental. Quanto a ela, a NPR oferecera-lhe dois períodos generosos de baixa por maternidade e, embora ao princípio as suas intenções fossem dar à luz a Patrick e regressar para cumprir o tempo estipulado pelo contrato antes de se ir embora, tinham passado cinco anos como que por arte de magia e ainda continuava ali, sentada atrás da mesma secretária, num escritório que era praticamente um armário e que partilhava com o talentoso, mas cínico Adrian Sutcliffe, que se sentava mesmo à sua frente.

No fundo, sabia há muito que a sua relação com Adrian não era saudável. Tinham-se tornado dependentes um do outro, um contribuía para perpetuar a inércia do outro através de um humor corrosivo. Enquanto ambos canalizassem a sua energia criativa satirizando tanto o facto de o trabalho que desempenhavam ser fútil como a ambição servil dos colegas com menos talento e o comportamento passivo-agressivo da chefe, Fran Ryan, uma viciada no trabalho, podiam enganar-se dizendo-se que eram, respetivamente, uma romancista e um jornalista frustrado.

— Atenção, a Rosa Klebb às três em ponto — avisou Adrian, naquele momento.

Aquelas palavras arrancaram-na dos seus pensamentos e começou a escrever coisas sem sentido a toda a velocidade no computador.

— Vou ao Gino's, querem alguma coisa? — perguntou Fran.

— Sim, obrigada! Uma sandes vegetariana com atum para mim, mas com pouca maionese — pediu ela.

Adrian esperou que Fran se fosse embora, antes de perguntar:

— Porque deixas que o faça?

— Eh... Porque é hora de almoço e tenho fome? — Aprendera com os filhos a usar o tom interrogante que imprimiu às suas palavras.

— Sabes o que quer fazer, não sabes?

— Quer trazer a minha comida?

— Sim, para que não saias do edifício.

Antes de conseguir responder com a devida aspereza, Fran espreitou novamente pela porta do escritório.

— Na verdade, Sara, posso dizer ao chefe que terás a pesquisa pronta hoje mesmo?

— Sim, estou a tratar disso. — Agarrou na caneta enquanto falava, disposta a atirá-la à cabeça de Adrian assim que se fechasse a porta.

Ultimamente, estava a tornar-se bastante rebelde devido ao aborrecimento. Neil já quase tinha a promoção no bolso e dissera em múltiplas ocasiões que ela teria de se libertar dos rigores do trabalho, o que poderia interpretar-se como querer livrar-se de ter de ir dar voltas pelo supermercado depois de um longo dia de trabalho no escritório. Ao princípio, não gostara que sugerisse tal coisa, mas, dado que Lou estivera a encorajá-la em relação à carreira de escritora, começava a albergar aspirações sérias nesse sentido. Quando Fran voltou com a sandes à uma e meia, não se incomodou em minimizar o arquivo que tinha no ecrã do computador. De facto, duplicou o tamanho da fonte.

«Quando o pai de Nora fechou a porta atrás dele com força, a corrente súbita levantou um saco de plástico vazio no ar. Ela viu como voava, como parecia encher-se com a mesma ausência que ele deixara para trás, antes de descer a flutuar novamente até ficar alojado entre os balaústres da escada.

Começou a cantar uma canção de embalar em voz baixa. A primeira frase brotou dos seus lábios várias vezes até as palavras se transformarem em soluços.»

— A tua sandes de vegetais com atum — disse Fran, que parecia incapaz de desviar os olhos do ecrã.

Ela rebuscou a toda a pressa no seu porta-moedas e deu-lhe uma nota de cinco libras, mas ao ver que a aceitava sem desviar o olhar, disse, num tom cortante:

— Fica com o troco.

Com aquilo, conseguiu arrancar Fran do seu torpor.

— Eh... Sim, está bem. Enfim, desfruta! — Esboçou um sorriso rígido antes de sair do escritório.

— Vejo que começas a tirar as garras! — exclamou Adrian, como quem não tinha outro remédio senão reconhecer o mérito de alguém.

Ela assentiu com altivez e deu uma trinca à sandes. Caiu-lhe uma gota enorme de maionese na camisola.

Ia de regresso a casa no comboio quando viu o marido de Carol, Simon, a entrar no mesmo vagão alguns metros mais à frente. Em condições normais, teria baixado o olhar para o seu *Kindle*, convencida de que tudo o que tinham para falar podia deixar-se para o trajeto curto a pé desde a estação até à sua rua, mas pensara num plano e desejava contar a alguém, portanto, chamou-o em voz alta.

— Ah! Olá, Sara! — cumprimentou-a, antes de se dirigir para ela. A julgar pelo ar que tinha, estava claro que também tinha de lhe dar alguma notícia. — Suponho que já saberás...

— O quê? — Preparou-se para ouvir que algum animal de estimação tinha morrido ou que o SFC de que a irmã de Carol padecia ressurgira.

— O relatório de avaliação do OFSTED... Sabes, o Departamento para a Qualidade da Educação... Sobre a Cranmer Road foi péssimo, a um passo das medidas especiais.

— Merda!

Recordou o que ela própria dissera a Gavin enquanto este fazia um Arlo reticente entrar na escola no primeiro dia: «Não te preocupes, esta é uma boa escola. Não te arrependerás.»

— A Carol deve estar furiosa — comentou.

— Parece-me que, no fundo, se alegra, há uma eternidade que procura uma desculpa para procurar uma escola privada.

Ela limitou-se a sorrir e Simon acrescentou:

— Segundo nos disseram, os fatores determinantes foram o ensino da matemática e uma falta de provisão para aqueles alunos com necessidades especiais.

— Como podem dizer que há uma falta de provisão? Sei que se esforçam imenso nessa escola...!

Ele levantou um dedo como um professor a corrigir a sua aluna.

— Ah, mas, nas necessidades especiais, também se incluem os sobredotados.

— O quê?

— Sabes, os alunos com aptidões e talentos avançados.

Ah, sim, é claro. As turmas de ensino médio estavam a revoltar-se porque, segundo o seu parecer, a diretora da escola estava a esbanjar recursos nos mais fracos em vez de mimar os seus pequenos génios.

— Que tolice!

— Bom, eu não tenho assim tanta certeza. — Simon devia ter percebido que, por aquele caminho, se encaminhava para uma divergência de opiniões, porque se apressou a mudar de assunto. — Como está a correr o trabalho?

— Bem, sem novidades.

De repente, Simon era a última pessoa com quem quereria partilhar as suas aspirações literárias emergentes. Conseguia imaginá-lo com um sorrisinho brincalhão na cara enquanto contava a Carol que ela deixara o seu trabalho para escrever um romance.

Sim, de Simon, seria de esperar uma coisa dessas, mas o que a apanhou de surpresa foi a reação de Neil.

— Não estou a dizer-te para não o fazeres — disse ele, durante o jantar, ficando à defesa. — O que não me convence é o *timing*, é só isso.

Ela reprimiu uma careta ao ouvi-lo a usar aquele estrangeirismo, pois dava a impressão de que, ultimamente, estava a acrescentar muitos ao seu vocabulário. Não sabia se era por ver muitos capítulos seguidos da *Ruptura Total* ou por ler muitos manuais norte-americanos sobre gestão de empresas, mas, fosse como fosse, não aumentavam a sua credibilidade como assessor literário. Aparentemente, achava que ela devia inscrever-se em algum curso. Como se a escrita criativa fosse algo que pudesse ensinar-se em algumas aulas, como as línguas ou a manutenção de um veículo! Mas o mais irritante daquela tendência provinciana do marido a ceder aos supostos mestres era o facto de a fazer sentir-se insegura. Não queria que algum romancista se dedicasse a analisar as suas obras. Preferia o impulso que Lou lhe dava, que a encorajava a deixar-se levar, a confiar na musa e a deixar sair tudo o que tivesse dentro dela.

A frustração que sentia naquele momento deixou-a à beira das lágrimas. Fincou o garfo no que restava da quiche e lutou para falar sem que lhe tremesse a voz.

— Parece-me que não compreendes a situação em que estou.

Eu gostaria de te ver a passar oito horas por dia a redigir sondagens de consumo!

Ao ver que olhava para ela, consternado, apercebeu-se, com uma mistura de satisfação e remorso, de que, como acontecia sempre com Neil, as lágrimas tinham funcionado na perfeição.

— Não, tens talento para aspirar a algo muito melhor — declarou ele, contrito. — Estou de acordo, está bem. Disporás de seis horas por dia enquanto as crianças estiverem na escola.

Quase lhe disse que a criatividade não era algo que alguém pudesse abrir e fechar como se de uma torneira se tratasse, mas pensou melhor.

— Sim, não será mau passar mais tempo em casa, sobretudo, agora que há problemas na escola.

— Que problemas?

— Os inspetores não lhe deram a sua aprovação, portanto, prepara-te para o êxodo maciço que se aproxima. Sei que a Carol já pediu informação no St. Aidan's.

— Não temos de copiar o que ela faz.

— Não é a Carol que me preocupa, mas a influência que tem sobre os outros.

— A Carol exerce uma má influência sobre os outros pais — brincou ele, num tom pedagógico afetado.

— Podes levar isto a sério? A Carol manipula a Celia à sua vontade.

— E isso devia importar-me porque...

— Porque a Celia é a mãe do Rhys, que é o melhor amigo do Caleb.

— Parece-me que estás a exagerar bastante. Os rapazes não são como as meninas, se um amigo se for embora, procuram outro sem fazer um drama.

Mas o dano já estava feito, Sara via a escola de Cranmer Road com olhos cheios de desconfiança. Uma semana depois, estava sentada com Lou no vestíbulo, à espera que começasse o festival da colheita, quando percorreu os quadros de anúncios com um olhar crítico. Num deles, havia um póster que rezava «Sejam generosos com o "proximo"» e a falta de acentuação na última palavra era menos preocupante do que a indiferença evidente que os estudantes do primeiro ano mostravam à mensagem em si. Lou secou uma lágrima sentimental quando o piano abriu com a primeira canção e se juntaram as vozes de falsete das crianças, mas Sara sentiu vontade de chorar por outro motivo muito diferente. A «orquestra» consistia em três flautas e uma pandeireta. Os presentes da colheita, espalhados por cima de uma cartolina azul enrugada, consistiam basicamente em frascos de sopa *Heinz* e pacotes de bolachas do *LIDL* de aspeto bastante duvidoso. Na sua opinião, aquilo refletia com eloquência o desinteresse e a desvinculação dos pais da classe média. O único produto fresco era o ananás que ela própria doara. Mas o mais preocupante de tudo era o nervosismo evidente do pessoal docente. Os sorrisos amplos e os olhares de ânimo tinham desaparecido e não havia rasto do ambiente cheio de camaradagem e diversão. Em todos e cada um deles, via-se a atitude de cansaço e derrota própria de um exército que bate em retirada.

Lou e ela levantaram-se com os outros no fim do evento e estavam a beber café instantâneo em copos de poliestireno quando a amiga a surpreendeu ao dizer, com efusividade:

— Não imaginas como estou aliviada!

— Porquê? — Desviou o olhar dos pais e mães que, vestidos na sua maioria com roupa da *Boden*, falavam em voz baixa em grupinhos espalhados pelo vestíbulo, e obrigou-se a concentrá-lo no rosto radiante de Lou.

— Está claro que as crianças estão contentes aqui e o ambiente é fantástico. Agora, estou totalmente convencida de que fizemos bem ao regressar a este país.

— Alegro-me.

Sentiu que, afinal de contas, acertara ao decidir não preocupar Lou e Gavin com a notícia dos resultados péssimos obtidos pela escola no relatório de avaliação do OFSTED. Desconhecia por completo o regime a que as crianças teriam estado submetidas em Espanha (algum sistema draconiano herdado dos tempos de Franco, talvez), mas, se Cranmer Road lhes parecia um jardim alegre onde os seus rebentos iam poder florescer, quem era ela para os contrariar? Infelizmente, nesse momento, viu alguém a aproximar-se que não estava nada de acordo com o que estava a acontecer.

Celia Harris era uma mulher doce que não tinha cabeça para a política e carecia de cinismo. Tinham-se conhecido à porta da creche e Caleb e Rhys tinham sido muito bons amigos depois disso. Celia era uma colaboradora fiel da escola. Fiscalizara eventos sociais e para angariar fundos e fizera de acompanhante em todos os passeios a que algum dos seus filhos brilhantes fora. Não havia dúvida de que a notícia do relatório péssimo de avaliação tinha de ter sido um verdadeiro incómodo para ela e, por muito que adorasse a escola, o amor que tinha pelos filhos estava acima de tudo. Celia era como um jogador de futebol que estava disposto a dar a vida pelo seu clube até ser contratado por uma equipa rival: A sua lealdade, embora férrea, também era efémera. Ao vê-la a aproximar-se naquele momento, ao ver a sua expressão carrancuda e aquelas botas rasas e castanhas que tamborilavam contra o parqué enquanto avançava com passo decidido, soube que a amiga já estava na lista de transferências.

— Olá, Sara! — Depois daquele cumprimento direto, puxou-a pelo cotovelo e afastou-se com ela para falar.

Acompanhou-a sem protestar e, durante toda a conversa, por cima do ombro de Celia, pôde ver Lou, que continuava a beber o seu café enquanto tentava disfarçar a curiosidade que sentia.

Mais tarde, enquanto regressavam a casa com as crianças no *Humber*, Lou afirmou:

— Estava a pensar que o Gavin devia ir fazer alguma atividade artística com as crianças, de certeza que se divertiria imenso. — Tinha ambas as mãos no volante grande do veículo.

— Sim, boa ideia.

* * *

74

Tinham passado três semanas desde que deixara o seu trabalho, quatro desde que confiara o seu romance a Lou para que lhe desse a sua opinião. Passara o seu primeiro dia de liberdade a arejar edredões e a limpar o mofo que havia na cortina do duche, portanto, quando Neil voltara do trabalho e lhe perguntara como ia o livro, respondera com aspereza que o que estava a escrever não era um documento para uma direção, mas um romance. No dia seguinte, depois de reordenar várias vezes a secretária, de experimentar a altura ideal para a cadeira e de abrir e fechar a janela, sentou-se com determinação à frente do computador e começou a ler *A Boa Cobrança*.

Quando chegou ao parágrafo final, deixou escapar um suspiro de satisfação. Não estava nada mau para um primeiro rascunho. De facto, o facto de estar tudo tão correto era, em certo sentido, o principal problema da obra. Sabia que o que escrevera era apenas o começo de um trabalho mais extenso e ambicioso a que devia dar corpo e encher de vida, mas do seu lugar de observadora tão pouco imparcial, era difícil ver onde tinha de inserir novo material e se podia eliminar alguma coisa. Tinha consciência de que, às vezes, um autor tinha de renunciar a partes da sua obra que adorava para a melhorar, mas o problema no seu caso era que não havia nenhuma só linha que não a deixasse apaixonada, o que significaria que teria de renunciar a todas elas. Chegados àquele ponto, precisava que Lou lhe desse a sua opinião e, embora soubesse que a amiga estava a lidar com decisões criativas difíceis na sua curta-metragem e não quisesse incomodá-la, decidiu ir visitá-la.

Ao chegar à casa do lado, tocou à campainha várias vezes e bateu à porta, mas ninguém abriu. Mesmo assim, o *Humber* estava estacionado lá fora e, ao espreitar através da caixa de correio da porta, sentiu um leve cheiro a torradas, portanto, decidiu atrever-se a entrar ao descobrir que a porta não estava fechada à chave.

— Olá? Sou eu, a Sara!

Empurrou a porta da cozinha com suavidade para a abrir e viu que o lugar estava deserto. Na mesa, havia quatro pratos sujos, um deles com uma beata esmagada contra a beira. O ar estava cheio de um perfume penetrante e, nas costas de uma das cadeiras, estava um casaco de camurça que não conhecia. Estava claro que os amigos tinham companhia e ia-se embora com mais silêncio do que usara para entrar quando ouviu que alguém subia a passo leve pela escada da cave.

Era Lou, que apareceu na cozinha a murmurar como um mantra:

— Com leite e uma colher de açúcar. Outro simples sem... Pelo amor de Deus, Sara! Pregaste-me um susto!

— Desculpa, mas como me tinhas dito para entrar se alguma vez não abrissem a porta... Ouve, estou a ver que estás ocupada. Será melhor ir-me embora.

— Não te preocupes, fizemos uma pausa para beber um café. Podes vir, se quiseres.

Havia algo diferente na amiga, mas Sara não teria sabido dizer do que se tratava exatamente. Lou arranjara-se com aquele estilo relaxado, mas estiloso, tão próprio nela (botas de cano alto, umas calças de ganga desfiadas e um quimono que lhe chegava às ancas por cima de um colete muito curto e revelador), mas o que mudara não fora tanto o seu aspeto como a sua atitude. Havia nela uma certa rigidez, como se estivesse a atuar em algum dos seus filmes e, ao vê-la, conseguia visualizar as anotações num guião: Lou prepara a cafeteira e põe-se em bicos dos pés para chegar às chávenas que há na parte superior do armário. É uma jovem sensual que se encontra na flor da vida.

— A verdade é que me alegra que tenhas vindo, Sara — admitiu, antes de lhe passar duas das chávenas para que as segurasse. — Queria pedir-te... é que não acho que, na hora do lanche, tenhamos acabado o trabalho que temos entre mãos...

— Queres que vá buscar as crianças à escola?

— Leste-me a mente!

— Não há nenhum problema. Podes dizer à ama para me levar a Zuley, se quiseres.

Lou olhou para ela com um sorriso de agradecimento, mas,

aparentemente, não lhe ocorreu que talvez devesse explicar-lhe o que raios estava a acontecer.

Desceram para o estúdio de Gavin minutos depois. As portas estavam totalmente abertas e o sol outonal tingia as paredes brancas de um cor-de-rosa brilhante e acobreado. Na plataforma de madeira do pátio, sentados a fumar e a falar num tom baixo e sério que revelava que estavam a tratar de algum assunto de negócios, estavam sentados Gavin e duas pessoas que ela não conhecia, mas estava claro que eram estrangeiras sem necessidade de as ouvir falar. O homem usava uns óculos finos e retangulares e um lenço ao pescoço atado de uma forma claramente europeia. A mulher tinha um corte de cabelo totalmente reto à altura dos ombros com uma franja curta de estilo Plantageneta, vestia-se de preto e o seu corpo ossudo estava orientado para Gavin como se se tratasse de um candeeiro *Anglepoise*. Tinham aos seus pés um equipamento fotográfico que saltava à vista que era bastante caro.

Lou aproximou-se dos três com uma atitude surpreendentemente diminuída e servil.

— Dieter, com leite e açúcar para ti; Korinna, aqui tens... Cuidado, está quente. — Então, como quem se lembra de repente da presença de alguém, acrescentou: — Ah, apresento-vos a Sara, a nossa maravilhosa vizinha do lado.

Desanimou-se de repente ao ouvir aquela descrição de si própria e, ao longo daquele dia, reveria a frase na sua mente muitas vezes, tentando descobrir o porquê da sua reação. A palavra «maravilhosa» parecia-lhe bem, embora fosse um pouco condescendente, mas não entendia porque a descrevera como «a vizinha do lado». Porque não dissera que era uma amiga? Ou até a sua melhor amiga, tendo em conta todo o tempo que passavam juntas ultimamente e que quase renunciara à sua amizade com Carol e com Celia. Por tudo isso, o termo «vizinha» não se adequava.

— Olá! — cumprimentou-a Dieter, antes de lhe apertar a mão.

Korinna limitou-se a esboçar um sorriso breve de cortesia, antes de voltar a concentrar a sua atenção em Gavin, que a fez sentir-se imediatamente melhor ao olhar para ela nos olhos e dizer, com um sorriso amplo de boas-vindas:

— Olá, Sara!

— O Dieter é jornalista, trabalha para o *Das Kunstmagazin* — sussurrou Lou, assim que se retomou a conversa e Korinna acabou o café e começou a montar um tripé. — Vai publicar um artigo extenso sobre o Gav, que coincidirá com a exposição de Berlim.

Sara não sabia a que exposição estaria a referir-se, sentia-se sempre como se estivesse um passo atrás e tivesse de se esforçar para tentar manter-se em dia.

— Sim. Ouve, Lou, sei que não é o melhor momento para te perguntar isto, mas queria saber se tens algum tempo para...

— Desculpa? — perguntou Lou, distraída, enquanto ia acumulando as beatas dos convidados na palma da mão e prendia a asa das chávenas vazias com o indicador.

— Não importa. Falaremos depois, quando fores buscar as crianças.

— Perfeito! — Olhou para ela com um sorriso afetuoso.

— Até mais tarde.

Disse-o para todos em geral, mas a sua saída passou inadvertida no meio dos estalos e das chamas do fotómetro de Korinna.

Naquela tarde, com uma boa dose de introspeção e recorrendo com frequência ao dicionário de sinónimos que costumava consultar na Internet, reescreveu quatro vezes o parágrafo inicial. Às cinco para as três, quando tinha de sair para a escola, fez algumas mudanças de última hora e apercebeu-se de que, sem querer, praticamente o devolvera ao seu estado inicial.

A hora do lanche pôs a sua paciência à prova. Apesar dos gritos de protesto das crianças, no fim, obrigou-as a desligar a *Xbox* e mandou-as para o jardim com uma bola para que Zuley pudesse ver os desenhos animados em paz, mas, quando tinham passado apenas alguns minutos, ouviu um gemido seguido de aplausos e aclamações brincalhonas e soube que a bola fora atirada por cima da cerca. Para sua surpresa, as crianças entraram em casa, tristes e cabisbaixas, apesar de ter ido parar ao jardim de Lou e Gavin e pressionou Caleb até ele admitir finalmente que Lou a confiscara porque, segundo as próprias palavras do menino, «Acertámos numa máquina fotográfica ou uma coisa dessas.»

— Ena!

Talvez devesse ter fiscalizado o jogo de forma mais ativa, embora se questionasse como poderia tê-lo feito enquanto, ao mesmo tempo, estava a fazer esparguete à bolonhesa para cinco. Em qualquer caso, o remorso por ter sido negligente ficou relegado para o esquecimento quando encontrou Zuleika, ofegante e chorosa, no vestíbulo e a menina lhe disse que se magoara «às cavalitas na escada com os mais velhos».

— Caleb! Patrick!

Quando Neil chegou a casa finalmente, já se entrincheirara com Zuley na cozinha, estava a ler-lhe *Uma Lagarta Muito Comilona* pela quinta vez e já ia no terceiro copo do Pinot Grigio que abrira para aliviar a monotonia.

— O que raios está a acontecer? — perguntou ele.

— Ah, olá! A que te referes?

— Sabes que estão a usar os *skates* no patamar?

Era óbvio que esperar que Lou fosse buscar as crianças era uma perda de tempo. Certamente, subentendera-se que era ela que tinha de lhas levar depois do lanche, mas entre a sessão fotográfica tão exclusiva e o facto de não saber o que acontecera com o assunto da máquina fotográfica danificada, não sentira muita vontade de ir.

Deixou que Neil se encarregasse de restaurar a ordem na sala de estar (que ficara completamente destruída) e, depois de avisar Dash e Arlo de que estava na hora de se irem embora, foi à frente com passo rápido com Zuley apoiada na anca. Atravessou entre os arbustos de lavanda que formavam a barreira entre os dois jardins dianteiros e, ao ver que as cortinas estavam abertas e havia movimento na sala de estar, dirigiu-se para lá. Bateu à janela e fez-lhes gestos com a mão, mas não a viram nem a ouviram e ficou ali parada, a sorrir na escuridão, esperançada, um pouco perplexa e envergonhada por estar a presenciar, com Zuley, a cena estranha que estava a desenvolver-se lá dentro. Korinna estava sentada, descalça, num extremo do sofá com os joelhos encolhidos por baixo do queixo e olhava diretamente para Gavin, que estava a pintar o seu retrato do extremo oposto do sofá. Dieter e Lou estavam a dançar lentamente à frente da lareira, como se já passasse da meia-noite. Ele parecia bastante alegre e estava a encostar o rosto no pescoço de Lou, mas ela tinha o rosto tão imperturbável e inexpressivo que qualquer um diria que estava à espera do autocarro.

— Será melhor tocarmos à campainha — disse a Zuley, com firmeza.

Àquela altura, Dash e Arlo já tinham chegado e estavam a esmurrar a porta principal com as marmitas.

— Lou!

— Mãe!

— Despacha-te, tenho de ir à casa de banho!

A porta abriu-se e ambos entraram a correr.

— Olá, preciosidade! — exclamou Gavin.

Ela corou, lisonjeada, mas, então, apercebeu-se de que estava a dirigir-se a Zuley. A menina precipitou-se para os braços do pai sem se incomodar sequer em voltar a olhar para ela.

— Muito obrigado, Sara, foste a nossa salvação. Queres entrar e beber qualquer coisa? — Estava a sorrir, mas tinha os olhos um pouco desfocados.

— Eh... Não, será melhor não. O Neil acabou de chegar a casa. Mas obrigada de qualquer forma. — Permaneceu ali parada na soleira, sem saber o que mais acrescentar.

— Está bem.

— Está bem.

Nessa noite, Sara sonhou que estava numa das reuniões da direção de Neil e que quem a presidia era Korinna, que tinha uma cabeça de Minotauro a modo de tocado. O último ponto a tratar era o seu romance. Supostamente, teria de ler um capítulo totalmente nua, do topo do arquivo, mas quando tentou emitir as palavras, não saiu som algum. Acordou enervada e cansada. Ao fim de um momento, quando mal acabara de se livrar daquela sensação de confusão, ficou perturbada ao descobrir que era Lou e não Gavin que ia encarregar-se de levar as crianças à escola.

— Lou!

— Lamento muito, mas, hoje, vais ter-me como acompanhante — comentou a amiga, com um sorriso. — O Gav foi a Berlim.

— Não digas tolices, é sempre um prazer ver-te — afirmou, com um certo desconforto.

Depois de fazer as crianças sair, fechou a porta atrás dela e Lou surpreendeu-a ao dar-lhe um beijo espontâneo na face.

— De onde veio esse beijo?

— Ontem à noite, li o teu manuscrito.

— Oh, meu Deus...!

— És uma rapariga inteligente.

— Gostaste?

— Adorei!

Sentiu que ia rebentar de felicidade ao ouvir aquilo.

— É fantástico, Sara. Original, sincero e pouco convencional.

— Também não é para tanto!

— Falo muito a sério. Estava tão entusiasmada que tive de acordar o Gavin e ler-lhe alguns fragmentos.

— Ena! — Levou as mãos à cara, mortificada e agradada.

— Quero comentá-lo contigo em profundidade, tenho algumas sugestões. Podemos encontrar-nos este fim de semana?

A subdiretora da escola, uma mulher por quem Sara sentia muito carinho, estava à porta da escola a receber as crianças. Sonia Dudek começara como professora na turma do primeiro ano de Caleb e, em apenas quatro anos, progredira de novata ingénua e nervosa a subdiretora. Naquele momento, parecia sorridente enquanto recebia as crianças, chamando cada uma pelo seu nome, numa tentativa clara de restaurar a confiança dos pais nervosos.

— Olá, Sonia! — cumprimentou-a ela, com um sorriso compreensivo.

Sonia retribuiu o sorriso e, ao ver Lou, segurou-a pelo cotovelo.

— Ah, senhora Cunningham! Podia falar uns minutos consigo a respeito do Dash?

A campainha estava a tocar, portanto, Sara apressou-se a entrar com as outras crianças enquanto tentava reprimir a curiosidade que sentia. De certeza que Dash fora selecionado para o novo programa para «alunos com aptidões e talentos avançados» e, se fosse assim, desejava-lhe a melhor das sortes. Sim, é claro que sim.

Depois de deixar as crianças na sala, esperou por Lou à frente da entrada da escola, mas, ao ver que passavam dez minutos e que não havia rasto dela, optou por regressar sozinha a casa. Ao seguir pela sua rua, viu Carol a sair do carro. Fizera-lhe um convite vago para aquele fim de semana (tinha consciência de que, entre as duas, estava a abrir-se uma brecha que podia transformar-se facilmente num abismo infranqueável) e, ao ver que Carol parava no meio da rua ao vê-la chegar e esperava, com as costas bem direitas e um sorriso um pouco forçado no rosto, soube que não teria outro remédio senão combinar um dia e uma hora.

— Olá, Sara! Como está a correr o romance?

Suspirou com resignação ao ouvir a pergunta, naquela rua, era impossível manter alguma coisa em segredo.

— Só estou a começar.

— É sobre o quê?

— Sobre o quê? — Franziu o nariz com desdém.

— Sim, a que género pertence? É um romance de incerteza, literatura feminina? Diz-me.

— Meu Deus, bom... Suponho que, se tiver de lhe pôr uma etiqueta concreta, diria que é uma espécie de romance que fala

82

sobre a passagem da infância à idade adulta. — Sentiu uma ponta-da de irritação ao ver que mostrava um ar de «Ah, sim, claro».

— Na verdade, quando te dá mais jeito para nos encontrarmos, na sexta-feira ou no sábado? Seria melhor no sábado, porque é menos provável que o Simon adormeça.

— Posso confirmar-te depois? Não sei se estarei livre no sábado...

— Combinamos para sexta-feira e eu certifico-me de que o Simon não adormece. Tenho de saber com certeza, para avisar a ama.

Meu Deus, era como uma merda de um cão de caça!

— Não, será melhor deixá-lo para sábado. — Pensou que, no pior dos casos, sempre podia alegar que se sentira mal de repente por causa de algum vírus misterioso.

No fim da semana, descobriu que Gavin era novamente o supervisor de levar as crianças à escola.

— Ah, olá! — Alegrou-se muito ao vê-lo à espera na soleira, mais do que teria querido admitir. — Como correu tudo em Berlim?

Fechou a porta atrás dela e já chegara ao portão do jardim quando Gavin desatou a rir-se e perguntou:

— Não estás a esquecer-te de alguma coisa?

— Meu Deus, que idiota! — Virou-se e regressou a casa a toda a pressa para esconder que tinha a cara vermelha como um tomate por causa da vergonha. Pôs a chave na fechadura e gritou: — Vá lá, meninos, faltam dez minutos...!

Foi fascinante ouvir Gavin a relatar a sua viagem. A galeria de arte era num antigo armazém situado na zona leste da cidade e, segundo ele, era «um espetáculo».

— Tens de ir! — exclamou, quando ela admitiu que nunca estivera em Berlim. — No ano que vem, devíamos ir os quatro juntos. Podíamos alojar-nos num hotel muito íntimo e seleto que há em Friedrichshain e que a Lou adora. Os clubes são fantásticos.

Ela deixou-se levar pela imaginação por um instante e visualizou-se a dançar ao ritmo da música *tecno* num clube de Berlim, sob a influência de estimulantes não identificados, na companhia de um artista contemporâneo importante e da sua esposa, uma cineasta.

— O que achas? — estava a perguntar Gavin.

— Bom, sim, suponho que podíamos tentar arranjar tempo nas férias de fevereiro — respondeu, sentindo-se lisonjeada ao ver que insistia com tanta tenacidade.

Observou-a com um sorriso afetuoso de confusão.

— Não, refiro-me a ir ao Parque de Greenwich amanhã, se continuar a estar bom tempo.

Tinha de parar de ficar hipnotizada, que vergonha!

— Ah! Sim, claro.

— Os rapazes podem levar uma bola e jogar futebol e a Lou e tu podem aproveitar para falar do teu livro. Ah, na verdade, é um trabalho fantástico!

— Bom, por enquanto, é apenas um primeiro rascunho e há um milhão de coisas que tenho de mudar... — interrompeu-se ao ver que ele a observava com uma sobrancelha arqueada, como se lhe dissesse que não devia tirar-se mérito. Sorriu satisfeita e corou. — Mas sim, ir ao parque parece-me incrível.

7

Estava um dia outonal perfeito e o Parque de Greenwich parecia-lhe mais bonito do que nunca. Enquanto passeava de mão dada com Neil pela Avenida Blackheath, com Caleb e Patrick a ziguezaguear ao redor nos seus *skates*, Sara sentia-se imbuída de uma sensação de bem-estar. Não podia sentir-se realmente feliz, já que a felicidade era algo inconsciente e espontâneo e o que ela sentia não entrava nessa categoria, mas aproximava-se muitíssimo. Gostava de pensar que a sua vida era como um romance que ia decorrendo e, dado que Lou lhe dissera que, longe de hesitar quando alguém lhe perguntasse o que fazia, o que tinha de fazer era afirmar em voz bem alta e cheia de orgulho que era escritora, parecia apropriado pensar assim. Neil estava a contar-lhe o que não gostara do último romance de Sebastian Faulk e ouvia-o sem lhe prestar demasiada atenção enquanto revia mentalmente uma lista de temas musicais apropriados para aquele dia de passeio. The Kinks? Demasiado óbvio. The Smiths? Demasiado irónico. Ao chegar ao fundo da avenida, pararam para observar a paisagem. A cidade prolongava-se ao longo do rio como uma cortina de fundo teatral. A catedral de São Paulo a oeste, Canary Wharf em frente, o Dome a este, os prados verdes do parque a estender-se numa inclinação aos seus pés... Nesse momento, pensou na canção perfeita: *London Belongs to Me*, de Saint Etienne. Nesse momento, Neil estava atrás dela, a abraçá-la pelas costas e com o queixo, áspero por causa da barba incipiente, apoiado contra a sua face fria. Virou-se para ele e encostou a cara no seu calor. Inalou aquele cheiro apimentado tão típico dele e estava a ponderar a possibilidade de transformar o abraço em alguns beijos quando ouviu uma voz que lhe era muito familiar.

— Eh, casalinho! Procurem um hotel!

Afastou-se depressa de Neil, que se virou para cumprimentar Gavin com carinho.

— Olá, amigo!

— Olá, Gav! — cumprimentou ela, com um gesto fraco de saudação.

— Onde está a tua mulher? — perguntou Neil.

— Levou as crianças para os baloiços. Supostamente, eu devia estabelecer contacto com vocês.

— A sério? — perguntou ela, sorridente.

— Foi o que me disse. «Estabelece contacto e traz-mos aqui, Gav.»

Ela desatou a rir-se.

— Não acredito! A Lou não «estabelece contacto», não saberia como fazê-lo.

— Ah, não? Pode saber-se o que faz? — Gavin inclinou a cabeça e olhou para ela, sorridente.

— Ela encontra ligações e explora possibilidades.

— Nem pensar, estás muito enganada. A Lou adora o contacto, é algo que deseja muito. Está sempre a criar contactos. Pergunto às crianças onde está a mãe e elas dizem-me: «Está a estabelecer contacto, papá.»

— Vais matar-me de tanto rir! — exclamou ela, entre gargalhadas.

Neil limitou-se a sorrir com cortesia.

— Bom, o Patrick e o Caleb têm as ideias claras. — Gav apontou com a cabeça para duas formas que desciam a toda a velocidade pela colina, rumo aos baloiços.

— Eh, esperem por nós! — gritou Neil, antes de começar a correr atrás deles.

Gav e ela seguiram-nos a um passo mais pausado.

Todos em Greenwich tinham aproveitado aquele bom tempo outonal para sair e a zona dos baloiços estava muito cheia. Jovens mães com gorros de lã e botas *Ugg* tentavam convencer adolescentes com camisolas com capuz a ceder o baloiço a Olivia ou Ethan ou fosse como fosse que se chamava a criança mais pequena. Avós com casacos de malha esperavam com ansiedade ao fundo do escorrega, junto de mulheres somalis cobertas com um *hijab*. Pais com salários que rondavam os seis números vigiavam carrinhos todo-o-terreno de bebé enquanto as suas respetivas esposas debatiam na caixa de areia sobre Montessori e Steiner.

— Meu Deus, isto vai ser como procurar uma agulha num palheiro! — exclamou Gavin.

Mas Caleb e Patrick tinham localizado os amigos como mísseis atraídos pelo calor e Lou estava perto das crianças, a conversar com Neil, enquanto balançava o cavalinho com uma mola onde Zuleika estava sentada.

— Olá, Lou! — Sentiu-se enlevada quando a amiga a envolveu num abraço e saboreou o cheiro do perfume que a circundava.

— Tenho de sair daqui! — exclamou Lou, com uma gargalhada. — Isto é demasiado para mim!

— Lamento muito, estão à espera há muito tempo?

— Não, mas, para mim, pareceu uma eternidade. — Lou levantou Zuley do cavalinho e depositou-a nos braços de Gavin com tanta rapidez que nem pai nem filha tiveram tempo de protestar.

Depois, agarrou-a pelo braço e, num abrir e fechar de olhos, estavam a sair daquele caos buliçoso e dirigiam-se para as salas de chá.

Depois de comprar *cappuccinos*, levaram-nos para uma mesa um pouco afastada situada num canto, mesmo ao lado de um quadro bastante mau de *Cutty Sark*. As janelas estavam embaciadas e uma persiana enfeitada com uma trepadeira de plástico defendia-as da agitação do local.

— Bom, vamos falar do teu livro — disse Lou, enquanto tirava um caderno *Moleskine* da mala. Levantou o olhar para ela ao ouvi-la a dar uma gargalhada brincalhona. — O que se passa?

— O meu livro? Não exageres!

— Sara! Tens de parar de te menosprezar assim! Isso não te ajuda em nada. Lá fora, espera um mundo muito competitivo, ninguém quer ouvir falar de uma autora que não tem a coragem de defender as suas convicções. Respeitas a minha opinião?

Ela apagou o sorriso do seu rosto e olhou para ela nos olhos ao responder.

— Sim.

— Garanto-te que isto é um trabalho muito bom.

— Obrigada.

Lou começou a dar-lhe a sua opinião de forma detalhada: As personagens eram atraentes, o estilo era expressivo, os *flashbacks* estavam bem adicionados. Na sua opinião, a Nora menina poderia expressar-se de forma diferente da Nora adulta, pois teria um vocabulário limitado. Era pouco provável que uma menina de sete anos usasse a palavra «egoísta», por exemplo.

— Tens razão. — Sara assentiu.

— Mas o único erro importante, ao meu modo de ver... — Lou fez uma pequena pausa e ela ficou tensa à espera das palavras seguintes —, é que passas em bicos de pés sobre a cena da violação.

— Bom, queria que fosse ambígua...

— Parece-me que o que se passa é que não querias escrevê-la.

— Bom... Sim, é possível.

— A questão é que escrever é assustador, Sara. Tens de estar preparada para aprofundar e chegar até ao fundo.

Ela limitou-se a assentir e Lou acrescentou:

— E quando a tua mente está a gritar: «Não, não, não vou pensar nisso! É demasiado sujo, é demasiado aterrador, é demasiado doloroso!», tens de te obrigar a pensar nisso e a pô-lo no papel.

— Bom, deixei-me guiar pelo facto de os melhores filmes de terror deixarem um pouco de margem para a imaginação.

Sentiu-se como uma aluna a alegar que o cão comera os seus trabalhos de casa.

— Viste o *Anticristo*? — Ao vê-la a abanar a cabeça, Lou aconselhou: — Devias fazê-lo.

Quando concluiu a conversa sobre o livro, na vitrina refrigerada só restava uma sandes solitária de ovo e estavam a reabastecê-la com bolos recheados.

— Enfim, agora, sabes para onde vais encaminhá-lo? — perguntou Lou, enquanto voltava a guardar as coisas na mala desportiva de couro.

— Sim, tenho a certeza. — Esperou enquanto a amiga marcava um número no telemóvel e o levava ao ouvido e, então, pôs-lhe uma mão no braço e murmurou, quase à beira das lágrimas: — Obrigada.

Lou deu-lhe umas palmadinhas magnânimas na mão antes de atenderem do outro lado da linha.

— Olá, nós já acabamos. Onde estão? — Fez uma careta e desligou. — Devia ter adivinhado.

Encontraram-nos sentados ao redor de uma mesa rústica com vista para o rio. Tanto Gavin como Neil tinham um copo de cerveja na mão e, a julgar pelos sacos de batatas fritas e as garrafas vazias que havia na mesa, ninguém passara fome. As crianças tinham-se fartado de atirar pedras ao rio e de cumprimentar os passageiros que passavam nas barcaças para turistas e tinham organizado o seu próprio circuito de patinagem a partir de alguns cones de trânsito que tinham encontrado caídos por ali e uma caixa de cervejas. Zuley adormecera no colo de Gavin e a sua boquinha ligeiramente franzida numa careta doce estava ligada através de um fiozinho de baba à lapela do casaco do pai.

Neil levantou-se imediatamente ao vê-las a aproximar-se e perguntou, sorridente:

— O que querem beber? Há muito por onde escolher!

O sol baixo estava bastante quente e, com um céu toldado como cortina de fundo, até a Ilha dos Cães era pitoresca. Tudo parecia estar em ordem, portanto, Lou e ela acomodaram-se, relaxadas e sorridentes, na mesa e esperaram que as suas bebidas chegassem.

Beberam outra ronda, seguida de mais outra. A sua tolerância à gritaria e ao barulho das crianças foi crescendo de forma inversamente proporcional à das pessoas que bebiam alguma coisa nas mesas vizinhas e, numa questão de uma hora, já quase todos se tinham ido embora. Começaram a conversar sobre coisas sem importância e a conversa acabou por girar à volta de debates pomposos e rebuscados até desembocar num intercâmbio de histórias atrevidas. Gavin parecia conhecer alguns mexericos chocantes que circulavam pelo mundo da arte. Conforme lhes contou, àquelas alturas, tudo mudara muito e nada era como antes, mas as coisas que costumavam acontecer nos velhos tempos no Clube Colony Room eram incríveis.

Para dizer a verdade, ela não soube se devia acreditar. Considerava-se uma pessoa com uma mentalidade bastante aberta, mas, por muito que se esforçasse, não conseguia entender como algumas das práticas sexuais que ele estava a descrever poderiam ser fisicamente possíveis e menos ainda prazenteiras. Mesmo assim, riu-se com os outros para não dar a impressão de que era uma dissimulada, ainda que, no fundo, esperasse que não estivesse a gozar com ela. Sentiu-se aliviada quando a conversa mudou e se tornou um debate mais sério sobre se o fetichismo também poderia ser uma arte. Descobriu, com surpresa, que as suas próprias opiniões eram muito firmes, mas custou-lhe mais do que teria desejado articulá-las devido aos três copos de Sauvignon Blanc que bebera.

O sol começou a esconder-se finalmente por trás dos edifícios altos e das gruas, projetando reflexos dourados sobre as águas escuras e agitadas e tingindo o céu de cores vívidas por uns momentos efémeros. Encolheu os ombros para se proteger do frio. Tiritava, mas não queria ser a primeira a dar por concluído o que fora um dia mágico. Lançou um olhar fugaz a Gavin e questionou-se, tal como costumava fazer com uma frequência desconcertante ultimamente, em que estaria a pensar. Parecia pensativo, mas, no seu rosto, apareceu uma expressão de incredulidade que deu lugar a outra de consternação.

— Merda, está a mijar-me em cima!

Zuley acordou naquele momento e começou a chorar e a remexer-se ao aperceber-se do que acabara de fazer. Ele tentou levantar-se e derrubou sem querer uma garrafa de sumo em que restavam algumas gotas que foram parar ao cachecol *Orla Keily* de Lou. As crianças ficaram rebeldes quando lhes ordenaram que acabassem o que se transformara num jogo ferozmente competitivo que estava a alcançar o seu ponto máximo. Por um instante, deu a impressão de que a coisa podia ficar muito feia, mas, de repente, aconteceu algo muito estranho: Gavin tirou o seu *iPhone* e ligou para chamar um táxi, distraiu Zuley com uma batata frita mole que tirou do cinzeiro e brincou, dizendo que as mulheres mijavam sempre em cima dele. Lou encurralou as crianças e convenceu-as de que regressar com ambas as mães no andar superior do autocarro não só era bom para elas, mas também era a opção mais inteligente. Disse-lhes que, depois de um breve descanso, ambas as famílias se reuniriam em sua casa, acenderiam a lareira e pediriam comida ao domicílio, portanto, iam continuar a divertir-se imenso.

Era um plano engenhoso e imaginativo, como que tirado de uma cartola, como um coelho, um triunfo da criatividade sobre o banal e uma prova de que Gavin e Lou eram o melhor do melhor (embora isso fosse algo que já estava mais do que provado).

O ambiente de camaradagem que tanto custara a conseguir ainda continuava presente quando, ao fim de um momento, Lou, Caleb, Patrick, Arlo, Dash e a própria Sara percorriam a pé o trajeto de cerca de oitocentos metros desde a paragem do autocarro até à sua rua. Os dois meninos mais velhos estavam a entreter-se a compor uma música *rap* de uma precocidade sexual e uma misoginia (misoginia que, na verdade, expressavam como se fosse o mais natural do mundo) que teriam feito com que as mães ficassem com os cabelos em pé se não estivessem distraídas a conversar sobre o desafio de criar os filhos.

Mas Sara ficou com os cabelos em pé de qualquer forma quando, ao aproximar-se da porta da sua casa, viu Carol e Simon à espera na soleira. Estavam arranjados para uma noite informal, ela tinha uma caixa de bombons belgas nas mãos e ele tinha uma garrafa de *Montepulciano*.

— Merda! — exclamou, em voz baixa. — Merda! Merda! Merda!

— O que se passa? — perguntou Lou.

Nessa altura, já tinham chegado perto da casa e Carol disse, com um pequeno sorriso de confusão:

— Disseste às sete, não foi?

— Sim, mas... Olha, sabes que mais? Não vou enganar-te, a verdade é que me tinha esquecido por completo. Lamento imenso.

— Ah... — O sorriso desapareceu, estava claro que tivera uma desilusão. — Está bem, será melhor ir dizer à ama que já não precisamos dela...

— Venham para minha casa! — propôs Lou, de improviso.

— O quê? — Carol olhou para ela sem saber como reagir.

— Porque não? Ao fim e ao cabo, o Gavin e eu temos a culpa por vos distrair. Praticamente raptámos-vos. Não foi, Sara?

Ela respondeu com um sorriso forçado.

— Estava um dia tão bom que ficámos até muito mais tarde do que o previsto. Íamos ligar agora para esse restaurante novo que abriram recentemente para nos trazerem alguma coisa para comer. Estão convidadíssimos.

Era óbvio que Carol não sabia o que fazer. Optaria por rejeitar o convite e fazer-se de ofendida ou decidiria provar os prazeres mais arriscados de uma noite fora do comum? A balança inclinou-se finalmente a favor da segunda opção. Aduziu que teriam de pagar à ama de todas as formas e que há imenso tempo que Simon e ela não comiam comida indiana, portanto, porque não?

Sara olhou para Simon, cujo ar de horror que mal conseguia esconder devia ser um reflexo do que ela própria tinha no rosto.

8

— Ah, olá! — cumprimentou-os Gav, ao abrir a porta.

— Já pediste a comida? — perguntou Lou, antes de entrar a toda a pressa, rumo à cozinha.

Dada a situação, Sara olhou para o anfitrião e esbugalhou os olhos com uma teatralidade cómica para lhe indicar que ela não era a culpada daquela reviravolta inesperada dos acontecimentos. As crianças subiram para o andar superior com uma correria buliçosa e ela deixou o seu casaco pendurado no poste da escada. Carol imitou-a e os quatro foram para a cozinha, onde encontraram Neil a ligar para o Moti Mahal. Ficaram inquietos à porta a ver como mudava o pedido com bom humor uma, duas e até três vezes, sob a supervisão superexcitada de Lou.

— Quarenta e cinco minutos — informou, depois de desligar. — Espero que tenham fome.

— Obrigado pelo convite para jantar, mas teríamos ficado contentes se pudéssemos ficar um bocadinho e beber um copo — disse Simon, para ninguém em particular. Sentou-se à mesa, triste, e pendurou o seu casaco impermeável nas costas da sua cadeira.

— É um prazer, quantos mais melhor — respondeu Gavin. — Além disso, tínhamos muita vontade de vos convidar para nossa casa há muito tempo. Não era, Lou?

A aludida assentiu com um sorriso efusivo e Sara apercebeu-se daquela falta de sinceridade tão flagrante. Ao fim e ao cabo, a festa de inauguração da casa fora há meses e Carol que, naquele momento, estava sentada com as mãos entrelaçadas no tampo laminado da mesa, olhando em redor com a curiosidade evidente de um pisco-de-peito-ruivo depois de uma nevada, não era tola. Questionou-se o que estaria a pensar ao ver aqueles copos de coquetel decorados com motivos *kitsch*, aquela caveira mexicana e a cobertura da chaleira de agulha de crochê e sorriu para si, pois ela própria fora assim ao princípio. Reconheceu em Carol aquele ar de confusão, mesmo de consternação, ao ver que as regras do bom gosto eram infringidas com semelhante ligeireza, mas ela conseguira compreender o conceito. Levantou-se com brusquidão, aproximou-se do frigorífico de Lou e Gavin e abriu-o como se estivesse em casa.

— Mais alguém quer uma cerveja?

Começou a distribuí-las e parou por um instante ao ver como Carol tentava abrir a garrafa com torpor. O vinho e os bombons permaneciam por abrir na mesa, como adereços na peça teatral errada.

Minutos depois, Gavin pôs música no *iPod*.

— Eu gosto, quem são? — perguntou Carol.

— Os Midlake, uma banda texana — replicou ele, com um sorriso amável.

Simon bebeu um bom gole de cerveja antes de dizer:

— Esteve um dia fantástico, não esteve?

— Sim — Gavin assentiu —, sentámo-nos a beber umas cervejas junto do rio. Não pode pedir-se mais em outubro.

— A verdade é que nos embalámos bastante depois dos primeiros goles — indicou Sara.

Ninguém perguntou a que se referia.

— O que fizeram? — perguntou Gavin a Simon.

— Ui, foi um dia cheio de atividades emocionantes. Levar a Holly à aula de clarinete, ir ao supermercado, cortar a folhagem...

Lou olhou para ele com um ar de tristeza ao ouvir a última coisa.

— Oh, a sério? Adoro as folhas!

— Alguém tem frio? Ligo o aquecimento?

A pergunta foi feita por Gavin que, ao ver que se entreolhavam e ninguém dava uma resposta concreta, optou por se levantar de qualquer forma e ajustar o termóstato.

Carol virou-se para ele e perguntou:

— Trabalhas aos fins de semana ou tens um horário das nove às cinco, como um...?

— Como um empregado de escritório rígido? É brincadeira, é apenas uma brincadeira! Não, a verdade é que não tenho um horário fixo. Mas alguns dos materiais que uso podem perder-se num espaço de tempo determinado, portanto, quando começo, não posso deixar essa obra estacionada e tenho de a completar.

— Às vezes, trabalha de noite — indicou Lou.

— Ah, suponho que, nesses casos, durmas de dia — deduziu Simon, com uma lógica infalível.

— Em teoria, mas, com três monstrinhos em casa, nem sempre é tarefa fácil — admitiu Gavin.

— Eu tento fazer com que não façam demasiado barulho antes do meio-dia — afirmou Lou, apressadamente.

— Deve ser fantástico trabalhar por conta própria, não sei se teria tanta autodisciplina — comentou Simon. — Como estás, Sara?

— Eu? — Surpreendeu-se ao ver-se incluída na mesma categoria do que Gavin.

— Passaste recentemente de ser uma escrava assalariada a uma criativa, não foi?

— Eh... Bom, suponho que possa dizer-se que fiz essa transição. — Disse-o sem muita convicção. — Mas não sei se sou muito criativa, na verdade. Diria que me dedico a experimentar, que sou uma aspirante.

— Ah-ah... Sara... — Lou fixou nela um olhar de recriminação.

— Ah, sim, perdão, tinha-me esquecido. — Deu uma palmada sonora na mesa. — Sou uma escritora dos pés à cabeça e podem ir todos à merda!

Carol e Simon ficaram um pouco atónitos com semelhante arrebatamento e foi a primeira que perguntou, ao fim de um momento:

— Então, podemos lê-lo? O teu romance.

— Ui, não sei... Não sei se quero... Ainda tem de ser muito polido. Não é, Lou?

— Ah, portanto, ela já o leu, não foi? — brincou Carol, com um aborrecimento fingido.

— Queria uma opinião profissional.

Carol olhou para Lou.

— Que tipo de romance é? Anda, dá-nos a tua opinião sincera. O que achaste?

— Não sei se poderia catalogar-se num «tipo» concreto. É um trabalho excecional, nem mais nem menos. Uma voz original.

— Isso significa que, na tua opinião, não é um romance apto para ser publicado? — insistiu Carol.

— Não sei se o que realmente importa é o facto de ser ou não publicável.

Sara incomodou-se ao ouvir aquilo, porque, no que lhe dizia respeito, a publicação da sua obra tinha muita importância.

— Acho que o que a Sara está a fazer com este trabalho é encontrar o seu rio — acrescentou Lou. Ao ver que Carol não entendia a referência, começou a explicar-lhe. — Não leste *O Caminho do Artista*, da Julia Cameron? É um livro fantástico. A autora afirma que devemos vencer a negatividade e a autocrítica que sufocam a criatividade e deixar que esta flua, que temos de ser quem realmente somos. Temos de escrever, cantar, dançar ou pintar com todo o nosso ser, sem receios nem cinismo, sem pensar no que o público pode ou não pensar.

— Parece-me uma visão pouco realista — declarou Carol —, eu diria que ser autocrítica é bastante importante. Se não for assim, nada impediria que qualquer pessoa apresentasse a sua suposta arte ao pobre mundo. Não te ofendas, Sara.

— Qual é o problema de cada um mostrar a sua criatividade?

Porque haveríamos de os impedir? — Lou observou Carol com olhos cintilantes.

Sara sentiu a boca seca enquanto via como a velha amiga abria a dela para responder. Lamentava por ela, mas, ao mesmo tempo, não podia reprimir uma satisfação mesquinha. Gostava de a ver à defesa para variar, era um prazer ver como as suas ideias confortáveis e preconcebidas de mulher da cidade chocavam com a lógica bela e retorcida do mundo de Lou e Gavin.

— Receio que a ideia de que todos são artistas e basta apenas entrar em contacto com a musa interior ou seja lá como for que se chama não cole — declarou Carol, com firmeza.

— Parece-me que não entendeste realmente o que quis dizer — replicou Lou. Embora o seu tom de voz fosse sereno, tinha um círculo de um tom rosado vívido em cada face. — Estava a falar de criatividade, estás a dizer que a capacidade de criar não é uma coisa com que nascemos?

— Baseando-me na minha própria experiência, devo concluir que não é — respondeu Carol, com uma gargalhada estridente. — Não tenho nem um pingo de criatividade!

— Claro que tens! — protestou Lou, com irritação.

— Não, não é nada criativa. Posso confirmá-lo. — Simon confirmou-o como se fosse algo de que devesse sentir-se orgulhoso.

— É algo que não me entra na cabeça! — exclamou Lou. — É-me inconcebível que tenhas conseguido internalizar essa mensagem sobre ti própria. Isso deixa o nosso sistema supostamente educativo num lugar muito mau!

— Não internalizei nada, recebi uma educação muito boa! — protestou Carol.

— Sim, tem muito boas notas. — Sara assentiu.

Lou suspirou e abanou a cabeça como se estivesse a observar uma vida cheia de privações.

— Aceitaste todas as regras que te impuseram, Carol, e tiveste sucesso de acordo com os teus parâmetros e as tuas condições. E, mesmo assim, acabaste os estudos com o convencimento erróneo de que careces de um dos atributos que são a chave para ter uma vida significativa, achas que consegues viver sem ele.

— Não acho que isso me tenha feito mal — declarou Carol, com secura.

— A questão não é essa.

— Não considero que a minha vida seja menos significativa do que a tua.

— É exatamente sobre isso que estou a falar...

— Quem diz que a criatividade é algo tão primitivo e...?

— És criativa! — gritou Lou.

Todos emudeceram, atónitos, e foi Neil que quebrou finalmente o silêncio.

— Isso, Lou, não te controles. Diz exatamente o que pensas.

Sara fez uma careta e pensou por um momento que o marido abusara, mas Lou deixou escapar um risinho de repente. A julgar pela expressão do seu rosto, parecia estar um pouco surpreendida com o seu próprio ataque de mau feitio. O risinho começou a transformar-se numa gargalhada propriamente dita que deu lugar a uma gargalhada ainda maior e, então, os outros juntaram-se... Tentativamente ao princípio, mas, pouco depois, com tanta vontade que qualquer pessoa que os visse se confundiria e pensaria que eram um grupo de pessoas a divertir-se imenso.

Quando chegou o caril, as bandejas de alumínio em que vinha foram postas diretamente na mesa, juntamente com um punhado de talheres desiguais. Aquela devia ser uma noite muito diferente da que Carol e Simon tinham imaginado ao sair de casa, mas serviram-se com entusiasmo das bandejas e comentaram com frequência como a comida estava deliciosa. Todos estavam desejosos de mudar de tema de conversa e começaram a falar das diferenças entre os restaurantes indianos, tanto em qualidade como no que dizia respeito à zona de distribuição.

O cheiro irresistível a *tikka* e *bhaji* atraiu as crianças, que formaram uma fila à porta da cozinha. Encorajado pelos outros, Dash iniciou um assalto sub-reptício à mesa: Aproximou-se a gatinhar com silêncio enquanto os mais velhos conversavam, endireitou-se como um raio, agarrou num pedaço de pão *naan* e fugiu a correr. Quando aquilo se repetiu uma segunda vez, Sara apercebeu-se de que Carol a observava fixamente numa tentativa de chamar a sua atenção. Era óbvio que começavam a traçar as linhas de batalha, que estava a pedir o seu apoio às forças da civilização contra as da barbárie, mas não ia envolver-se nisso. Lou e Gav tinham tido a simpatia de convidar Simon e Carol quando não tinham de o fazer. Ela era uma convidada que não tinha o direito de criticar o que eles faziam na sua própria casa.

De modo que esquivou o olhar da velha amiga e o desviou sem se aperceber para Dash, que estava a pôr o pedaço inteiro de pão na boca para se fazer de engraçado sem sequer pensar em partilhá-lo com os seus compinchas. Sentiu um nó no estômago ao ver semelhante cena. Lou estava sempre a gabar-se sobre como o menino era excecional e não podia negar-se que tinha uma imaginação muito ativa. Ouvira-o a inventar, com Caleb e Patrick, uns jogos horripilantes em que criavam mundos imaginários, jogos que eram tão perturbadores para ela como entretidos e emocionantes para eles. Além disso, também não podia negar-se que sentira uma certa inveja no outro dia, quando a subdiretora da escola se afastara com Lou para falar com ela. Mas se o facto de ter uma mente privilegiada tinha como preço a humanidade, se o transformava num egocêntrico (esse parecia ser o caso de Dash), então, preferia que os seus filhos fossem atenciosos e generosos a inteligentes.

Neil pedira demasiada comida e, um bom bocado depois de todos ficarem saciados e de a conversa estancar, as bandejas de alumínio continuavam quase cheias de uma comida que ia arrefecendo e ficando dura. Ninguém fez o mínimo gesto de querer limpar a mesa.

— Bom, muito obrigado pelo jantar — disse Simon, finalmente. Deu umas palmadinhas leves nos lados do seu casaco, como se quisesse certificar-se de que a roupa ainda continuava a estar ali. — Parece-me que será melhor irmo-nos embora, para que a ama possa ir para casa...

Ninguém disse que ainda era um quarto para as dez.

— De certeza que não querem ficar para...? Eh...

— Não, não podemos, obrigado. O jantar foi fantástico, de primeira. Um dia destes, temos de vos convidar para a nossa casa. Não é, Caz? Não, calma, não se levantem para nos acompanhar à porta. Bom, obrigado por tudo. Adeus.

O som da porta principal a fechar-se gerou um sem-fim de suspiros e gargalhadas de alívio.

—Santo Deus!

Lou lançou aquelas palavras para Sara, que mordeu o lábio e exclamou:

— Lamento muito! Esqueci-me por completo de que os tinha convidado, obrigada por me salvares a pele.

— Bom, não te salvei por completo.

— Mas foi fantástico! — troçou Gav, com uma atitude magnânima e teatral. — De primeira!

Todos desataram a rir-se novamente... Todos, menos Neil, que se limitou a esboçar um sorriso forçado.

9

Quando foram para a sala de estar pouco depois de Carol e Simon se irem embora, Lou pôs um disco e Neil baixou-se à frente da lareira e reavivou o lume. Sara aninhou-se num canto do sofá e observou Gav enquanto fazia um charro. Para além de algum ruído surdo e esporádico ou da voz abafada de alguma das crianças procedente do andar de cima, dava a impressão de que a sala estava isolada do mundo exterior e era um abrigo reservado a atividades de adultos. Gav acendeu o charro com um fósforo e, num gesto de generosidade ostentosa, ofereceu-lho. Levou-o com cautela aos lábios.

— O Simon não é um mau tipo — comentou ele —, o que faz?

Estava tão concentrada em inalar que se limitou a abanar a cabeça.

— É banqueiro ou uma coisa dessas, não é? — Lou sentou-se no tapete, apoiou as costas contra o sofá e intercetou o charro quando Sara ia passá-lo a Gav. Depois de o levar à boca, voltou a devolver-lho.

— Capital de risco — respondeu Neil. Deu-se por satisfeito depois de fazer com que o lume ardesse com força e sentou-se na poltrona *Eames*. — Sara, se fosse a ti, iria com calma.

Fulminou-o com o olhar e voltou a levar o charro à boca.

— Capital de risco... — Gav pronunciou aquelas palavras lentamente, como se ponderasse o seu significado. — O que é isso?

— Parece uma dessas histórias do *Boy's Own*, não é? — perguntou ela, com um risinho.

Neil não precisava de intervir com aquelas advertências dissimuladas. A erva era inofensiva e ela nem sequer se sentia afetada.

Gav virou-se para olhar para ela e exclamou, sorridente:

— Sim, tens razão! Já imagino... Os chapéus, o canto infernal das cigarras e o calor, o maldito calor!

Ela endireitou-se até ficar sentada e bem erguida no sofá. Pôs a mão a modo de viseira e observou um horizonte imaginário.

— Passa-me a luneta, Carruthers! Parece-me avistar uma oportunidade de investimento!

— Que par! — exclamou Lou, com indulgência, antes de se esticar por cima do tapete para passar a Neil o pouco que restava do charro.

O fogo crepitava e uma canção melódica ouvia-se de fundo. Sara suspirou e espreguiçou-se. Lou estendeu um braço e segurou-lhe a mão com suavidade, de forma tentativa. Depois, soltou-a novamente quando se sentiu pronta.

Sara apercebeu-se de que tinham chegado àquele momento chave em que se sentiam confortáveis uns com os outros sem necessidade de falar, limitando-se a estar sem mais nem menos. Dava a impressão de que a hora era muito mais tardia do que podia ser realmente e recordou a cena que presenciara com Zuley durante a visita dos alemães: Os rostos macilentos, a luta estranha de poder que fora evidente, mesmo através do vidro da janela. Soube que estavam a pô-la numa seita, mas era uma que não lhe causava receio. Antes pelo contrário, entrava nela com prazer. Mal começava a descobrir como a vida estava destinada a ser terna, relevante e docemente complexa.

Ao ver que Neil se inclinava para a frente e estendia o braço à frente dela para passar um novo charro a Lou, conseguiu emergir do seu estado quase comatoso para o intercetar e exclamou:

— Eh, não tão depressa!

— Se fosse a ti, não fumaria mais, Sara — avisou ele.

— Mas não és, pois não? E o mais engraçado de tudo... — Fez uma pequena pausa para saborear a lógica irrefutável da sua argumentação. — É que, se fosses, fumarias mais, porque é o que vou fazer!

Levou o charro aos lábios e deu uma passa um pouco mais profunda do que o normal por pura rebeldia. Ao ver que Neil estendia a mão com atitude de paciência exagerada, desafiou-o, dando uma segunda passa. E exatamente quando estava a acabar de expirar, tomou plena consciência da genialidade que acabara de dizer.

— Marmelada hoje! — anunciou.

Gav olhou para ela com uma confusão afetuosa.

— Vá lá! Aparece na *Alice no País das Maravilhas*! Não, espera, será em *Através do Espelho*? Tanto faz, a questão é que não podem tê-la.

Lou virou-se para ela e deu-lhe umas palmadinhas carinhosas no joelho. Ela insistiu:

— Podes comê-la ontem ou amanhã, mas hoje não. Porque o «hoje» nunca chega. Bom, tanto faz. Foi exatamente o que o Neil acabou de dizer. Se fosse eu, não poderia fazer o que ele acha que eu devia fazer, porque, quando fosse eu, estaria a fazer o que eu faço.

— Sabia que ias passar-te — queixou-se ele, com um suspiro.

Ela franziu o sobrolho com indignação.

— Não te entendo! O que quiseste dizer com isso? — perguntou-o aos outros dois, mas ambos estavam perdidos num ataque incontrolável de gargalhada. — Vá lá! São uns... São uns...

Não recordava o que eram. Formigavam-lhe os lábios e tinha a cabeça como uma pedra bruta e pesada que se segurava na ponta da erva. O pequeno ajuste requerido para se recostar no sofá reverberou por todo o seu corpo como um terramoto.

— Via-o vir — afirmou Neil.

— Queres um copo de água, Sara? — ofereceu-lhe Lou.

— Acho que vou...

Fechou os olhos e agitou a mão com lassidão à frente do seu próprio rosto, mas isso piorou mais as coisas, muito mais. Aquilo não ia passar depressa, por muito que ela o desejasse. Como uma idosa com ossos quebradiços, iniciou a manobra de três fases para se levantar do sofá. O calor do fogo da lareira era insuportável e a cabeça de veado observava-a com desaprovação.

— Precisas que te dê uma ajuda? — Gavin chegou-se um pouco para a frente.

— Estou bem — murmurou ela, enquanto abria caminho entre os copos de vinho e toda a parafernália para fazer os charros que havia no tapete.

Gostou de sentir a frescura do tampo da sanita no rabo. Em algum lugar distante, um jogo de crianças parecia estar a perder o controlo, mas não estava em condições de intervir. Estava tão deitada para a frente que tinha a cabeça a escassa distância do chão opaco de linóleo e faltava muito pouco para vomitar. Fazendo um esforço gigantesco, conseguiu abrir a torneira da água fria e mexeu o corpo até conseguir pôr a mão no lavatório adjacente e levar água à boca. Regressou à posição inicial e a casa de banho foi voltando à normalidade a pouco e pouco, como a roda de uma bicicleta abandonada que vai parando de rodar até ficar imóvel. A parte interior da porta estava coberta de uma colagem de recortes. Havia uma fotografia a preto e branco de um lutador de *sumo* a redigir uma mensagem de texto no seu *iPhone*, um artigo de jornal que rezava *O decano da catedral de São Paulo afirma que Deus é um conceito*, um postal onde apareciam uns gatinhos que estavam vestidos com um fato-macaco de trabalho e lenços e tinham uma cana de pesca ao ombro... Deixou escapar um arroto sonoro e voltou a olhar para o chão. Não sabia há quanto tempo estava ali. Três minutos? Dez? Não tinha nenhuma ideia. Quando finalmente se levantou com dificuldade, entreabriu ligeiramente os olhos para poder ver-se no espelho antigo que havia por cima do lavatório. Parecia assustada.

— Estás bem? — perguntou Lou, ao vê-la a entrar novamente na sala de estar.

O álbum chegara ao seu fim, mas o barulho surdo que fazia enquanto continuava a dar voltas e mais voltas parecia encaixar maravilhosamente com a melancolia indolente que impregnava o lugar. O lume mortiço começava a apagar-se.

— Mais ou menos — respondeu, antes de se deixar cair novamente no sofá.

Fechou os olhos. Ouvia Neil a falar com Gavin em voz baixa, estava a dizer-lhe que adoraria ir a Espanha e fazer o Caminho de Santiago. Gavin perguntou-lhe se era uma pessoa religiosa e ele respondeu que não, mas que compreendia a atração que o catolicismo exercia... A devoção, a autoflagelação. Ficou surpreendida ao ouvir aquilo e, se se sentisse com mais força, teria recordado ao seu marido aquela vez em que não quisera gastar doze euros para ver a catedral de Florença, mas limitou-se a ficar calada enquanto ia descobrindo mais coisas.

Descobriu que, na mente do marido, havia mais coisas para além de bases de ativos e planos de desenvolvimento sustentável; que, embora antes não se tivesse apercebido disso, àquela altura da sua vida, compreendia que a sua ambição de alcançar o sucesso numa profissão convencional nascera do desejo de agradar à mãe. Que gostaria de ter estudado música em vez de ciências políticas e que, há vários anos, criara uma conta no Facebook para tentar falar com os membros da Busted Flush, a banda em que tocara no final dos anos oitenta. Por alguma razão inexplicável, não lhe contara nada daquilo, mas Gavin e Lou tinham essa capacidade de descobrir os desejos ocultos, os desejos que esquecera ou aqueles a que nunca dera voz. Era algo que lhe tinham feito e, graças a isso, apercebera-se de que possuía uma criatividade enorme, de que tinha o talento para forjar um vínculo forte de amizade com outras mulheres e de que era muito recetiva aos prazeres sensuais. A comida sabia-lhe melhor do que nunca, a música nunca a afetara tanto e o sexo... Bom, pelo menos, voltava a estar na agenda.

Mesmo assim, embora Lou e Gavin estivessem a abrir os horizontes do seu marido e dela própria e estivessem a expor novas camadas de curiosidade e desejo, eles continuavam a ser um enigma. Várias vezes, quando ela achava que começava a decifrá-los, que começava a compreender o seu comportamento elusivo, afastavam-se, fugidios, como sátiros que a incitavam a entrar cada vez mais num bosque. Ainda não era capaz de discernir que partes da vida de Lou e Gavin eram reais e quais eram pura ironia. Havia na cozinha um antigo cartaz com a frase «Que Deus abençoe o nosso lar» que ela aceitara como um elemento humorístico. No seu tom de voz, refletira-se essa convicção ao fazer um comentário e sentira-se como uma cínica quando Lou lhe dissera que o cartaz era um talismã dotado de poderes protetores contra o mau-olhado. Segundo ela, Dolores Fernández lançara uma maldição a Gavin por matar os peixes e o cartaz ajudava-a a sentir-se segura.

Devia ter adormecido, porque, quando acordou, ouvia-se na aparelhagem uma canção tão fúnebre que pensou que estava em câmara lenta. Lou estava a balançar-se ao ritmo da música como se estivesse perdida num transe. Gavin continuava sentado no sofá e estava a olhar com atenção para a capa do álbum, mas Neil estava sentado na beira da poltrona *Eames* com as mãos entrelaçadas por cima de um joelho levantado enquanto observava Lou com olhos fixos e brilhantes, como se ela fosse de um interesse sociológico intenso.

Teve a clara impressão de que perdera qualquer coisa.

— Olá — cumprimentou ele, finalmente, quando deslizou o olhar para ela. — Estás bem?

— Sim — respondeu, com uma certa irritação.

— Talvez devêssemos começar a pensar em ir embora.

— Que horas são?

— Não sei, tarde.

— Bom, pois... — Levantou-se com dificuldade. Tinha a cara acalorada e as extremidades frias. O fogo já quase se consumira por completo. — Obrigada por um dia fantástico.

Apesar de toda a intimidade, dos silêncios e do que tinham partilhado, de repente, sentia-se cheia de timidez.

Com os olhos ainda desfocados e um sorriso enigmático no rosto, Lou aproximou-se enquanto continuava a balançar ao ritmo da música e rodeou-lhe o pescoço com os braços. Ela sucumbiu com torpor ao balanço suave da dança e, quando sentiu que chegara o momento adequado, desprendeu-se do abraço e afastou-se.

— Vemo-nos depois, Gav. — Aos seus olhos, o pequeno gesto da cabeça com que ele respondeu parecia estar carregado de significado.

— Incrível, divertimo-nos muito! — exclamou Neil.

Pararam por um instante ao chegar à porta, mas, ao recordar que Lou e Gavin não seguiam os protocolos normais, saíram sozinhos para a rua, onde a noite gélida os recebeu.

10

A última coisa que Sara viu nessa noite ao fechar as persianas foi as cortinas de John Lewis com forro de Carol, que estavam bem fechadas a modo de reprimenda para ela. Depois do fiasco daquela noite, estava bastante resignada a não receber um postal de Natal naquele ano da parte da sua velha amiga. Talvez pudesse tentar resolver as coisas, ir vê-la com alguma oferenda de paz e desculpar-se, mas a única coisa que ia conseguir com isso era meter-se em mais problemas. Mais cedo ou mais tarde, Carol tentaria arrastá-la para uma sessão de críticas sobre o estado em que se encontrava o jardim dianteiro de Lou e Gavin ou as maneiras das crianças e ela teria de lhe dizer que não devia meter-se na vida dos outros, o que seria tão prejudicial para as relações vicinais como o afastamento gradual que, naquele momento, já parecia algo inevitável. Mesmo assim, enquanto os primeiros raios rosados do amanhecer foram aparecendo no céu por trás das chaminés de Carol, embargou-a uma sensação vaga de perda.

Lou transformara-se numa companhia mais ou menos constante para Sara e a verdade era que as atividades que partilhavam condiziam muito mais com a personalidade dela. Com Carol, podia contar-se para conseguir um daqueles bilhetes tão cobiçados para Donmar Warehouse, por exemplo, mas recordava-lhe sempre com tanta insistência quanto lhe devia e a que horas saía o último comboio de Charing Cross que era como sair para passear com o grupo de escuteiras. Lou, pelo contrário, conseguia extrair diversão do nada como por arte de magia. Uma noite, foram ver a atuação de um grupo da zona num *pub* bastante velho, outra vez, assistiram a um recital de poesia em South Bank. Aos fins de semana, enquanto Neil e Gavin levavam as crianças a jogar futebol, Lou deixava Zuley bem aconchegada no seu carrinho e as três saíam para bisbilhotar pelas lojas de segunda mão de Brick Lane, onde ela acabava sempre maravilhada com a capacidade que a amiga tinha para encontrar a única roupa que valia a pena entre um sem-fim de panos sem valor algum. Mas ela própria também não devia estar a fazê-lo assim tão mal, porque Neil comentara com aprovação que Lou exercia uma influência positiva sobre ela no que dizia respeito ao bom gosto ao vestir-se. Decidira aceitá-lo como um elogio, embora fosse um bastante ambíguo.

Até a saída de todas as quintas-feiras para levar as crianças às aulas de taekwondo que davam no centro de lazer se transformou, graças a Lou, numa oportunidade para falar de coisas de raparigas e aproveitar para se embelezar. Nos velhos tempos, costumava esperar sentada no café com um *cappuccino* e a palavras cruzadas do *The Guardian*, mas desde que Dash e Arlo se tinham inscrito na aula, Lou tinha outras ideias. Ambas se dirigiam para a piscina e lançavam-se de cabeça para a faixa rápida, que Lou percorria rapidamente e de uma forma muito depurada enquanto ela tentava seguir-lhe o ritmo o melhor que podia. Depois de trinta voltas cansativas, dirigiam-se para a sauna, onde a iluminação suave e o cheiro a eucalipto que enchia o ar criavam uma sensação de intimidade.

— Adoro esta parte! — exclamara, uma vez, enquanto se sentava com alívio no banco de madeira.

Lançou um olhar cheio de inveja ao corpo de Lou, que se sentara com agilidade no nível mais quente e elevado e, depois de cruzar as pernas, fechara os olhos. A amiga tinha umas coxas sólidas e firmes e nem sequer a licra inclemente do fato de banho conseguia esconder completamente a plenitude dos seus seios. Em comparação, o fato de banho de duas peças com estampado de hibiscos que ela usava parecia pesado e próprio de uma mulher de meia-idade. Levou as mãos a ambos os lados da cintura para se medir e deixou escapar um suspiro.

— Tens um físico fantástico! — garantiu Lou, sem abrir os olhos. — Eu gostaria de poder usar um biquíni!

— Oh, vá lá, estás muito magra!

— Sim, mas tenho estrias.

— Isso não é razão para te envergonhares, eu própria tenho algumas.

— Aposto que não pareces a merda do mapa de Londres.

— E eu aposto que o Gav não se importa com essas linhas!

— Ele é estranho, na verdade, gosta. Uma vez, enquanto fazíamos amor, disse-me que o faziam pensar nesses canais que há na praia... Sabes, por onde a água passa para chegar ao mar.

— Que bonito!

— O Gav sempre teve uma certa fraqueza pela deusa mãe e tal. Não me tirava as mãos de cima quando estava grávida.

Enquanto Sara tentava sorrir, a amiga acrescentou:

— E eu adorava, porque estava cheia de vontade desde o primeiro dia. O lógico seria que a mãe natureza diminuísse a libido depois de engravidarmos, não achas?

Ela limitou-se a encolher os ombros porque era renitente a confessar que fora precisamente isso que a natureza fizera no seu caso. Durante os três primeiros meses, tivera demasiadas náuseas, nos cinco seguintes sentia-se demasiado cansada e, no nono e último, o montículo proeminente da sua barriga repelira qualquer possível iniciativa do marido como se se tratasse de uma bola inchada.

Nesse momento, a porta da sauna abriu-se com um pequeno rangido e uma mulher caribenha rechonchuda sentou-se junto dela.

— Sabes aquele momento no fim da gravidez, quando o colostro começa a surgir e estamos prontas para dar de mamar? — Lou lançou-lhe um olhar eloquente.

Ela esbugalhou os olhos para lhe indicar que percebera o que queria dizer, que não era preciso dar mais explicações, mas a amiga esboçou um grande sorriso e disse, aparentemente alheia ao facto de terem companhia:

— Sei que não devia tê-lo permitido ao Gav, mas, oh, meu Deus!

Ela sorriu com nervosismo e lançou um olhar conciliador à mulher enquanto Lou continuava a falar.

— Ele foi ganhando o gosto. — Inclinou-se para baixo e acrescentou, num sussurro que pareceu muito alto naquele lugar: — É incrível que demore mais a dar de mamar ao marido do que ao filho! — Ao vê-la gemer, acrescentou, sorridente: — É brincadeira! Bom, mais ou menos. — Limpou um carreiro de suor que lhe descia pelo decote.

A outra mulher escorreu uma toalha húmida de flanela e pô-la na cabeça, parecia incomodada e Sara endireitou-se um pouco para dar uma olhadela ao relógio que havia na parede.

— Que horas serão? Será melhor irmos andando, as crianças estarão a questionar-se onde estamos.

— Vá lá, só mais cinco minutos! — suplicou Lou. — Esta vai ser a nossa última oportunidade de passar algum tempo juntas em várias semanas!

— Porquê?

— Na segunda-feira, começo a filmar.

— Ah...

— Sim, eu sei, também me custa a acreditar.

O hábito de Lou de trabalhar em grande medida de noite e o facto de o trabalho de Gavin ocupar tanto espaço na casa, tanto físico como psicológico, contribuíra para Sara esquecer, por razões práticas, que a amiga era cineasta. O assunto quase nunca era puxado nas conversas. Lou gostava de ir desenvolvendo as ideias como se de cogumelos se tratassem, na escuridão, e ela não se atrevera a perguntar como as coisas estavam a correr desde aquela vez em que se oferecera para ler o guião e recebera uma negativa cortês como

111

resposta. As olheiras pronunciadas da amiga e o facto de nunca se desculpar para atender alguma chamada de telefone misteriosa tinham sido os únicos indícios que revelavam que tinha mais alguma coisa na cabeça do que o lanche dos filhos e os livros que já deviam ter sido devolvidos à biblioteca.

— Tens tudo pronto? Os atores, o equipamento de filmagem e... Enfim, o que precisas. — Ao ver a forma como olhava para ela, apercebeu-se de que acabara de fazer uma pergunta absurda. — Sim, claro que tens tudo pronto. Onde vão filmar?

— A curta-metragem decorre em Londres, mas o meu DP é belga e a única forma de encaixar tudo é rodar lá. Mas encontrou uma localização fantástica, portanto, ninguém perceberá a diferença.

Ela abriu a boca para perguntar o que era um «DP», mas pensou melhor, pois o mundo do cinema parecia ser um ambiente em que era muito fácil cometer um erro. Decidiu que o melhor seria esperar até a curta-metragem estar pronta e oferecer alguma opinião meditada.

— Bom, eu estou aqui — disse, antes de abrir a sua garrafinha de água mineral e levantar-se. — Digo-o para o caso de o Gavin precisar de alguma coisa. Não me refiro a «aqui» em concreto, mas a lá, em minha casa. Quero dizer que estarei ao lado, para o caso... Enfim, entre umas coisas e outras vai estar muito atarefado, não é?

E, num abrir e fechar de olhos, Lou foi-se embora e Sara descobriu que tinha muitas saudades dela. Sentia-se fisicamente doente com a sua ausência. Não voltara a sentir-se assim por ninguém desde aquela vez em que Amanda Durham, a sua melhor amiga do liceu, fora passar três semanas em Calgary com o pai. Mas, no caso de Amanda, pelo menos, tinham passado a noite juntas a modo de despedida, uma noite em que se tinham enchido a comer *Minstrels* e tinham estado a ouvir Duran Duran. Amanda ensaiara formas de atormentar a nova meia-irmã canadense. No caso de Lou, não

112

houvera nenhuma despedida assim e não conseguia evitar sentir que a amiga se deixara arrastar por uma voragem de criatividade e a deixara um pouco de lado. Estava convencida de que não fora de propósito. Àquela altura, conhecia Lou e Gavin suficientemente bem para ver que agiam muitas vezes de forma improvisada, deixando-se levar e que, às vezes, ficavam esquecidas as regras básicas de cortesia da vida num bairro residencial. Era a única explicação para o facto de Lou ter permitido que a sua equipa de filmagem estacionasse a carrinha à frente da sua casa, com o que Neil e ela se viram obrigados a estacionar o seu próprio carro a pouco menos de vinte metros dali e tinham tido de levar às costas as compras que tinham feito nessa sexta-feira para toda a semana. Era a única explicação possível para o facto de, quando Neil e ela pararam carregados com aquele sem-fim de sacos pesados e esperaram que Lou apresentasse aqueles colegas de trabalho cheios de *piercings* e de tatuagens, esta se tivesse limitado a lançar-lhes um direto «Olá», com uma atitude distraída, antes de começar a verificar o inventário com ditos companheiros. Era a única explicação possível para o facto de não ter respondido sequer com uma mísera mensagem de texto ao postal que lhe fizera pessoalmente para lhe desejar boa sorte, um postal em que usara o Photoshop para pôr o rosto da amiga numa imagem onde aparecia Alfred Hitchcock com o seu charuto característico na mão. Escrevera no interior: «Espero que corra lindamente!», e pusera-o na caixa de correio para não correr o risco de a incomodar, no caso de estar no meio de alguma conversa importante a altas horas da noite. Depois, preocupara-a que o postal tivesse incomodado a amiga, talvez detestasse Hitchcock e o tivesse aceitado equivocadamente como uma espécie de comparação entre a obra do cineasta e a sua.

No primeiro dia de escola durante a ausência de Lou, enquanto ia rumo à escola com Gavin a passo rápido, tagarelava, nervosa, sem quase obter resposta. No fim, depois de um silêncio prolongado em que ele conduziu o carrinho de Zuley com semblante sério, manobrando quando era necessário para subir e descer da calçada e com as crianças a correr ao seu redor como se fossem uma manada, ela intuiu qual poderia ser o problema.

— Sentes a falta da Lou? — Ao ver que lhe lançava um olhar bastante estranho, apressou-se a corrigir-se. — Desculpa, que pergunta tão absurda. Claro que sentes a falta dela, não me faças caso. Mas pensa que duas semanas vão passar a voar.

— Não, sou eu que tenho de me desculpar — disse ele, com um sorriso —, porque estou a comportar-me como um canalha. Para ser sincero, a questão em si não é que sinta a falta dela, mas que não consigo sobreviver sem ela.

Olhou para ele com uma expressão interrogante e ele acrescentou a toda a pressa:

— Não me interpretes mal, apoio o seu trabalho a cem por cento. O que se passa é que, neste momento, eu também estou cheio de trabalho e teria adorado que ela não me tivesse oferecido como voluntário para esse projeto artístico dos alunos do sexto ano.

— Ena, isso era para esta semana?

Gavin fingiu que levava uma pistola à têmpora e apertava o gatilho.

— Mas, para as crianças, vai ser uma experiência fantástica — aduziu ela —, vão poder conhecer pessoalmente um verdadeiro artista.

— Sim, claro, sou um verdadeiro artista! — troçou, com ironia, antes de deixar escapar um suspiro que o frio transformou numa nuvem branca.

— O que querem que faças?

— A única coisa que sei é que tem relação com o passeio da sexta-feira à exibição do Picasso.

— Ah, vais acompanhá-los? Eu também! — exclamou, contente com a notícia. — Mas, voltando ao assunto desta semana, se precisares que te ajudes em qualquer coisa, só tens de mo dizer.

— És boa a usar fibra de vidro? — perguntou ele, num tom de brincadeira.

— Perdi um pouco de prática, na verdade — respondeu, com

uma gargalhada. — Não, referia-me às tarefas domésticas, se precisares que as crianças fiquem em minha casa ou uma coisa dessas.

— És uma doçura, mas a Lou matava-me se te afastasse do teu romance. Já tenho o suficiente com ter de conter a sua criatividade, não quero transformar-me num parasita sexista que explora todas as mulheres que há à minha volta.

— Ela disse-te isso? Que sufocas a sua criatividade? — Aquela informação despertou muitíssimo o seu interesse.

— Na verdade, não acha que seja assim, mas é que é difícil quando dois artistas vivem juntos. Não é algo que se recomende nos manuais.

— Ah, não? — disse-o antes de ver a expressão do seu rosto. Deu-lhe uma palmadinha brincalhona no braço. — Ela dá sempre a impressão de que te apoia a cem por cento.

— Sim, é verdade. É mesmo. Sou incrivelmente sortudo, não quero que me interpretes mal. Ambos estamos em perfeita sintonia, ela sabe o que estou a tentar dizer, mesmo antes de eu próprio saber. Além disso, protege-me dos vampiros.

— Que vampiros?

— Sabes, de todas as pessoas que querem ganhar alguma coisa. Os que acham que a minha obra os inspira e a mais ninguém.

Questionou-se se entrava nessa categoria e não pôde evitar perguntar:

— Mas, em teoria, devia ser agradável poder estabelecer essa ligação com as pessoas, não é?

— Sim, claro que é, mas, às vezes, essas pessoas não sabem onde são os limites.

Ela afastou a mão do guidão do carrinho de forma instintiva e afastou-se um pouco de Gavin.

— Mas não é preciso dizer que a Lou tem de se dedicar também ao seu próprio trabalho e, além disso, temos três filhos idiossincráticos e incrivelmente brilhantes que também precisam do seu espaço para poder crescer e abrir as suas asas. Às vezes, as pessoas pensam: «Meu Deus, estou a sufocar!» É por isso que olho para o

Neil e para ti e penso que deve ser fantástico ter o equilíbrio que conseguiram.

— Equilíbrio, que equilíbrio?

— Bom, sabes... Ele tem um salário com que pode pôr o pão na mesa e tu encarregas-te das tarefas da casa, mas também dedicas um pouco de tempo a escrever. Além disso, tiveram a sensatez de não ter mais de dois filhos e, sim, admito que, às vezes, vos invejo.

— Hum... Não sei se somos tão equilibrados como tu achas. Em vez do *ying* e do *yang*, às vezes, tenho a impressão de que somos a noite e o dia.

— Parece-me que são um casal bastante equilibrado.

Ela respondeu com um sorriso forçado.

Quando chegaram à escola e as crianças se juntaram a um desses jogos típicos multirraciais de futebol sem regras e com quinze jogadores por equipa que ocupava o pátio de qualquer escola primária do centro (bom, pelo menos, aquelas em que não fossem proibidos por razões de segurança, para proteger a integridade física das crianças), Gavin despediu-se dela com uma carícia na face e um direto «vemo-nos depois» e conduziu o carrinho para o grupo de mães mais jovens e buliçosas. Uma delas era Mandy, a ama de Zuley que, assim que ele chegou e o resto começou a juntar-se à volta, se certificou de que estabelecia a sua superioridade sobre todas elas, agarrando-o pelo braço e rindo-se com estridência de tudo o que ele dizia.

Sara ficou ali parada, a observá-los de certa distância, e questionou-se como era possível que aquela mulher de lábios pintados de um tom vermelho vívido pudesse ser tão descarada. Como era possível que não se apercebesse de que Gav estava muito, mas muito longe do seu alcance? Em qualquer caso, não conseguia ver problemas no comportamento dele e tinha de admitir o seu valor ao vê-lo a reagir com tanta paciência.

Ao fim de um minuto, recordou que ele ia ficar para o evento do Picasso e que não tinha sentido esperar, portanto, dirigiu-se novamente para a porta da escola. Embora fosse um trajeto curto, sentiu-se muito só e isolada. Há vários meses, teria demorado uns dez minutos a fazer aquele mesmo caminho, porque alguma das cinco ou seis mães com que tinha mais relação se teria aproximado dela, abrigada com um casaco acolchoado da *Uniqlo* ou um impermeável em tons castanhos, para conversar um pouco ou convidar Caleb ou Patrick para lanchar. Mas a maioria das amigas juntara-se à decisão de Carol e Celia de tirar os filhos daquela escola e as que não o tinham feito trabalhavam fora de casa e, naquele momento, já deviam estar a meio caminho da estação. Estavam demasiado ocupadas a rever as suas mensagens de correio eletrónico para se aperceberem de que a escola em que tinham decidido deixar os seus filhos desafortunados, uma escola que, noutra época, fora um centro muito bem valorizado, estava a sofrer um declive de que não conseguiria recuperar.

11

Sara estava de pé à frente do espelho do seu quarto, a pôr creme hidratante no pescoço, quando decidiu perguntar:

— Achas que temos uma relação equilibrada?

O marido levantou o olhar e a luz do portátil refletiu-se nos seus óculos de leitura.

— A que te referes?

— Se achas que somos duas metades de um todo.

— Cada um contribui com algo distinto — aduziu ele, como quem tem a esperança de ter dado com uma resposta mais ou menos satisfatória.

— Vais guardar essa porcaria de uma vez? — perguntou, carrancuda.

— Vais parar de fazer perguntas crípticas? — contra-atacou ele, antes de fechar o portátil e tirar os óculos.

Ela sentiu uma timidez surpreendente ao deitar-se na cama. Era como se a sua pergunta inesperada tivesse posto na mesa a possibilidade de acabar o dia com um pouco de sexo. Talvez Neil sentisse o seu nervosismo, porque a rodeou com um braço num gesto reconfortante que conseguiu relaxá-la um pouco. Decidiu tentar outra vez.

— Achas que o casamento devia ser... Não sei, algo que funciona aí, de fundo, para que cada um possa dedicar-se aos seus afazeres? — Ele começara a acariciar-lhe o ombro e estava a deixá-la nervosa. — Ou deveria ser algo grande, difícil e apaixonado que...? Podes parar de fazer isso, por favor?

— Desculpa...

— Uma vez, li uma frase que dizia uma coisa dessas sobre um casamento dever estar repleto de lama, de estrelas, de amor e de ódio.

— Acho que o ideal seria que não houvesse ódio.

Ela suspirou e deslizou para baixo na cama para escapar do seu abraço, mas ele desceu também até ficar ao seu lado e deu-lhe umas palmadinhas conciliadoras no braço.

— Lamento muito, Sar, mas não sei o que queres dizer. Tenta explicar-mo outra vez.

— Tanto faz, esquece.

— Para o caso de servir de alguma coisa, quero dizer-te que te amo realmente.

Àquela altura, já tinha consciência de que estava a apaixonar-se por Gavin. Era um impulso banal e sórdido da sua parte, mas não foram os remorsos que evitaram que, enquanto tinha sexo com Neil naquela noite, fechasse os olhos e fingisse que estava com o marido da melhor amiga. Não, não foram os remorsos, mas a impossibilidade de acreditar em algo tão inverosímil. Não é que Neil fosse um amante egoísta, a sua técnica não tinha nada de mal. Minutos inteiros destinavam-se a agradá-la e o centro das atenções dirigia-se a pouco e pouco para o clítóris. Aprendera que não devia massajá-lo por cima com os dedos (isso era algo que costumava deixá-la nervosa), mas devia fazê-lo de baixo com o dorso da mão enquanto permanecia obedientemente ajoelhado entre as pernas abertas dela. Dessa forma, em nove de cada dez vezes, tinha um orgasmo garantido de profundidade e intensidade satisfatórias antes de Neil passar para o prato principal da noite.

Mas, quando se imaginava a ter sexo com Gavin, a experiência pertencia a uma ordem completamente diferente. Era uma experiência em que havia lama e estrelas e, quando visualizava o ato em si, o que via era uma mixórdia de imagens efémeras e excitantemente transgressivas em que se misturavam a dor, o prazer e a vergonha. Gavin deixava-lhe marcas de dentadas nos mamilos, punha-lhe os dedos no ânus e tinha a ousadia de chegar ao orgasmo na sua cara. Esse era o guião, mas a banda sonora era sublime: Uma ária, um tema de Leonard Cohen, a liturgia divina da igreja ortodoxa grega.

— O Gav tem estado a ajudar na escola esta semana, colaborou com as aulas de arte — disse a Neil, quando ele saiu da casa de banho. Tinha uns hábitos excelentes de higiene depois do coito, isso não podia negar-se.

— Ah, sim?

— Está um pouco dececionado com o nível.

— Eu não me preocuparia demasiado com isso, é apenas arte. Preocupa-me mais que o Caleb esteja no sexto ano e ainda não lhe tenham mencionado sequer as divisões.

— Ele não se referia apenas às aulas de arte, também mencionou os valores que ensinam na escola.

— O que se passa?

— Disse-me que é um lugar carente de impulso e paixão, que os professores têm o piloto automático ligado e é apenas um serviço de creche com ares de grandeza.

— Não acho que ele seja um perito no assunto.

— Acho que sabe mais do assunto do que tu, quando foi a última vez que pisaste em alguma das salas de aula? — Apercebeu-se de que o ofendera. — Está bem, desculpa, isto foi injusto, mas devo admitir que acho que ele pode ter razão no que diz. No outro dia, revi os livros e os cadernos do Patrick e encontrei folhas e mais folhas de desenhos para colorir.

— Espero que não tenha saído das linhas.

Lançou-lhe um olhar cheio de sarcasmo, antes de responder.

— Não me cabe na cabeça como é possível que uma escola caia a pique tão depressa. Há dezoito meses era: «Um centro bom, com algumas características excelentes.»

— Se estás preocupada, faz alguma coisa.

— Fá-lo-ei e estou.

* * *

Embora no dia do passeio chovesse a potes, Sara optara por levar um guarda-chuva desdobrável para não ter de esconder por baixo de uma gabardina pouco favorecedora o traje que, com tanto esmero, escolhera, mas começou a arrepender-se da sua decisão enquanto avançava cada vez mais curvada por New Cross Road, fechando a marcha atrás de uma fila de crianças revoltosas do sexto ano. O guarda-chuva virava-se várias vezes por causa do vento e impedia-a de ver Gavin que, de qualquer modo, ia à frente de tudo e parecia confortável a conversar com Kate Harrison, a professora.

— Ouve, Sara, não te importas, pois não? — perguntara Kate, ao atribuir as posições. — É que me dá jeito contar com algumas mãos firmes para ir buscar os que saírem da fila.

E fora assim que ela ficara relegada para o final da fila com Caleb que, dado que tinha dez anos e o tinham separado do melhor amigo, não se mostrou nada satisfeito. Tinham-no emparelhado com Engin, um menino turco muito vivaz em quem se combinavam a curiosidade de um menino pequeno e a compleição de um campeão de luta livre. Engin estava tão entusiasmado por ir passear que não captava a indiferença mal-humorada de Caleb e não retrocedia na sua tentativa de fazer com que interagisse com ele. Primeiro, tentou tagarelar sem parar, depois, fez-se de palhaço e, por último, recorreu ao puro atrevimento.

No comboio, tiveram de ficar de pé, pois todos os lugares estavam ocupados e não havia nem um centímetro livre a que pudesse agarrar-se. Não teve outro remédio senão segurar o seu guarda-chuva encharcado entre os joelhos e agarrar-se aos capuzes de Patrick e Engin, mais do que consciente de que, se algum deles caísse, ia arrastar o vagão inteiro consigo. O comboio cheirava a estofos húmidos e hálito matinal, as janelas estavam embaciadas por causa da condensação e a única coisa que conseguia ver de onde estava era costas, ombros e cotovelos proeminentes. Se esticasse o pescoço, conseguia vislumbrar Gavin que, com uma gabardina clássica, se pusera entre os bagageiros como se se tratasse de um morcego elegante. Questionou-se se estava a deixar crescer a barba ou se, naquela

121

manhã, não se barbeara por alguma razão e decidiu que, fosse como fosse, esse aspeto lhe ficava muito bem.

Enquanto estava a fazer com que Caleb e Engin passassem pelas barreiras mecânicas da estação de Charing Cross, o resto do grupo já estava a pôr-se em fila para fazer uma contagem. Agitou a mão, frenética, e Kate Harrison esbugalhou os olhos e deu umas pancadinhas ao seu relógio de pulso com o dedo. Conduziu as duas crianças a toda a pressa pelo vestíbulo e chegou mesmo a tempo de se juntar ao fim da fila, que já começara a andar e avançava rumo à Avenida Strand. A galeria emergiu à vista do outro extremo de Trafalgar Square, como uma cidadela que se vislumbrava do outro lado de uma planície hostil. Autocarros de vários andares circulavam daqui para lá, transeuntes que chegavam atrasados ao trabalho atravessavam a rua com imprudência, ouviam-se buzinadelas e as pombas espalhavam-se de repente quando alguma coisa as assustava. Se pudesse atravessar com os dois meninos antes de o semáforo ficar vermelho... Mas não, o homenzinho verde estava a piscar e os três ficaram presos numa ilhota, a ver como o resto do grupo se afastava ao longe como uma colónia de formigas.

Finalmente, acalorada e com o rosto avermelhado, subiu apressadamente os degraus da galeria com as duas crianças e fê-las entrar na zona de aprendizagem, onde todos os outros estavam sentados no chão com as pernas cruzadas à frente da obra de Picasso, *Natureza Morta com Limões*. Uma jovem que vestia uma camisa de ganga sobre a qual tinha um cordão com uma placa identificativa esperou com paciência exagerada até Caleb e Engin se sentarem e ela ficar num segundo plano discreto, envergonhada.

Percorreu o perímetro da sala com o olhar em busca de Gavin, mas não havia rasto dele e estava prestes a dar-se por vencida quando uma voz lhe sussurrou ao ouvido:

— O que se passou?

Ela deixou escapar um grito.

— Meu Deus, que susto! — exclamou, assustada.

Deu-lhe um aperto no cotovelo e deixou escapar uma pequena gargalhada. Aquela pequena interrupção valeu a ambos um olhar de recriminação por parte de Kate Harrison e ela respondeu com um sorriso de triunfo.

Algum tempo depois, sentou-se junto de Gavin no andar superior de uma barcaça de rio. Sentia-se embriagada pela espontaneidade do que estava a acontecer, pela audácia e pelo atrevimento.

— Ainda não consigo acreditar que me convenceste a fazer uma coisa destas! — exclamou, sorridente.

— Devias agradecer-me — troçou ele —, graças a mim, salvámo-nos da Mulher da História de Arte. Essa desumana estava a matar essas crianças, estava realmente a deprimi-las. E olha para eles agora, todos contentes.

Indicou com um gesto da cabeça as quatro crianças que tinham a seu cargo. Estavam a espreitar por cima do corrimão, indicando uns aos outros os monumentos e pontos de interesse que iam vendo, com o rosto húmido pelo orvalho que a barcaça levantava pelo caminho.

— Vamos meter-nos num problema quando a Kate Harrison se aperceber de que não os levámos apenas à casa de banho durante alguns minutos.

— A única coisa que lamento é que tenhamos tido de abandonar todos esses pobrezinhos à sua sorte — respondeu ele, como se se tratassem de refugiados procedentes de uma zona de guerra.

— Não exageres, essa mulher também não era assim tão horrível!

— Sabiam, crianças que, para além de pintor e ceramista, o Picasso também era autor teatral? — Fez uma imitação perfeita, incluindo o sotaque com que a rapariga falava.

Se Neil estivesse ali, de certeza que teria encontrado várias objeções e teria achado que a imitação era politicamente incorreta, sexista e uma demonstração de snobismo inversa. Mas a questão era que o marido não estava ali, portanto, deitou a cabeça para trás, desatou a rir-se com abandono e ainda continuava a rir-se quando uma madeixa de cabelo lhe entrou na boca por causa do vento e Gav se inclinou para a afastar.

* * *

Sara lembrou-se do champanhe mesmo a tempo. A garrafa fez um barulho ominoso quando a tirou do congelador para a passar para a prateleira inferior do frigorífico e uma grande bolha, uma daquelas que não devia aparecer numa garrafa de champanhe, deslizou com lentidão pelo líquido. Endireitou-se e viu o seu reflexo na janela, que começara a escurecer à medida que a noite ia caindo. Gostou do que viu. O novo *top* ficava-lhe muito bem, embora fosse um bocadinho atrevido. Ao ir fechar as persianas da cozinha, viu Gavin a tentar acender uma fogueira do outro lado da cerca. Procurava ramos pelo chão no meio da escuridão, mas os poucos que encontrava pareciam estar a apagar o fogo em vez de o avivar. Sorriu para si e, depois de atravessar a sala de estar a toda a pressa, agarrou na caixa de acendalhas que tinha no cesto da lenha e gritou, pela escada:

— Neil, o Gav tem um problema e tenho de lhe dar uma ajuda! Vemo-nos lá, está bem? — Saiu sem dizer mais nada e entrou no jardim da casa do lado pela porta lateral. — Estou a ver que estás a divertir-te imenso, Gav.

Ele levantou o olhar de repente. Tinha o cabelo em pé e uma face manchada, estava claro que, até àquele momento, a diversão brilhara pela sua ausência. Sorriu ao vê-la e aceitou as acendalhas com tanta naturalidade que qualquer um diria que estivera à espera que lhas trouxesse. Ela abraçou-se para se proteger do frio enquanto ele punha as acendalhas e avivava o fogo. Então, ficaram um junto do outro enquanto o viam a espalhar um manto de clareza sobre a relva e a lançar faíscas para os arbustos.

— Ouve, seria de muito má educação da minha parte perguntar o que raios está a acontecer? — perguntou ela, finalmente.

— A Lou quer fazer a nossa paelha e é assim que a fazem em Espanha, a céu aberto e ao lume de lenha.

— Que bom! — Apesar das suas palavras, a ideia de jantar ao ar livre em novembro fez com que a percorresse um calafrio involuntário que foi incapaz de reprimir.

— Toma, veste isto.

Gav tirou a camisola que tinha ao redor da cintura e segurou-a como se fosse uma criança e ele, o seu pai. Ela pôs a cabeça e os braços sem hesitar e saboreou aquele cheiro penetrante a terra molhada tão próprio dele. Quando a sua cabeça emergiu, sentiu que lhe tocava na nuca com a mão e virou-se para ele como uma flor à procura do sol.

— Olá, finalmente, vejo-te!

Ao ouvir a voz de Lou, afastou-se novamente de Gavin como uma mola. Sentia-se como se tivessem estado prestes a apanhá-la com as mãos na massa.

— Olá, Lou! Tive muitas saudades!

— Eu também! — exclamou a amiga.

O abraço que deram foi um pouco forçado.

— Fizeste uma boa viagem? — perguntou ela, antes de recuar um passo e de lhe esfregar energicamente os braços.

— Foi fantástico, uma maravilha! Conto-te tudo durante o jantar.

— Na verdade, dá-me a impressão de que este jantar vai ser fabuloso. Parece-me que é a primeira vez que como uma paelha verdadeira.

As suas palavras deram azo a um longo debate entre Gavin e Lou sobre se realmente existia tal coisa e, se fosse assim, que região espanhola poderia reclamar a honra de ser o seu lugar de origem. Quando o assunto ficou resolvido, Neil já chegara com o champanhe. Foram buscar taças, o som da garrafa a abrir-se ecoou com força e propôs-se um brinde a Lou e ao sucesso da sua curta-metragem. O arroz da paelha ainda não estava feito quando começou a chover e o que começou por ser algumas gotas que o vento arrastava não demorou a transformar-se numa chuvada impossível de ignorar. Neil e Gav tiveram de unir forças para levar a *paella* cheia de frango e arroz com açafrão pelos degraus até chegar à cozinha, onde o seu tamanho enorme (abrangia os quatro bicos do fogão da cozinha) causou gargalhadas cheias de incredulidade.

— Em que estaria a pensar? — lamentou-se Lou, pesarosa.

— Há aqui arroz para um regimento, não vai fazer-se nem num milhão de anos!

Porém, no fim, acabou por se fazer e quem sabe se foi por causa da quantidade de álcool que tinham ingerido até então, porque a receita era verdadeira ou por aquele sabor a lenha que impregnava o arroz, mas a questão é que foi a melhor paelha que Sara alguma vez comera.

Lou contou-lhes que as gravações da curta-metragem tinham sido intensas, que mal tinham conseguido parar e tinham tido um problema atrás de outro. O técnico de som embebedara-se e a protagonista estava empenhada em improvisar. As camas do hotel tinham percevejos. O serviço de cateringue fora péssimo e era melhor nem sequer falar do orçamento.

— Mas... — Bebeu um gole de vinho e o seu olhar percorreu todos os que estavam sentados ao redor da mesa. O seu sorriso de falsa modéstia tornou-se de triunfo, apesar dos seus esforços por se reprimir. — Acho que pode ser o meu melhor trabalho até ao momento.

Sara aplaudiu como uma criança e Neil deu umas palmadinhas no ombro de Lou. Gavin levantou a mão da esposa, virou-a e depositou um beijo longo no pulso, antes de dizer, num tom de voz suave:

— Aqui o tens, chegou o teu momento.

O sorriso de Sara tornou-se forçado.

— Mas é incrível estar de volta a Londres — declarou Lou. — Para dizer a verdade, já conheço bem a Europa. Acertámos ao decidir vir para cá outra vez, saímos a ganhar no que diz respeito à criatividade. De facto, saímos a ganhar em todos os sentidos. É como quando algo encaixa na perfeição sem mais nem menos. Bom, contem-me, o que fizeram?

— Não muito, na verdade. — Gavin encolheu os ombros e olhou para Neil e para ela como se procurasse uma confirmação. — Continuámos com as tarefas domésticas tediosas de sempre.

— Não estou de acordo! — protestou Sara. — Tu fizeste o possível para aliviar o tédio, Gav!

— A que te referes? — perguntou ele, com perplexidade.

— Lembra-te da saída para a galeria de arte! — Virou-se para Lou. — Foi um rapaz muito peralta.

— Ah, sim? — Lou olhou para o marido com um sorriso indulgente.

— Eu não conseguia acreditar — acrescentou ela, com uma gargalhada. — Uma jovem muito brilhante estava a dar uma palestra sobre Picasso e o Gav fez-nos fugir de lá às escondidas.

— Era isso ou estrangular essa maldita mulher — alegou ele. — De certeza que, por culpa dela, essas crianças não vão querer voltar a ouvir falar de arte em toda a sua vida.

— Porquê? — perguntou Neil.

Gav adotou a pronúncia afetada da mulher, mas Sara sentiu-se aliviada ao ver que não imitava o defeito da fala.

— «Quantas formas veem no quadro?», «Acham que o Picasso estava contente ou triste quando o pintou?». Oh, vá lá!

— As suas intenções eram boas — disse ela.

— Sim, eu sei, mas abusou. A maioria dessas crianças nunca tinha pisado uma galeria de arte. Tem a oportunidade de despertar o seu interesse e a sua criatividade. Tem a oportunidade de os fazer ver que a arte é mais do que retratos de pessoas engravatadas com molduras douradas, que é algo em que elas poderiam querer participar ou até algo a que poderiam dedicar a sua vida e, em vez disso, encontram uma cabeça oca que se dedica a dar apontamentos.

— Estás a ser bastante duro — comentou Neil.

— Não, nem pensar! Estamos a falar do Picasso, do maior artista do século vinte, de um tipo cuja maior aspiração artística consiste em pintar como uma criança. Trata-se de alguém que realmente compreende as crianças! — Virou-se para Lou. — Lembras-te de como o Dash reagiu quando o levámos a ver a *Guernica*?

A mulher assentiu com um sorriso nostálgico.

— Então, decidiram desaparecer da galeria sem mais nem menos? — Neil esboçou um pequeno sorriso, mas não parecia demasiado convencido.

— Sim, levámos as crianças a Greenwich numa barcaça — respondeu Gavin, muito ufano. — Divertimo-nos imenso! Vimos como se abria a Ponte da Torre para que pudesse passar um barco de carga, senti-me como um pirralho. Vivi anos em Londres e isso é algo que nunca tinha presenciado. Não me digas que não é muito melhor do que contar quantos limões há numa cesta!

— Sim, é bastante impressionante. Trata-se de uma ponte oscilante, pura física — disse Neil.

— A física é o menos importante, é pura poesia. Que beleza, que engenho! O outro menino que nos acompanhava, o Darren...

— O Daniel — corrigiu Sara.

— Sim, o Daniel. Uma criança conflituosa, não parou de incomodar o Dash. Mas o miúdo vê essa ponte e fica pasmado, estava a alucinar. Nunca vou esquecer a cara dele.

— Mas o pai não ficou convencido com as nossas explicações — recordou-lhe ela, com um sorriso contrito.

— Vá lá, não tenciono sentir-me culpado! Conheço bem as pessoas assim, estou rodeado de tipos como ele. Não se preocupa com o filho até surgir a oportunidade de atacar alguém e, então, começa a pregar sobre segurança e regras.

— Mas é verdade que a escola tem o dever de velar pela segurança das crianças — argumentou Neil.

— Que santarrão! — Lou deu-lhe uma palmadinha brincalhona nos nós dos dedos.

Neil respondeu com um grande sorriso palerma e Sara pensou que não teria reagido tão bem se tivesse sido ela a fazer esse comentário.

— Imaginem que podíamos desbloquear o potencial que há em todas as crianças! — comentou Lou, como quem expressa um desejo profundo. — Oxalá a educação se concentrasse em epifanias, em vez de em exames e tabelas classificatórias!

— Bom, acho que, mesmo num centro como o Cranmer Road, de vez em quando, acendem a lâmpada a alguém — afirmou Neil.

— Eu não teria assim tanta certeza, amigo — redarguiu Gavin.

— Passei a semana toda a colaborar com a escola. A ideia era fazer atividades artísticas com as crianças antes desse passeio para ver a exibição do Picasso. Ao princípio, fui com imensas atividades em mente... Colagens, arte contemporânea... Tudo o que me passou pela cabeça. Mas a menina quis que me concentrasse no cubismo porque podia combiná-lo com a matemática. — Levou as mãos à cabeça num ar de desespero.

— Sim, neste momento, estão a cingir-se muito às regras — confirmou Sara, com tristeza. — Certamente, continuarão assim até à inspeção surpresa.

— Sabem que vai haver uma inspeção surpresa? — perguntou Lou.

— Eh... Sim. No trimestre passado, houve um relatório de avaliação do OFSTED em que parece que não saímos muito bem. Encontraram-se deficiências nas provisões para alunos com aptidões e talentos avançados, entre outras coisas. Daí que tantas crianças se tenham ido embora de repente.

— Bom, devo admitir que sinto uma certa pena por eles agora que vi como as coisas funcionam. Algumas dessas crianças mal sabem escrever o seu próprio nome. É incrível que nos preocupasse que o Dash e o Arlo não tivessem o nível exigido. Afinal, estão muito acima dos outros. Não quero parecer um pai fanfarrão, mas é a verdade.

— Ena! — Lou mordeu o lábio. — De certeza que a Sonia Dudek se referia a isso!

— Quem? — perguntou ele.

— A subdiretora da escola. Quis falar comigo em privado há algumas semanas e disse-me que dava a impressão de que o Dash não estava a encontrar o que precisava em Cranmer Road, que talvez não fosse a escola adequada para ele.

Fez-se silêncio enquanto todos refletiam sobre o futuro educativo desolador que tinham infligido aos seus filhos.

— Sei que há um centro de formação bastante bom em Clapham — comentou Lou, esperançada.

— Esse sistema educativo não me convence — respondeu Gavin. — Conhecia um tipo que tinha estudado numa dessas escolas e estava muito, mas muito fodido. Era incapaz de estabelecer algum tipo de relação.

A esposa encolheu os ombros e distribuiu o vinho que restava pelos copos. Os quatro continuaram a beber, pensativos, e a cozinha ficou novamente perdida no silêncio. Com um ar distraído, Sara pegou num grão de arroz que ficara no seu prato e começou a mordiscá-lo, Gavin tirou o tabaco de enrolar do bolso e Neil lançou um olhar sub-reptício ao seu telemóvel.

No fim, foi Lou que quebrou o silêncio. Depois de cruzar os braços em cima da mesa, percorreu-os com o olhar, antes de perguntar:

— Sou a única que acha que temos a resposta mesmo à frente do nariz?

12

Sara descobriu a racha no dia seguinte. Parou para apanhar uma meia enrolada numa bola que havia no patamar da escada e viu-a, uma fissura irregular que ia desde o rodapé até à cornija e que reemergia no teto, uma linha de fratura fina, mas visível. Franziu o sobrolho e tocou-lhe com um dedo. Na casa, havia um sem-fim de coisas que requeriam atenção. Nos velhos tempos, antes de conhecer Gavin e Lou, teria incomodado Neil até fazer com que acedesse a contratar uns decoradores porque a deprimia ver partes da casa em mau estado, mas, naquele momento, as coisas eram mais complicadas. A casa de Gavin e Lou estava muito pior do que a dela e, mesmo assim, preferia-a. Lou tinha bom olho para a estética da deterioração e da decadência. Às vezes, lixava uma porta e não acabava o trabalho. Deixava-a cheia de cortes e irregularidades, como um elemento arqueológico vivo. Deixava flores numa jarra até murcharem e as pétalas sulcadas de veias castanhas caírem no suporte da lareira, não porque tinha preguiça de as deitar fora, mas porque os tons subtis da morte lhe pareciam dotados de uma beleza estranha. Cultivava verdetes e pátinas, adorava os lençóis que o passar dos anos deixara amarelados e os tapetes desgastados. E, depois de ver essa estética, ela também começava a detestar as almofadas macias e as tulipas perfeitas que tinha de manter na garagem durante o inverno para que não se danificassem. Nas coisas velhas, havia muito mais textura, muito mais variedade, muito mais alma.

Portanto, não, não ia sair a correr em busca da tabela de cores da Farrow & Ball. Ia controlar as suas tendências burguesas, ia deixar que a verdadeira personalidade da casa aparecesse e, se fosse preciso, ia deixar um pouco de espaço para um bocadinho de «velho chique».

— Patrick! Caleb! — Cheirou a meia que tinha na mão antes de a atirar, com uma careta de nojo, para o cesto da roupa suja. — Podem escovar os dentes, por favor? Já devíamos ter saído há cinco minutos!

Os seus filhos obedeceram, mexendo-se à velocidade das placas tectónicas, mas com uns gemidos mais audíveis. Mesmo naquele momento, enquanto faziam gargarejos e escovavam os dentes, nos sons que emergiam da casa de banho percebia-se uma atitude de dois irmãos a irritar-se um ao outro. O comportamento de Caleb com o irmão mais novo, que costumava ser de irritação no melhor dos casos, ultimamente, parecia ter mudado para uma atitude que se aproximava da de um abusador. O seu entusiasmo pela escola começara a minguar desde que começara o ano, ainda que, tendo em conta que tivera quatro professores substitutos em quatro semanas e que fora relegado para os últimos lugares em matemática, não fosse surpreendente. Desde que Lou pusera na mesa a possibilidade atraente de os educar em casa, não conseguia pensar numa única razão para prolongar a educação medíocre que os seus filhos estavam a receber na escola.

Naquele momento, tocou a campainha da porta e apercebeu-se de que talvez houvesse uma razão, apenas uma, para a prolongar.

— Olá, Gav!

— Olá! — Parecia cansado e distraído. — Posso pedir-te um grande favor, enorme?

— Desembucha.

— Podes encarregar-te de os levar à escola? Tenho de ir a um programa de rádio às nove e meia.

— Claro, não há nenhum problema. — Escondeu a sua desilusão com um sorriso relaxado. — A Lou está ocupada, não está?

— Passou a noite inteira acordada, a ver as filmagens. Foi dormir há menos de uma hora.

132

— Ah, que bom! Então, suponho que possamos ver a curta-metragem dentro de pouco, não é?

Ao ver que ele dava uma gargalhada cheia de sarcasmo, ela sorriu sem saber como devia interpretar tudo aquilo.

Chegou à escola tarde e com falta de ar. Fez as crianças entrar a toda a pressa e procurou a ama de Zuley com o olhar pelo pátio até a localizar finalmente, sentada com atitude indolente num banco, a ler qualquer coisa no seu telemóvel enquanto um grupo de crianças brincava a escassa distância num dos baloiços. Ao ver Mandy, Zuley inclinou-se para a frente no carrinho e agitou os dedos.

— Olá, princesa!

Mandy usou aquele tom de voz de menina pequena que Sara sabia que Lou detestava, mas não fez nenhum comentário e limitou-se a dizer:

— Desculpa o atraso, o Gav teve de resolver um assunto de trabalho à última da hora.

— Eu sei, mandou-me uma mensagem de texto. — Mandy lançou outro olhar para o telemóvel e esboçou um sorrisinho, antes de o guardar no bolso.

— É uma entrevista de rádio — insistiu ela, decidida a deixar claro quem tinha prioridade ali. — Tentou deixá-lo para outro dia, mas como é em direto...

Mandy levantou-se com um ar indiferente e pendurou a mala no guidão do carrinho. Zuley retorceu-se, impaciente, e Sara sentiu que tinham usurpado o seu lugar, que ficara relegada para um segundo plano.

— Adeus, querida, espero que te divirtas. — Inclinou-se para beijar a menina, mas esta franziu o rosto numa atitude clara de rejeição.

— Não te preocupes, é algo que costuma fazer — tranquilizou-a Mandy.

Apesar de a rejeição da menina a ter magoado, viu-se obrigada a andar com passo firme junto do carrinho até à porta da escola. Quando cada uma se dispunha a seguir o seu próprio caminho, Mandy parou e olhou para ela nos olhos.

— Não estás um pouco farta?

— Do quê?

A ama esboçou um sorriso de comiseração, antes de responder:

— Pelo menos, a mim, pagam-me!

Enquanto preparava a cafeteira de filtro meia hora depois, Sara ainda continuava a inventar respostas com que poderia ter fulminado Mandy.

— Se estou farta de viver numa comunidade onde nos apoiamos mutuamente e as pessoas não anotam os favores que se fazem, se estou farta de apoiar uns artistas de renome?

Estava tão irritada que se esqueceu de beber o café depois de estar pronto. Estava tão distraída que só lera metade da página de notas sobre as regras do conselho de Lewisham para a escolarização das crianças em casa quando ouviu que batiam à porta. Para dizer a verdade, a interrupção foi um verdadeiro alívio.

— Ainda bem que te encontro em casa! — exclamou Lou. — Cheira a café?

Entrou sem mais nem menos e dirigiu-se para a cozinha. Ela seguiu-a como se aquilo fosse o mais normal do mundo e comentou, sorridente:

— Pensava que estavas a desfrutar de um sono reparador.

— Não conseguia desligar. A curta-metragem não me sai da cabeça.

— É normal. Gostas de como está a ficar?

— Nesta fase, trata-se de fazer um processo de catalogação, mas, sim, acho que vai ficar bem. — Entregou-lhe um saco de papel às riscas. — Na outra noite, esqueci-me de te dar isto.

— O que é?

— Um presente de agradecimento que te comprei na Bélgica.

Ali estava a prova definitiva. Apesar de ter pouco tempo, apesar de estar ocupada a acalmar egos e a fiscalizar a sua equipa de rodagem e de ter de criar uma obra cinematográfica a tempo e cingindo-se a um orçamento, Lou dedicara uns minutos do seu tempo valioso a comprar um presente.

Afastou o papel de seda e tirou um querubim de plástico cor de bronze.

— Oh, que engraçado!

— É um dispensador de bebida com forma de criança, como a fonte que há em Bruxelas. Não é que eu tenha estado lá, mas isso é o menos importante. Podes enchê-lo e beber.

— Que graça! Vou pô-lo aqui, num lugar de honra.

Pôs a figura na prateleira do centro da cómoda e ambas pararam por um instante para desfrutar do presente subversivamente *kitsch*.

— Bom, diz-me, o que estavas a fazer? — perguntou Lou, finalmente. — Meu Deus, não me digas que estavas a trabalhar no teu livro e que te interrompi!

— Não, já o acabei — declarou, com orgulho.

A amiga virou-se para olhar para ela com os olhos esbugalhados.

— Sara, isso é fantástico! Meu Deus, comparada contigo, sou muito lenta!

— Avancei imenso enquanto estavas fora. O Gav tem uma ética de trabalho impressionante, não é? Esforcei-me para o distrair, mas ele mandava-me de volta à minha secretária!

Por um instante, deu a impressão de que Lou não estava a ouvi-la. Franziu os lábios como se estivesse a fazer cálculos e, finalmente, murmurou:

— Sim, está bem. Pode funcionar. — Levantou o olhar para ela novamente. — Se der uma olhadela ao teu manuscrito este fim de semana e te der os meus comentários, podes enviá-lo na semana que vem.

— Para onde?

— Para vários agentes literários. Tens de ter um, Sara. Falarei com o meu amigo Ezra, poderíamos tentar dar-lho primeiro. Não seria mau usar esse conhecimento.

Aquele nome despertou imediatamente o interesse de Sara, que perguntou, hesitante:

— Como se apelida o teu amigo?

— Bell.

— Conheces o Ezra Bell?

— Sim. Foi um dos primeiros que começou a colecionar as obras do Gav, naquele tempo, ninguém tinha ouvido falar dele.

— Do Gav?

— Do Ezra. Bom, a verdade é que de nenhum dos dois. Foram alcançando o sucesso ao mesmo tempo nas suas respetivas carreiras e é algo que me parece muito bonito.

Sara tentou assimilar aquilo, Ezra Bell era um peso pesado no mundo literário. Sabia que Carol, sem ir mais longe, estaria disposta a renunciar à sua conta no Donmar Warehouse em troca de ter a oportunidade de tocar na bainha do casaco de bombazina de Ezra Bell. Gavin, por outro lado... Sim, não havia dúvida de que era um artista célebre que os entendidos respeitavam, mas era impossível ter tanta notoriedade como um cronista da América posterior ao onze de setembro que fora galardoado com o prémio Pulitzer, não era? Embora a verdade fosse que, ultimamente, ela não sabia se devia confiar nos seus próprios instintos. Lou estava sempre a mencionar pessoas de que ela nunca ouvira falar com um ar reverente que parecia indicar que eram como semideuses. Era inegável que, até Gav e ela terem entrado na sua vida, estivera a cavar uma toca bastante estreita.

— Ficará a dormir no nosso sofá no mês que vem, quando vier para a viagem de promoção do seu último livro, portanto, terás a oportunidade de lhe pedir conselho — acrescentou a amiga.

— Sim, claro, já imagino a cena. «Ezra, achas que devia adiar os direitos eletrónicos até a campanha publicitária ganhar um pouco de impulso ou será melhor lançar tudo ao mesmo tempo?»

Lou inclinou a cabeça e limitou-se a dizer:

— Já estás outra vez a fazer o mesmo.

— Sim, eu sei, mas é que eu sou eu e ele é...

— O Ezra Bell que, quando o Gav e eu o conhecemos, era um tipo normal com bastante autocrítica que tinha um romance por publicar na gaveta inferior da sua secretária. A história é-te familiar?

Ela não pôde evitar sorrir, embora não soubesse dizer se o seu sorriso se devia àquela comparação tão incrivelmente lisonjeadora que a amiga acabara de fazer ou à indireta velada de que o facto de os conhecer fora, em si só, o catalisador que a levava à grandeza. Mas questionar a arrogância de Lou teria sido como denegrir o seu próprio trabalho e, ultimamente, pela primeira vez, começava a acreditar nele. Fizera caso ao conselho da amiga, eliminara da sua memória a cara azeda da mãe e escrevera através do seu próprio sentimento de degradação e vergonha. Procurara nos cantos mais sórdidos e recônditos da sua imaginação e criara cenas de uma crueldade e uma intensidade que a tinham deixado a pestanejar para reprimir as lágrimas enquanto as compunha. Destruíra o seu manuscrito inicial sem compaixão, sacrificara parágrafos que, embora antes lhe tivessem parecido indispensáveis, naquele momento, eram pesados e pretensiosos. O resultado final era um romance mais curto, uma obra que dava a impressão de que estivera à espera durante todos esses anos no éter até ela, só ela, a capturar. Quando observava aquele monte de folhas impressas na caixa de arquivo cinzenta e pintalgada, tinha vontade de se beliscar. Aquilo parecia-lhe um milagre. A ideia de expor aquela versão final ao olhar crítico de Lou já era bastante aterradora, mas a possibilidade de a sua obra poder chegar em breve, talvez com uma carta de recomendação pessoal daquela grande figura da literatura, à caixa de correio do agente literário de Ezra Bell, bastava para a cobrir de um suor frio.

— Deixa tudo comigo e passa para a próxima coisa que tiveres em mente — replicou Lou. — Na verdade, o que tencionas fazer?

— Vou concentrar-me na escolarização das crianças em casa. — Levantou o caderno onde começara a tirar notas.

— Ena!

— A verdade é que é bastante mais fácil do que pensávamos.

Temos de seguir um processo, é claro, mas não podem proibir-nos de o fazer. Além disso, surpreendi-me ao ver que se trata de algo bastante habitual. No município, há cerca de quatrocentas famílias que o fazem e o número não para de aumentar.

— Ah! Que bom... — respondeu Lou.

— Começaste a ter dúvidas? — perguntou-lhe, ao ver que não parecia muito convencida.

— Não, claro que não! Eu gostaria de participar no planeamento, mas, neste momento, estou tão ocupada com a pós...

— O quê? — Imaginou-a com um postal na mão.

— A pós-produção, Sara. Acaba sempre por demorar mais do que pensava. De um ponto de vista realista, acho que teremos de o deixar para o Ano Novo. Parece-te bem? Sabes, ano novo, vida nova!

13

O final de trimestre em Cranmer Road pôs realmente à prova a determinação de Sara. Tal como acontecia todos os anos, as crianças esqueceram o que tinham de dizer, cantaram desafinadas, mortiças, ficaram nervosas e, depois, fizeram uma interpretação emotiva da canção de Natal *Winter Wonderland* que teria derretido o coração mais duro. Até uma escola em decadência teria de estar muito mal para estragar o Natal.

Quando regressaram a pé a casa, já começava a anoitecer e as luzes de Natal que enfeitavam as ruas já estavam acesas. Para além de casas de apostas, quiosques de imprensa e lavandarias, a rota era suburbana, mas fora a cortina de fundo de uma fase da vida de Sara que desaparecera para não regressar. Apesar do entusiasmo que sentia por estar prestes a começar algo novo, algo com que esperava fazer com que a vida dos filhos deixasse de ser bidimensional e lhes abrisse as portas para um mundo tridimensional onde pudessem descobrir a criatividade que albergavam dentro deles, de repente, ganhara plena consciência do valor do normal. Apercebeu-se de como era reconfortante fazer parte de um formigueiro, ser uma formiga que trabalhava de forma automática por um bem comum. Viver assim era uma opção tão digna como qualquer outra e talvez também uma espécie de libertação.

— O diretor não arranjou problemas? — perguntou Neil, durante o jantar, quando lhe contou o que acontecera durante aquela semana importante.

— Não, a verdade é que não. Qualquer um diria que se alegrou por se livrar de nós.

— Talvez esteja farto de pais de classe média que não param de o pressionar — sugeriu ele, enquanto carregava bem o garfo com bolo de peixe.

— Segundo o que a Carol me contou, faltou pouco para começar a chorar quando a Celia e ela lhe disseram que iam abandonar o barco.

— Devia estar a exagerar. — Tirou de entre os dentes uma cauda de gamba e deixou-a com cuidado na beira do prato. — O que foi o que o diretor disse exatamente?

— O típico. Que esperava que soubéssemos onde estávamos a meter-nos, que podia garantir-nos que os problemas da escola estavam resolvidos e que não iam ter nenhum problema em preencher os lugares que deixámos livres. Também afirmou que estava firmemente convencido de que estava a trabalhar bem com os grupos de todos os níveis e foi aí que a Lou o pôs num apuro.

— Ah, sim?

— Sim, mostrou-lhe o histórico de leituras do Dash. Ela pôs a menino a ler clássicos como *A Ilha do Tesouro*, *Tom Sawyer* e até alguma obra do Salinger, embora isso não me pareça apropriado para...

Neil fez virar o garfo para lhe indicar que fosse direta à questão.

— Bom, a questão é que o Dash tinha enchido cada página e a professora tinha posto a sua aprovação em cada uma delas e até tinha desenhado carinhas sorridentes, mas quando paramos para ler realmente, percebemos que, na verdade, o menino se limitou a repetir o mesmo resumo várias vezes. A professora sabe que é muito inteligente, portanto, não se incomodou em lê-los.

— Que inteligente! O que é que o diretor disse?

— Que o Dash é um aluno único cujas necessidades específicas de aprendizagem tinham posto à prova a solidez da política da escola. Usou uma linguagem técnica e rebuscada, mas eu acho que

140

o que deve ter dito é que não sabem como seguir o ritmo do menino. — Ao vê-lo a deixar escapar um suspiro brincalhão, não soube se o fazia por causa do diretor ou por Dash.

— Disse alguma coisa sobre o Patrick e o Caleb?

— Que teriam muitas saudades de um no grupo de flauta e, do outro, na equipa de futebol.

— Temos de ir à casa dos vizinhos? É estranho!

A pergunta foi feita por Caleb, que estava deitado no sofá em pijama a ver desenhos animados.

— Não digas isso, Caleb. Vais divertir-te e vais estar com os teus amigos — disse ela.

— Porque não podem vir aqui?

— Porque é mais fácil. Os brinquedos da Zuley estão lá.

— Não a suporto!

— Caleb!

— Inventa coisas e está sempre a chorar!

— Sim, porque tem três anos. Não sejas assim, ela não tem uma vida fácil. A única coisa que quer é brincar com vocês, tens de ter paciência com ela.

— Porquê? Não é a minha irmã!

— Mas gostas de meninas.

— Nada disso!

— Gostas da Holly.

Caleb ficou a olhar para o ecrã da televisão com uma expressão vazia por um instante, mas, de repente, perguntou:

— Porque já não a vemos, é porque discutiste com a Carol?

Adotou um tom de voz deliberadamente relaxado e desenvolto.

— Gosto muito da Carol e tu podes ver a Holly sempre que quiseres.

Um pouco mais tarde, quando tocou à campainha e ninguém foi abrir a porta, fez uma careta e sorriu ao imaginar Gavin a trabalhar no estúdio, isolado do resto do mundo graças aos auscultadores.

Uma vez, fizera-a adivinhar o que gostava de ouvir enquanto trabalhava e ela ficara muito nervosa, como a princesa do conto de fadas a tentar adivinhar o nome do Rumpelstiltskin.

— Pearl Jam?

— Não.

— Kraftwerk?

— Não.

— Steve Reich? Muddy Waters? Patti Smith?

— Não, não e não.

A resposta fora a emissora de rádio Magic FM e a verdade era que a surpreendera. Parecera-lhe incrível que Gavin ouvisse toda aquela suscetibilidade nostálgica hora após hora, mas dissera-lhe que o ajudava a chegar à abstração plena. A verdade era que tinha graça imaginá-lo a criar aquelas esculturas tão torturadas e existenciais ao ritmo de Air Supply e Lionel Richie, mas, naquele momento, teria preferido não ter de esperar na soleira fria e com as crianças a protestar com uma impaciência crescente. Onde estavam Dash e Arlo? Àquele ritmo, as crianças e ela iam passar a manhã inteira à espera! Continuou a tocar à campainha com insistência e o som atraiu finalmente Zuley, que apareceu pelo corredor em pijama. Decorreram uns minutos de espera agónica enquanto a menina se punha, cambaleante, em bicos de pés e tentava chegar ao fecho. Finalmente, conseguiu fazê-lo com um salto heroico.

— Vão perguntar ao Dash e ao Arlo o que querem comer ao pequeno-almoço — pediu aos meninos, enquanto entrava com passo firme na cozinha e começava a abrir gavetas e armários em busca do básico para fazer alguma coisa para comer.

O lava-loiça estava cheio de pratos gordurosos meio inundados em água fria e sentia-se um cheiro a esgoto. Precisava de café, mas, ao abrir a tampa da cafeteira, viu que estava cheia de uns sedimentos mofados de há vários dias. Esvaziou-os no lava-loiça, pôs-lhe o filtro e, depois de a enxaguar muito bem, abriu a torneira da água quente.

— Meu Deus, se não é a Mary Poppins! — exclamou uma voz familiar.

— Eh... Olá, Gav! — cumprimentou-o, enquanto se esforçava por ignorar o seu nervosismo súbito. — Pelo que vejo, a Fada Lava-loiça esqueceu-se de passar ontem à noite por aqui.

— Sim, que novidade. Ouve, não tens de te encarregar disso.

Ela estava prestes a tirar importância ao assunto quando Caleb entrou a correr, parou com uma derrapagem e anunciou, com falta de ar:

— O Arlo quer cereais de arroz e o Dash, *wonton* de gambas!

— Para o pequeno-almoço — explicou ela a Gav, ao ver que não entendia nada.

— *Wonton* de gambas? Esse rapaz tem muita lata! — troçou, com admiração.

— A verdade é que não sei o que vou fazer. Segundo vi, mal têm coisas para umas doses militares. — Destapou um frasco de aspeto *vintage* e mostrou-lhe que, para o caso de ser pouco, também tinham ficado sem café.

— Pelo amor de Deus!

Ao ver que suspirava, exasperado, como se não tivesse a culpa de nada daquilo, por um lado, sentiu-se um pouco indignada por pura solidariedade feminina com Lou, mas, pelo outro, sentiu uma certa satisfação mesquinha ao ver que a amiga estava tão concentrada em alcançar os seus objetivos profissionais que descuidara as tarefas domésticas.

— Enfim, se não há café, só resta uma única alternativa, não é? — inquiriu ele.

Sara teria podido jurar que nunca na sua vida desfrutara tanto de comer fritos. Embora vivesse há quase uma década ao virar da esquina do Dimitri's, nunca entrara aquele lugar (Neil dizia sempre que sentia como as artérias se fechavam só de passar junto do extrator), mas, naquela manhã, os ovos eram frescos, o bacon era denso e salgado e o pão frito estava fresco e oleoso e era tão pecaminoso e delicioso como... enfim, como seduzir o marido da

143

melhor amiga enquanto tomava o pequeno-almoço com ele a meio da semana num restaurante barato.

Enquanto Zuley tentava caçar o último cogumelo que restava no prato e os meninos discutiam sobre o *Angry Birds*, Gavin acabou a sua chávena de café e comentou, enquanto olhava para ela, sorridente, por cima da beira:

— Gosto que uma mulher coma como Deus manda.

Olhou para o rasto colorido que as gemas de ovo e o molho de tomate tinham deixado no seu prato e esboçou um sorriso amplo. Lou fumava charros de vez em quando e adorava as bebidas fortes, mas, à exceção disso, era uma obcecada com a comida saudável. De facto, de certeza que Neil e ela começariam a repreendê-los com desaprovação se pudessem vê-los naquele momento. De vez em quando, a amiga submetia a família a alguma novidade nutricional que estava na moda. Se não estivesse a tratar um eczema de Arlo com uma dieta baixa em glúten estava a tentar fazer com que Dash ascendesse a novas cotas de capacidade intelectual com uma dose abundante de ómega 3 ou a incentivar a criatividade e o rendimento em geral de Gavin e dela através de crucíferas (insira um piscar de olhos cúmplice aqui). Mas ela vira o suficiente para deduzir que Gavin se sentia nervoso tanto com a ansiedade como a inconsistência da esposa com a comida, tal como a atitude melindrosa e servil que adotava com pessoas como Dieter e Korinna.

Tinha consciência de que ela não superava Lou em muitos aspetos, talvez apenas naquele: Não era uma neurótica. De modo que ali tinha uma oportunidade para aproveitar a sua vantagem nesse sentido.

— Estás a chamar-me porca? — perguntou a Gav, com olhos faiscantes.

— Só digo que tens bom apetite.

— Sim, talvez demasiado — afirmou, enquanto dava umas palmadinhas no estômago.

— Parece-me incrível — elogiou, observando-a. — Não tem nada de mal permitir-se desfrutar do que se deseja.

144

Obrigou-se a olhar para ele e a deixar que o silêncio falasse por si só e, quando respondeu finalmente, fê-lo com um tom mínimo de recriminação.

— A Lou tem um corpo muito bonito.

Observou-a sem pestanejar, como se os seus olhos conseguissem penetrá-la e estivesse a ver a sua alma suja e matreira e redarguiu, finalmente:

— Nunca disse o contrário.

14

A mãe de Sara chegou à hora combinada na sexta-feira à noite para cuidar dos meninos e, tal como acontecia sempre, conseguiu desmoralizá-la.

— Bom, suponho que seja bom que continues a esforçar-te para te arranjares depois de catorze anos de casamento — comentou, enquanto olhava para ela com olho crítico de cima a baixo.

— Quinze — corrigiu Sara. — O que se passa? Não gostas? — Começou a brincar com nervosismo com o folho que tinha na cintura do seu vestido de noite.

A mãe vestira duas peças de estilo rancheiro informal, portanto, não era a indicada para dar lições de moda, mas, mesmo assim, conseguia minar a sua confiança em si própria.

— Está tudo bem entre ti e o Neil? — Olhou, não muito convencida, para as meias de rede de Sara.

— Porque perguntas?

— Porque te arranjaste muito para ir ao cinema.

— Não é uma saída para o cinema sem mais nem menos, vou à estreia do último trabalho de uma amiga. É no Soho.

Aquilo conseguiu animar momentaneamente a mãe.

— Ena! Nesse caso, não te esqueças de deitar os ombros para trás se tirarem fotografias. Tens tendência a encurvar-te muito.

— Mais do que uma estreia é uma antestreia, uma apresentação prévia. É uma curta-metragem que a minha amiga fez, será algo bastante discreto. — Ao ver que olhava para ela novamente de cima a baixo, acrescentou: — Depois, há uma pequena festa.

— Meu Deus! Isso significa que voltarão tarde? Amanhã de manhã, esperam-me no Barnardo's.

Sara estava de costas para ela enquanto punha um saquinho de chá numa chávena de água quente e, ao ouvir aquilo, fechou os olhos e contou mentalmente até cinco.

— Não sei a que horas vamos voltar, mas temos de aparecer. É uma festa de agradecimento a todos os que colaboraram na curta-metragem. — Arrependeu-se de ter dito aquilo assim que as palavras saíram da sua boca e entregou a chávena em silêncio.

— Como ajudaram?

— Eh... pois... Bom, demos uma ajuda com uma espécie de investimento.

— Não me digas que investiram dinheiro!

— Não foi uma grande soma, apenas uma contribuição. Além disso, o mais provável é que alguma das grandes distribuidoras o compre e, se for assim, podemos recuperar um pouco do que demos.

— É de estranhar que tenham dinheiro para dar e oferecer, agora que não trabalhas.

Ela esboçou um sorriso tenso, estava decidida a não se irritar.

— Vamos sobrevivendo. — Limitou-se a dizer.

Era a pura verdade, as coisas não estavam más. Neil fora promovido para a direção e o aumento de salário compensava com acréscimo a ausência da soma mísera que ela ganhava antes. Em qualquer caso, qual era o problema de terem tido de tirar algum dinheiro da conta poupança para emprestar alguns milhares de libras a Lou de forma a conseguir completar a curta-metragem? Era para isso que serviam os amigos, não era? Além disso, estritamente falando, a ideia não fora de Lou. Há dias, a amiga estava sentada de pernas cruzadas na carpete que tinha estendida à frente da lareira, a brincar, frenética, com a superfície nodosa, com os olhos brilhantes de exaltação e mais concentrados do que seria de esperar à uma e meia da manhã, depois de vários copos de vinho e de um charro enorme.

— Mas recuso-me a desmoralizar, porque tenho a certeza de que vamos tirar esse dinheiro de algum lado! — declarara, com veemência. — Não tenciono pensar em deixar a curta-metragem inacabada. — Os seus olhos frágeis tinham passado de Neil para ela e, depois, tinham voltado a pousar nele. — Recuso-me a fazê-lo!

Ela olhara para Neil também e arqueara as sobrancelhas, mas estava a tentar perguntar-lhe sem palavras se deviam oferecer-se para ajudar quando ele dissera, sem mais nem menos:

— Claro que tens de a acabar! Nós podemos dar-te o que falta. Não é, Sara?

E ela sentira-se tão comovida com a reação efusiva de Lou como um pouco incomodada ao ver que dita reação era dirigida quase por completo a Neil, que se limitara a dar voz ao que ela pensara.

— Meu Deus, nem sequer me teria passado pela cabeça pedir uma coisa dessas! — exclamara Lou, antes de se aproximar de gatas de Neil e de se agarrar à sua mão como uma serva medieval. — Mas obrigada!

Se Neil tivesse um anel, de certeza que o teria beijado. Ao fim de um momento, lembrou-se finalmente de Sara e virou-se para lhe dar um abraço. Ela retribuíra-o e tentara saborear aquele momento em que estava a ser uma boa amiga, para além de uma mecenas generosa da cultura, mas não conseguira evitar começar a fazer cálculos mentais.

— Quanto dinheiro te falta? — Não conseguira evitar perguntá-lo.

Mas já eram águas passadas. Tinham feito uma contribuição e ela deixara as dúvidas de lado e pensara que o dinheiro que tinham estado a poupar para pagar a universidade das crianças regressaria em breve à conta bancária. Enquanto isso, começara a compor uma curta-metragem da sua própria colheita que visualizava mentalmente de vez em quando, uma montagem de perspetiva suave em que a deixavam passar para os primeiros lugares da fila nos festivais cinematográficos, se acotovelava com intelectuais europeus por trás de cortinados de veludo, baixava o olhar com tato quando revia a lista da equipa ao aceitar, chorosa, galardões prestigiosos de cinema. Com um pouco de sorte, o evento daquela noite seria o começo de tudo isso.

Mas, primeiro, tinha de lidar com mais demonstrações de desaprovação.

— É verdade o que o Caleb me disse? — perguntou a mãe, ao regressar da sala de estar e agarrar num pano de cozinha.

— Não tens de fazer isso, mamã. Deixamos que sequem sozinhos. O que te disse?

— Que os tirastes da escola.

— Sim.

— E que és tu que lhes dás aulas.

— É uma tarefa partilhada com a Lou, não estou sozinha.

— E suponho que ela seja professora, não é?

— Não, é a amiga que fez a curta-metragem que vamos ver esta noite. Os filhos dela são muito amigos do Caleb e do Patrick e está tão farta da escola como o Neil e eu. Tem umas ideias fantásticas, realmente imaginativas. Portanto, assim que acabar este projeto, vamos começar a sério...

— Estás a dizer-me que ainda nem sequer começaram? Mas as escolas devem ter começado o trimestre há seis semanas!

— Cinco. Estou à espera que a Lou acabe a curta-metragem.

— Achava que esta era a noite da estreia.

— É a versão preliminar, mamã — explicou, com uma paciência exagerada. — Está praticamente acabada, só faltam alguns retoques que a Lou fará antes do lançamento.

— Então, pode saber-se o que os meus dois netos fazem durante todo o dia? Suponho que se dedicam a ver a caixa tonta em pijama, não é?

— Não. De facto, estão proibidos de ver televisão. Têm lido livros, visitado museus e inventado jogos com os amigos do lado.

Talvez estivesse a ser bastante generosa ao chamar «jogos» às batalhas buliçosas que tinham deixado a casa desarrumada, mas era inegável que as crianças tinham feito uso da imaginação.

— Não achas que seria melhor voltar a levá-los para a escola por um tempo, até estarem bem organizados?

— Já estamos, mamã, e a escola é um desastre. Parece-me que não sabes como o nível educativo desceu. Oxalá tivesses visto como as crianças estavam desmotivadas e como se sentiam frustradas.

A mãe fez uma pausa e selecionou bem a sua munição antes de disparar.

— O que é que a Carol pensa de tudo isto?

Ela respirou fundo, antes de responder com calma:

— Tirou a Holly da escola no trimestre passado.

O alívio da mãe foi evidente. Ali, tinha um apoio racional para a decisão que a sua filha e o seu genro tinham tomado, ali, tinha uma demonstração de prudência.

— Ah...

— Passou-a para uma escola privada. — Ao ver que a mãe arqueava uma sobrancelha num gesto eloquente, acrescentou, com firmeza: — Não, mamã, o ensino privado não é para nós. Além disso, não poderíamos permitir-nos pagar uma coisa dessas.

— Eu poderia aju...

— Não, mamã!

— E a tua profissão?

Estava claro que puxava aquele assunto como último recurso.

— Qual é o problema?

— Não te lembras de como estavas aliviada quando o Patrick começou a ir à escola? Não estou a brincar, querida. Achas que foste feita para ser uma dona de casa?

— Não vou ser, mamã. Por um lado, vou educar os meus filhos em casa, o que espero que seja uma experiência gratificante e criativa, pelo outro, vou editar o meu romance, um romance que a minha amiga Lou acha que é muito possível que seja publicado.

A mãe fez «a cara», aquela que ela tanto receava quando era criança. Era a cara que dizia «Estás a ser uma ridícula, uma irresponsável e uma egoísta, mas vou morder a língua porque é o que as mães fazem.» Fora a cara que fizera quando lhe anunciara que tinha intenção de viajar depois da universidade com dois amigos, nenhum dos quais era o seu namorado. A que fizera quando ela se recusara a ser a dama de honor da prima Liane porque o casamento era uma conspiração patriarcal (isso fora algo que o seu padrasto mencionara no seu discurso três anos depois, quando ela se casara com Neil, e todos tinham achado muito engraçado); a que fizera quando ela, devido a uma depressão pós-parto por diagnosticar, se refugiara em casa de uma amiga e Neil tivera de cuidar sozinho de um Caleb que tinha cólicas durante um longo fim de semana. Não existia resposta alguma que pudesse argumentar aquela cara, a cara carregada de previsão de uma mãe que lidava com abnegação sofrida com a filha, portanto, disse-lhe que tinha de sair para a estação e perguntou se podiam deixar aquela discussão para outro dia.

Mais tarde, ao ver Neil à espera à porta do Burger King que havia na entrada da estação de Charing Cross, desejou ter insistido que fosse a casa mudar de roupa em vez de ir direto para o evento ao sair da reunião da direção.

— O que se passa? — perguntou, à defesa.

— Nada, é que não sei se vais estar muito confortável assim vestido.

— Estou habituado a usar fato. Além disso, é uma ocasião especial, não é? Tu também estás bem arranjada.

— Uma coisa é estar bem arranjada e, outra, é ir de fato. — Ao ver que olhava para ela com confusão, acrescentou: — Depois de ver a curta-metragem, iremos ao clube do Gav. — Puxou-o pelo braço e conduziu-o para a saída. — Estará cheio de pessoas bem vestidas...

Interrompeu-se ao aperceber-se de que não sabiam como os outros estariam vestidos. A única coisa que sabia era que não estariam vestidos como o marido que, nesse momento, estava concentrado noutra coisa.

— O Gav é dono de um clube? Quem é? O Jeeves? — perguntou, surpreendido.

— O Jeeves não era o dono de um clube, era o mordomo.

— A questão não é essa! Um clube, nem mais nem menos!

— Meu Deus, Neil, não vai estar cheio de casacos acolchoados e charutos. É um evento do mundo da arte, um evento publicitário.

— Sei que há pessoas que têm clubes, mas nunca tinha conhecido pessoalmente uma delas.

— Bom, agora, já conheces.

Apesar de tudo, quando chegaram ao Soho, depois de um breve trajeto a pé, já não tinha assim tanta certeza de que estava adequadamente vestida. Lou avisara-a de que seria um evento bastante informal, mas, tendo em conta o que acontecera na festa de inauguração da casa, ela não acreditara por completo. Portanto, teve uma pequena desilusão ao chegar ao seu destino e encontrar-se à frente de um edifício anódino situado numa rua secundária escura e suja vestida com um traje que, se não fosse demasiado suscetível, teria podido servir para Cannes. Um letreiro discreto confirmava que a Niche Productions tinha a sede ali, mas não havia nem um mísero cavalete publicitário a anunciar que iam apresentar uma obra cinematográfica naquela noite e, para mais, quando Neil tentou abrir a porta, descobriram que estava trancada. Tocaram ao intercomunicador sem obter resposta e começavam a pensar que se tinham enganado quando chegou um táxi de onde saiu outro casal. O homem usava umas calças até aos tornozelos e sapatos brogue e ela usava uma capa.

— Deve ser aqui — disse a Neil, em voz baixa.

Os recém-chegados passaram junto deles sem dizer uma palavra, tocaram ao intercomunicador e a porta abriu-se imediatamente. Por sorte, Neil teve o bom senso de pôr o pé na porta para evitar que se fechasse novamente e subiram a escada atrás do outro casal, mantendo uma distância discreta.

O interior do lugar era mais elegante do que seria de esperar, a julgar pelo exterior. O corredor estava coberto por uma carpete grossa e bem iluminado. Ao longo das paredes, havia pósteres emoldurados que, na sua maioria, pertenciam a filmes de autores de que ela ouvira falar, mas que não chegara a ver. Uma mulher bastante jovem verificava os nomes dos convidados numa tabela antes de os conduzir para a sala de projeção com um sorriso obsequioso.

Ela puxou a manga de Neil, acelerou o passo e cumprimentou a mulher com uma mistura de nervos e excitação contida.

— Olá. Sara Wells e Neil Chancellor, viemos ver o *Cuco*. — Começaram a suar-lhe as mãos ao ver que o olhar da mulher percorria a lista várias vezes.

— Lamento muito, mas não estão na lista.

— Permite-me? — Neil perguntou-o com um sorriso que gotejava encanto e a mulher mostrou-lhe a lista com relutância.

Ele reviu a lista e, então, abanou a cabeça e deu uma gargalhada.

— Que típico da Lou, tem uma letra horrível! — comentou, num tom afetuoso, antes de indicar com o dedo. — Estamos aqui, Sara e Neil. Vê? Mesmo aqui.

A mulher fê-los entrar, apesar de não parecer muito convencida, e Sara olhou para o marido e perguntou, em voz baixa:

— Éramos nós?

Ele limitou-se a encolher os ombros, mas não tiveram tempo para falar do assunto porque, devido àquele inconveniente, tinham perdido uns minutos valiosos. Descobriram que já tinham desligado as luzes e a sala ficara sumida num silêncio reverente. Dirigiram-se o melhor que puderam para dois lugares livres. Aquilo era uma pista de obstáculos cheia de pernas cruzadas e malas que pareciam ter sido postas estrategicamente para algum incauto tropeçar. Sentiu que as meias ficavam presas em algum sapato bicudo e que ficava com uma carreira desde o joelho até à coxa, mas não se atreveu a parar para verificar se o dano era grave, pois já estava a ouvir uma inundação de suspiros de irritação e sons de desaprovação. Quando as cortinas que cobriam o pequeno ecrã se abriram e apareceu o logótipo da empresa que produzira a curta-metragem, aproveitou para dar uma breve olhadela aos outros. Para além de um casal que lhe era vagamente familiar, a sala estava cheia de desconhecidos, e vê-los bastou para a fazer sentir-se amedrontada. Entre rastas e chapéus de feltro, lenços e penteados volumosos de colmeia, era-lhe muito difícil conseguir ver nem que fosse uma pequena parte do ecrã e, quando apoiou a cabeça no ombro de Neil para poder ver melhor, deu-lhe um aperto afetuoso na coxa e sussurrou, com o olhar fixo no ecrã com avidez:

— Amo-te.

— Psiu... — sussurrou ela.

Sara não conseguia recordar quais tinham sido as suas expectativas prévias, portanto, quando o filme acabou, não teria sabido dizer como a perturbara. A ausência de trama não a apanhara de surpresa, mas, para além disso, não sabia se a perplexidade que sentia era o efeito que se desejava obter no público ou se se devia ao facto de carecer dos conhecimentos necessários para poder valorizar a obra, que, por outro lado, funcionava bem a muitos níveis. O «Cuco» do título era interpretado por uma atriz pequena cujo sotaque era algo intermédio entre o de Leeds e o de Leipzig e, a julgar pelas sequências oníricas onde aparecia a magoar-se, a comer compulsivamente e a masturbar-se em público, a personagem era um pouco louca. Embora em algumas das sequências fosse uma pessoa com um diálogo mais ou menos credível, noutras, era uma mulher louca, mas benevolente, que comunicava a sua angústia através da dança. Mas essa não era a única ambiguidade. Outro aspeto da... «narrativa» não era a palavra adequada, talvez fosse melhor chamar-lhe *mise-en-scène*... Enfim, outro aspeto da *mise-en-scène* era a ideia da usurpação. Para além de ser meio louca, a protagonista era como um cuco num ninho que não lhe correspondia. No caso de ter entendido bem (e isso já era supor muito), então, Cuco era o resultado de uma relação incestuosa entre o pai e uma das outras duas filhas dele. Embora não se dessem os motivos do regresso de Cuco ao ninho, dito regresso causava ciúmes e sofrimento no seio da família e parecia ser especialmente traumático para a mãe ou irmã de Cuco que, por alguma razão estranha, era interpretada por um homem vestido de mulher. Depois de muitas lágrimas, de algum interlúdio incestuoso entre irmãs e de uma cena surreal em que vermes saíam de um lava-loiça, os três membros da família disfuncional de Cuco acabavam com ela, atirando-a da varanda do primeiro andar. Enquanto a câmara fazia *zoom* e passava de uma vista aérea vertiginosa para um primeiro plano do carreiro de sangue que emanava da boca da falecida, foram aparecendo os créditos.

Houve um momento de silêncio absoluto e, de repente, o auditório inteiro começou a aplaudir com entusiasmo. Ela fez o mesmo até lhe doerem as mãos e lançou um olhar de soslaio para Neil esperando vê-lo com um ar de confusão, mas o marido estava a aplaudir como os outros e a assentir com aprovação, sorridente.

Quando se acenderam as luzes, olhou em redor e viu que ali havia pessoas de todos os tipos, desde modelos magras em conjuntos leves de caxemira até velhos intelectuais com casaco de felpa. Sentiu-se aliviada ao ver que o estilo *retro* chique por que optara não estava completamente deslocado. De facto, talvez a carreira que fizera nas meias contribuísse com um certo toque extra. Neil tirara a gravata e o fato não destoava muito, embora ficasse a anos-luz das camisas aos quadrados de corte moderno e das roupas de *tweed* ao estilo antigo que alguns dos homens presentes usavam.

— O que te pareceu? — perguntou ele, em voz baixa.

— Gostei bastante. E tu?

— Pareceu-me fantástico!

Ela estudou o seu rosto em busca de algum indício que revelasse que estava a brincar, custava-lhe muito a acreditar que aquele era o mesmo homem que chorara ao ver *O Resgate do Soldado Ryan*!

— Achas que vai ter sucesso? — perguntou.

— Depois de o ver, não sei se me importo. Basta-me o facto de me sentir orgulhoso por estar vinculado a um projeto assim.

155

Ela fez uma careta, aquilo parecia tirado do filme *A Invasão dos Violadores*! Alguém levara o seu marido, um homem sensato que tinha um nível cultural médio, e substituíra-o por aquele entendido cerebral em cinema de arte e ensaio. Mas não teve oportunidade de continuar a indagar nesse sentido, porque uma mulher estava a pôr dois microfones e um jarro de água numa mesa à frente do ecrã e Lou, entre um sem-fim de beijos para o ar e apertos de mãos calorosos, dirigia-se para lá.

A mulher ocupou uma das duas cadeiras giratórias com costas de couro que havia por trás da mesa e começou a dizer:

— Bom, é um prazer para mim dar-vos as boas-vindas a esta antestreia de *Cuco*. Tenho a certeza de que não é preciso apresentar-vos a convidada que se encontra ao meu lado, disposta a responder a todas as vossas perguntas, já que quase todos vocês colaboraram a fundo em algum aspeto deste trabalho ou são seguidores, admiradores ou amigos.

Neste ponto, Sara percebeu que o seu marido lhe dava um ligeiro aperto na mão.

— Por favor, vamos dar umas boas-vindas calorosas à Lou Cunningham! — acrescentou a mulher.

Houve assobios e imensos aplausos.

Lou, que parecia uma intelectual com um blusão de linho folgado e sandálias japonesas, aproximou-se do microfone e murmurou, num tom rouco:

— Obrigada.

— Parabéns por um trabalho tão impressionante, Lou — declarou a mulher, sorridente. — Deixa-me começar esta conversa perguntando-te de onde saiu *Cuco*. Diz-me qual foi a semente, por assim dizer, a inspiração inicial que te levou a criar este personagem.

— Meu Deus! — Lou mexeu-se com nervosismo na cadeira e o som íntimo da sua respiração ecoou através do microfone. — Isto é bastante difícil para mim.

— Bom, se preferires não nos contar, respeitamos a tua decisão, é claro.

— Não, calma, não faz mal. É que... — Levou as mãos ao peito. Por um momento, deu a impressão de que a emoção a impedia de falar. — A Cuco tem muito de mim própria. — Houve uma pausa tão longa que o silêncio quase se tornou incómodo, mas, de repente, fez das tripas coração, levantou o olhar com um sorriso forçado e assumiu com relutância o seu papel de protagonista daquele evento. — Quando estava a escrever o guião, quando punha a Cuco nessas situações e a atormentava tanto, era praticamente como se estivesse a rir-me de mim própria ao ver que era tudo tão... tão perfeito, para o dizer assim. Porque um cuco está sempre deslocado, não é? É um intruso, uma ameaça à ordem natural das coisas e o correto é que seja expulso, banido, como quiserem chamar-lhe. A Cuco é muito vulnerável, é um ser miúdo e frágil que sofreu muito, mas... têm de admitir que, no fim, é um verdadeiro aborrecimento, não é?

Com aquelas palavras, ganhou uma ronda de gargalhadas calorosas.

— De facto, isso é uma coisa que queria perguntar — redarguiu a moderadora. — É uma obra onde há bastante humor.

— Sim. — Lou sorriu e bebeu um gole de água. — Alegra-me que tenhas percebido!

Sara olhou para Neil e questionou-se se ele também teria percebido. Passara-lhe totalmente despercebido e também não vira ninguém a rir-se às gargalhadas. Ainda que, por outro lado, estivesse claro que não se referiam a esse tipo de humor.

— Bom — disse Lou —, é que eu acho que não pode bombardear-se o público com esse tipo de coisas... com a raiva, com a dor, com a humilhação... sem mostrar que, de facto, estamos imersos na dança macabra da morte, mas isso pode chegar a ter muita graça. Não sei se consigo explicar. É que, se pensarmos nisso, a verdade é que é absurdo, não é? Nascemos, vivemos esta existência curta, aparentemente irrelevante e com frequência sórdida, e acabamos por morrer.

— Ah, estou a ver! Nesse caso, estou certa ao pensar que esse era precisamente o simbolismo dos vermes? A sordidez, a duração curta da vida...

— Não quero falar dos vermes! — exclamou Lou, com secura.

— Ah.

— Lamento muito, mas é que não acho que eu, como autora deste trabalho, deva dar-lhe um significado nem explicar tudo. Isso é a vossa tarefa. Cada um deve extrair as suas próprias conclusões.

— Sim, já entendo. É claro que sim. Seria como pedir ao Buñuel para explicar a cena do olho de *Um Cão Andaluz*.

— Bom, não sei se me atrevo a comparar-me com ele — comentou Lou, antes de acrescentar, com um sorriso radiante: — Mas, se insistires...

Sara pensou que a amiga era única enquanto a via a dirigir-se, com aparente desenvoltura, entre o humor autocrítico e uma confiança em si própria vizinha da arrogância e, ao ouvi-la falar, acabou por se tornar mais uma fã. *Cuco* não era uma obra incoerente, mas uma que não tinha concessões. Os atores não atuavam de forma incompetente, mas crua e descarnada. O movimento de vaivém da câmara não fora acidental, mas uma artimanha deliberada para refletir o mundo moral dos personagens. O problema era que, quanto mais elevado era o estatuto de Lou como artista na sua imaginação, mais caía a opinião que tinha de si própria em comparação com ela, e a coisa chegou até tal ponto que se sentiu horrorizada ao pensar que confiara o rascunho final do seu manuscrito a Lou para que o fizesse chegar a Ezra Bell. E, para o caso de ser pouco, era um manuscrito onde o incesto era um dos temas principais, portanto, de certeza que as pessoas pensariam que era algo que copiara da amiga. Que horror! Em comparação com a obra sólida, alusiva e evocadora que acabara de ver, a sua parecia-lhe esquemática e muito pálida. A curta-metragem de Lou era uma obra de arte e o seu romance, uma obra rápida e comercial.

O debate entre ambas as mulheres prolongou-se durante algum tempo até ficar aberto para todos os assistentes, mas, então, Sara não se atreveu a formular a pergunta em que pensara. Aquelas pessoas eram mais inteligentes do que ela, conheciam melhor Lou e sabiam de cinema. Tudo aquilo em que se cimentava a sua amizade íntima com Lou parecia fraco e pouco importante naquele momento, já que se apercebia de que escondera uma faceta da personalidade à amiga. Talvez soubesse que o livro preferido de Lou era *Cem Anos de Solidão* e que a canção que sempre a fazia dançar era *Deserts Miss the Rain*, talvez até soubesse que gostava do sexo duro, mas sabia o que pensava sobre o inconsciente no discurso cinematográfico? Não, não sabia. Aquelas pessoas conheciam as obras que Lou fizera até ao momento, o afeto que sentiam por ela era evidente e, vendo-a a chamar cada uma pelo seu nome e brincar com elas, era óbvio que o sentimento era mútuo. Enquanto as ouvia a perguntar-lhe porque decidira usar som análogo, enquanto debatiam sobre as limitações de uma câmara de mão e sobre a redundância da teoria de autor depois do Dogma, ela enfrentou o abismo vertiginoso da sua própria ignorância e sentiu-se enojada consigo própria. No que se referia ao mundo cinematográfico, a verdade era que Neil e ela eram uns homens das cavernas em comparação com a maioria dos presentes, portanto, alarmou-se um pouco ao ver que o marido levantava a mão. Lançou-lhe, perplexa, um daqueles olhares de «o que raios estás a fazer?», mas ele limitou-se a sorrir e não baixou mão. A moderadora dissera, há duas perguntas, que a conversa estava prestes a acabar e as pessoas começavam a relaxar, portanto, porque é que aquela maldita mulher estava a percorrer o público com o olhar? Neil ergueu-se um pouco mais na cadeira e levantou ainda mais a mão, tal como devia ter feito quando era criança na escola.

— Sim, ali, o homem que tem o colarinho da camisa aberto — disse a mulher.

15

A festa posterior à antestreia não foi má, mas Sara só lá passara uma hora quando se apercebeu de que não estava a divertir-se nada. Lou, perdida numa nuvem de perfume, recebera-a no clube com um beijo e mostrara-se agradada ao saber que *Cuco* lhe parecera uma obra incrivelmente comovedora, mas, então, chegara um homem com pera cuja opinião parecia importar-lhe um pouco mais do que a sua, portanto, optara por se afastar, porque tinha a impressão de que estava a mais.

Enquanto Neil abria caminho até ao bar, ela ficou parada junto da porta da casa de banho e limitou-se a observar a cena que tinha à sua frente. A decoração era uma cópia irónica do clube de cavalheiros tradicional com tábuas irregulares de madeira no chão, poltronas com botões nas costas e candeeiros de leitura que contrastavam com obras de arte de uma modernidade lacerante e uma música ambiente que teria causado apoplexia no Clube Drones. O lugar estava muito cheio e era óbvio que ali havia pessoas que não tinham ido à antestreia, mas, dado que todos tinham o mesmo aspeto estridentemente inconformista, era impossível saber quem era um convidado de Lou e Gavin e quem era um membro do clube. Isso fazia com que a ideia de tentar relacionar-se e conversar lhe custasse ainda mais, portanto, decidiu que só tentaria conversar com alguém que fosse conhecido. Ao ver que uma mulher que estivera na festa de inauguração da casa de Lou e Gavin se dirigia para ela, preparou-se com um sorriso, mas tal sorriso murchou imediatamente quando a mulher passou junto dela sem lhe prestar a mínima atenção e entrou na casa de banho. Neil trouxe-lhe a bebida que lhe pedira, mas foi-se embora novamente para levar uma taça de champanhe a Lou a modo de felicitação. Estar ali parada fez com que começasse a sentir dores nos pés e começou a fartar-se de suportar as baforadas de ar que saíam da casa de banho, portanto, abriu caminho entre a multidão até chegar a uma salinha traseira onde se sentou muito dignamente num sofá *Chesterfield*, junto de uma mulher bastante idosa que tinha os lábios pintados de magenta e uns óculos que lhe davam um aspeto de mocho. Lá, estava bastante calor e começou a sentir que o lábio superior se enchia de suor. Tirou um sapato e esfregou o calcanhar com dissimulação.

— Gostaste da estreia? — perguntou a mulher, com um sotaque norte-americano áspero.

— Refere-se à *Cuco*? — perguntou, surpreendida. — Sim, muitíssimo! Adorei!

A mulher franziu aqueles lábios de cor magenta, assentiu com ares de grande entendida e fechou os olhos. Ela esperou que voltasse a abri-los e se dignasse a honrá-la com alguma crítica aguda elaborada com fina precisão, mas apercebeu-se, ao fim de um momento, de que adormecera. Ficou ali sentada, sentindo-se isolada e abandonada, debatendo-se entre a vontade de beber outro copo e a pouca vontade de se levantar e ir até ao bar. Estava prestes a resignar-se a ficar sóbria quando vislumbrou, entre aquele sem-fim de pernas, uns sapatos brogue que lhe pareceram muito familiares.

— Olá, cavalheiro! — disse a Gav, antes de lhe dar umas palmadinhas no ombro.

Ele estava a conversar com uma ruiva bonita e virou-se para ela com uma certa relutância.

— Ah! Olá, Sara! Rohmy, apresento-te a Sara.

A ruiva soltou a pouco e pouco as lapelas de Gavin (agarrara-as na brincadeira numa tentativa teatral de o convencer de que ela tinha a razão no que estavam a debater) e cumprimentou-a com um sorriso um pouco forçado.

Quanto a Gavin, se o incomodara que ela os interrompesse, escondeu-o muito bem, porque disse, com naturalidade:

— Talvez a Sara saiba... Podes ajudar-nos a resolver uma pequena discussão?

— Tentarei.

— Sabes quem é o Johnny Thunders, não sabes?

Ela teve a oportunidade de admitir que não, que nunca ouvira falar daquele homem e, portanto, não era a pessoa adequada para arbitrar.

— Sim, claro. Diz-me.

— Como morreu? Segundo a Rohmy...

— Não, não digas! — Depois de o interromper antes de conseguir acabar a frase, a ruiva virou-se para olhar para ela com uma expressão expectante.

Ela abriu a boca, voltou a fechá-la e, finalmente, respondeu:

— Meu Deus, eu sabia...! Não vos transtorna quando sabem alguma coisa, mas não conseguem...? — Franziu o sobrolho como se estivesse a esforçar-se para tentar recordar. — Sofreu um acidente de viação, não foi? Não, de avião. Foi alguma dessas coisas. Agora que penso nisso, como disseram que se chamava? Johnny...

— Thunders — disse Rohmy, com um sorriso brincalhão.

— Ah, não, nesse caso...

— A quem achavas que nos referíamos?

A ruiva estava a aproveitar-se ao máximo da situação, não havia dúvida.

— Sim, não, sei quem é, mas é que... — Abanou a cabeça. — Nada, não me lembro.

— Sim, claro.

Rohmy disse aquilo num tom que gotejava ironia e lançou um olhar eloquente a Gavin, mas ele abraçou Sara e perguntou:

— Não é uma doçura? A Sara achava que sabia, mas não é assim!

162

Ela sorriu como uma tola enquanto se deixava abraçar. Não chegou a perceber se Rohmy também a considerava uma doçura ou não, porque outro casal, Steve e Alexis, se juntou ao grupo naquele momento e resolveu o assunto (Johnny Thunders, violonista dos New York Dolls; morrera, como todos sabiam, de uma *overdose* de heroína). Depois disso, a conversa concentrou-se em mortes icónicas em geral e, mais tarde, questionaram-se se a contribuição nítida das drogas ao *rock and roll* fora positiva ou negativa. Ela considerou prudente ficar em silêncio enquanto se debatia esse último ponto e não demorou a ver-se relegada para a periferia do grupo, ouvindo um tipo que tinha imensos pelos faciais e que estava a contar-lhe que, uma vez, partilhara um cachimbo com Tim Buckley. Nunca se sentira tão aliviada ao ver Neil, que a repreendeu por ter desaparecido e lhe deu uma taça de champanhe, antes de comentar:

— Este lugar é fantástico, não é? Seria capaz de me habituar a isto.

— Não o faças, porque temos de nos ir embora dentro de cinco minutos. Prometi à minha mãe que não chegaríamos tarde.

Ele fingiu que não a ouvira e disse a Gav, que estava no outro extremo do grupo:

— Estava a dizer à Sara que adoro todo este ar do Jeeves, Gav!

— Sim, não é fantástico?

— Pode saber-se quanto custaria a um simples empregado fazer-se sócio deste lugar?

Ela sentiu-se um pouco envergonhada ao ouvi-lo a dizer aquilo, apesar de saber que ele pensava que tinha piada.

— A verdade é que o preço é bastante razoável — respondeu Gav. — Alguns milhares de libras, se bem me lembro. Mas terias de ter paciência, porque me parece que a lista de espera é bastante longa.

— Não há problema, miúdo.

— Pelo amor de Deus, Neil! — queixou-se ela, antes de se afastar com ele. — Estás a fazer uma figura ridícula!

— Porquê?

— És incapaz de perceber que estão a brincar contigo? Não podes ser sócio de um lugar como este! Está reservado para as pessoas do mundo da arte!

— De certeza que não são assim tão estritos. — Parecia sentir-se magoado.

— Acho que o mais provável é que sejam. Olha para toda esta gente!

— Já o fiz.

— Está bem, se és incapaz de ver...

— O quê?

— A diferença!

— Que diferença?

— A que existe entre eles e nós!

— Eu não vejo nenhuma diferença, Sara. Esta noite, conheci pessoas muito agradáveis. Ficarias surpreendida se soubesses quantas pessoas me felicitaram pela pergunta que fiz durante a conversa.

— Alegro-me muito por ti, mas fazer uma pergunta não significa que tenhas uma obra própria.

— E tu? És escritora!

Por alguma estranha razão, a fé que Neil tinha nela como romancista contribuiu para acentuar a sensação de que era uma fraude como tal.

— Não sou, Neil. Sou apenas alguém que escreve e que não tem nenhuma obra publicada, como tantas outras pessoas.

— Mas a Lou está a trabalhar nisso.

— Sim, claro.

— Não, falo a sério. Neste momento, está a contar maravilhas sobre ti a um tipo.

— A sério? Quem é o tipo?

— Um norte-americano com ar de intelectual, não me lembro bem do nome... — Estalou os dedos enquanto fingia que estava a tentar lembrar-se. — Eric? Esau?

— Não me digas que é o Ezra Bell! — Agarrou-lhe o braço. — Está aqui?

— Talvez — replicou, antes de sorrir de orelha a orelha.

— Meu Deus!

Olhou para Lou e sentiu que o coração se derretia, que mulher tão incrível! As suas dúvidas evaporaram-se e ergueu-se o máximo que pôde. Teve vontade de se aproximar de Rohmy para lhe perguntar se tinha ouvido falar de Ezra Bell... O próprio Ezra Bell que, em breve, apoiaria o seu primeiro romance. Isso apagaria o sorrisinho brincalhão da ruiva!

Virou-se novamente para Neil.

— O que disseste? Falaste-lhe do meu livro?

— Estivemos a falar de desporto.

— Pelo amor de Deus, Neil!

— Acalma-te! Vais ter tempo suficiente para te dar com ele, vai passar uns dias na casa do lado.

— Meu Deus, dói-me o estômago! O Ezra Bell!

O marido deu uma olhadela ao seu relógio de pulso.

— Bom, deixa-me dizer-te que dispomos de dezassete minutos para chegar a Charing Cross se quiseres apanhar o último comboio.

Agarrou-lhe o pulso, ficou a olhar para o relógio como se pudesse fazer recuar os ponteiros à base de força de vontade e exclamou, queixosa:

— Mas mal acabámos de chegar!

— É a tua mãe, tu é que decides.

Ela pensou na sua mãe e pensou na «cara».

— Meu Deus, não podemos ir sem mais nem menos! Vamos ter de dar explicações. — Aproximou-se depressa de Gav e interrompeu-o quando estava prestes a culminar uma história que estava a contar. — Lamento, Gav, mas nós temos de ir. Só queria agradecer-te por uma noite fantástica.

— O quê? Nem pensar! Proíbo-vos!

— Sim, sei que é muito cedo, mas é que a minha mãe ficou com os meninos e, aos sábados de manhã, trabalha como voluntária no Barnado's, portanto...

* * *

Por trás dos apartamentos de proteção oficial começava a emergir um resplendor pálido quando o táxi parou e as estrelas começaram a apagar-se, uma atrás da outra.

— Adeus! Foi uma noite fantástica, obrigada!

— Adeus!

— Adeus, Ezra, adorei conhe...!

As despedidas ficaram abafadas pelo barulho que o veículo fez ao virar e regressar por onde chegara.

— O taxista estava um pouco irritado, não lhe deste gorjeta? — perguntou Sara ao marido, quando a porta da casa de Gav e Lou se fechou finalmente e acabou a conversa fluida e animada.

— Pude pagar-lhe a viagem com muita dificuldade. Levantei cem libras ao sair do trabalho, não sei onde terá ido parar todo esse dinheiro.

— O Gav e a Lou pagarão a sua parte.

— Sim, eu sei, isso não me preocupa.

— Que noite tão fantástica! — Abanou a cabeça, sorridente, mas o seu olhar foi parar ao *Golfe* da mãe. Estava estacionado à frente da casa, pulcro e severo, com o seu ambientador em forma de árvore de Natal. — Embora continue sem entender como ficámos até tão tarde.

Neil pôs a chave na fechadura e, quando entraram no vestíbulo, um pouco cambaleantes, murmurou, com teatralidade:

— Sogra? Estás aqui?

— Terá subido para se deitar — disse ela.

— A luz ainda está acesa. — Apontou com a cabeça para a porta da sala de estar, que estava entreaberta.

— Mamã? — Espreitou e viu-a sentada na beira do sofá com o casaco vestido e a mala pronta, como se estivesse à espera do autocarro. — O que fazes acordada? Já passa das três. — As suas tentativas para disfarçar que estava bêbada fizeram com que a voz lhe saísse entrecortada e falsa.

A mãe olhou para o seu relógio antes de responder.

— De facto, são quatro e quarenta e cinco. O Patrick teve um pesadelo, mas fiquei uma hora a fazer-lhe companhia e, depois, não voltou a acordar. O Caleb dormiu como um anjinho. — Levantou-se. — Será melhor ir. Pelo menos, não vou encontrar muito trânsito.

— Lamento imenso, mamã. Tinha uma cama preparada no quarto de hóspedes, mas nem sequer pensei que...

— Bom, antes de te ires embora disse que tinha de...

— De ir ao Barnardo's. Sim, eu sei. Íamos sair há uma eternidade, mas, no fim, decidimos partilhar um táxi com os nossos amigos e tornou-se um pouco mais tarde do que...

— Referes-te aos mesmos amigos com quem vais montar uma escola? — Arqueou uma sobrancelha num ar eloquente.

— Não vamos montar uma escola, mamã! — protestou, consciente de que Neil estava a desviar-se para um lado devido à bebedeira. — Vamos ensinar os nossos próprios filhos, nem mais nem menos. A Lou é realizadora de cinema e o Gavin é artista, portanto, de certeza que será uma experiência fant... fantástica e enriquecedora.

A mãe ponderou aquela afirmação em silêncio e, no fim, limitou-se a dizer:

— Sim, claro. Bom, será melhor ir-me embora. — Despediu-se dela com um beijo no ar junto da sua face e deu as boas-noites a Neil com rigidez.

— Merda! — exclamou ela, quando ouviu que a porta principal se fechava com suavidade.

Pouco depois, Neil e ela jaziam na cama como dois cadáveres enquanto uma luz cinzenta e suave penetrava pelas cortinas e os sons da vizinhança a acordar lhes tiravam cada vez mais o sono.

— O Ezra é muito agradável, não é? — perguntou, com o olhar fixo no teto.

Ao ver que não recebia resposta, questionou-se se teria adormecido, mas ele respondeu finalmente:

— Gostei dele, mas pareceu-me que abusava um pouco no táxi.

— Bom, todos bebemos bastante. Não acho que a Lou se tenha incomodado.

— Ser um escritor famoso não lhe dá o direito de...

— O que achará do meu livro?

— Tendo em conta que és jovem, mulher e atraente, o mais provável é que esteja predisposto a gostar.

— Ena, muito obrigada! — exclamou ela, antes de se apoiar num ombro. — Agora, vou sentir-me sempre mal, mesmo que goste.

Fez-se outro silêncio, a porta de um carro fechou-se com força e o motor do veículo começou a trabalhar com certa dificuldade.

— Em qualquer caso, não sei porque lhe deste autoridade para opinar se o teu livro é bom.

Pareceu-lhe que estava mais irritado do que devia. Ao fim e ao cabo, Ezra também não se portara assim tão mal.

— É um autor fantástico, tu próprio disseste que o *Appalachia* era um dos melhores livros que leste no ano passado.

— Não era mau — admitiu ele, contrariado —, mas não tem ponto de comparação com o *Franzen*. — Virou-lhe as costas e puxou o edredão até às orelhas.

Ela ficou ali deitada em silêncio, com os olhos irritados por causa do cansaço. Naquele momento, tinha a mente demasiado ativa para conseguir dormir.

16

— Ouve, estás a ver aquela greta que há no patamar? — perguntou Neil, ao deixar uma bandeja com o chá junto da cama.

— O que se passa com ela? — perguntou Sara, ensonada.

— Há quanto tempo achas que está lá?

— Não sei. Costumam aparecer nas casas velhas, não é? A Carol tem uma na sala de estar, tem alguma coisa a ver com as vigas.

Deixou de lhe prestar atenção ao ver que ele começava a murmurar alguma coisa sobre movimentos e apontamentos, mas, já que a acordara, decidiu aproveitar para falar sobre *Cuco*. Perguntou-lhe se, depois de dormir, continuava convencido de que a curta-metragem era uma obra de arte, tal como assegurara a Lou enquanto regressavam a casa no táxi, mas ele não parecia estar disposto a deixar que questionassem os seus exageros da noite anterior e limitou-se a murmurar qualquer coisa sobre ter sido uma antestreia impressionante.

Ela franziu o sobrolho e decidiu continuar a insistir.

— Tiveste pena quando morreu? Eu não. — Ficou a olhar para ele por cima da chávena de chá, aguardando a sua resposta.

— Bom... — Franziu os lábios e ficou a pensar com o olhar perdido.

Ao fim de uns segundos que lhe pareceram excessivos, ela perdeu a paciência.

— Bom, se tens de pensar tanto nisso, suponho que a resposta seja negativa.

— Não sei se a sua morte tinha sido pensada para inspirar pena, pareceu-me que era algo inevitável.

Pareceu-lhe que aquela resposta era uma forma de evitar a questão e começou a fazer outra pergunta.

— O que achas do humor?

— Que humor?

— Segundo a Lou, a curta-metragem deve ser engraçada. Bom, pelo menos, algumas partes. Mas não te vi a rir.

— Claro que me ri!

— Não, não deste nenhuma gargalhada.

— Estava a rir-me por dentro!

Ela acabou de beber o seu chá em silêncio.

Pensando nisso *a posteriori*, teria sido melhor seguir o plano inicial e encontrar-se no café. A partir do momento em que Sara atravessou a soleira da casa de Lou e Gavin na manhã seguinte, com uma pasta avultada e cheia de material educativo por baixo de um braço, soube que aquilo fora um erro.

— Ena! O que é tudo isso que trazes? — perguntou Lou.

— Umas coisinhas que tirei da Internet. Talvez tenha abusado um pouco, mas pensei que, já que tinha a impressora ligada...

Deixou a pasta na mesa da cozinha e a amiga tirou uma folha à sorte e leu.

— «Cria as tuas próprias caixas de fusos Montessori».

— Sim, são para aprender matemática. As caixas podem comprar-se no WHSmith e, para os fusos, usa-se... — interrompeu-se ao ver a cara que fazia. — Não temos de as fazer, era apenas uma ideia para servir de reforço. A verdade é que perdi um pouco a cabeça. — Virou o indicador junto da têmpora.

Ezra entrou naquele momento na cozinha, com calções e com um cigarro nos lábios, e ela baixou o dedo e observou-o em silêncio enquanto ele se aproximava do lava-loiça, enchia a chaleira e apagava a beata no contentor. Com aquele peito forte e grosso coberto de pelos e o andar de pavão, parecia um cão que aprendera a andar sobre as duas patas traseiras.

— Olá, Ezra — cumprimentou, finalmente.

— Sim, olá.

— O Ezra não se sente muito bem. Pois não, querido? — perguntou Lou. — Alguém achou que seria boa ideia abrir a garrafa de uísque ao chegar a casa ontem à noite.

— Não te preocupes, depressa te deixaremos em paz. Vamos beber um café ao Rumbles.

— Vá lá! — exclamou ele, num tom depreciativo. — O lugar que é ao lado do metro? Não deviam permitir que se chamasse «café» à merda que servem lá, é uma mistura vomitiva. Eu posso fazer-vos um muito melhor aqui mesmo.

— És uma doçura! — exclamou Lou. — Está decidido, Sar. Podemos falar aqui.

Sara tinha as suas dúvidas. Deixara os meninos em casa, apesar de Neil ter de redigir um discurso para uma conferência sobre pobreza infantil, com a desculpa de que ia estar ocupada com um assunto ainda mais importante: A educação dos seus filhos. Lou achava realmente que iam conseguir concentrar-se na conversa com os seus filhos a fazer um barulho incrível no andar de cima?

— Suponho que possamos tentar. — Fez uma careta quando um golpe surdo especialmente forte procedente de cima fez com que um pouco de gesso se desprendesse do teto.

Pouco depois, os três estavam sentados à volta da mesa da cozinha e ela esforçava-se para beber o café viscoso que Ezra fizera. Ele mexericava com Lou sobre um artista americano de quem ela nem sequer ouvira falar.

Ao ver que se criava uma pequena abertura na conversa, aproveitou para intervir desesperadamente.

— Enfim, estive à procura a fundo na Internet e acho que já tenho um esquema do que poderia ser o tema. — Olhou para Ezra.

— Não sei se a Lou te contou, mas ela e eu vamos educar os nossos filhos em casa nos meses vindouros. — Sentiu-se bastante orgulhosa da frase «nos meses vindouros».

— Porque haveriam de fazer uma merda dessas?

Ela ergueu-se um pouco mais na cadeira antes de responder.

— Porque a educação que recebem na escola deixa muito a desejar. Os professores fazem com que dediquem todo o seu tempo a incubar e a educação real, a aprendizagem como Deus manda e concentrada na criança, é praticamente inexistente.

Ao ver que ficava a olhar para ela, perplexo, questionou-se se já teria lido o seu manuscrito. De facto, naquele momento, nem sequer sabia se ele a reconhecia. Olhou para Lou em busca de um pouco de apoio moral, mas a amiga começara a folhear o material de aprendizagem que havia na pasta e dava a impressão de que não estava a ouvi-los.

— Estás a dizer que isto vai ser a tua realidade, cinco dias por semana? — Ezra apontou com um gesto da cabeça para cima, para indicar o barulho procedente do andar de cima.

— Sim, suponho que sim — confirmou, com uma pequena gargalhada. — Mas, se estou aqui agora e tirei todo este material da Internet — apontou com a cabeça para a pasta avultada —, é precisamente para que disponhamos de um plano estruturado. Portanto, as coisas não serão assim. Bom, pelo menos, não sempre.

— Claro... — respondeu ele, antes de acender outro cigarro.

— Isto é incrível, Sara! Impressionante! — exclamou Lou, antes de levantar o olhar para ela. — Deves ter estado a pedir informação durante dias!

— Não, a verdade é que há blogues sobre educação realmente excelentes. Depois de descartar os loucos e os fanáticos religiosos, há imensas pessoas normais como nós, pessoas que só querem dar uma experiência enriquecedora e criativa aos seus filhos. E há um espírito de colaboração muito grande, portanto, ninguém se incomoda se copiarmos o programa das lições, as folhas de exercícios ou qualquer outro material.

— Ah...

— Mas essa é a parte prática. O que me fascina realmente é a teoria educativa, devo admitir que sabia muito pouco a respeito disso. — Ao ver que Lou parecia estar a aborrecer-se com as suas explicações, acrescentou: — Enfim, está tudo na pasta. Podes ler quando quiseres.

— Obrigada. Ouve, Ezra, gostarias de fazer parte da escola? — Ele olhou para ela como se achasse que estava louca, mas Lou tentou convencê-lo. — Podias fazer uma oficina de escrita com os meninos. Muitas pessoas acham muito estimulante trabalhar com crianças. Incentiva a própria criatividade.

— A sério?

— Sim, é claro. De facto, já consegui vários voluntários.

— Ah, sim? — perguntou Sara, surpreendida. Não soube se devia incomodar-se por não ter sido consultada ou alegrar-se ao ver que Lou mostrara um pouco de iniciativa.

— Sim. Lembras-te do Ismael, o guitarrista que tocou na festa de inauguração da casa? Está disposto a dar-lhes aulas de guitarra em troca de um pouco de ajuda com o inglês.

— Que bom!

— E depois há a Beth, uma amiga minha que é marionetista.

— Não será a Beth Hennessy, do *Little Creatures*, pois não?

Mal conseguia acreditar. Carol estivera a gabar-se durante semanas dos lugares na primeira fila que conseguira para um dos seus eventos no teatro. De facto, era uma pena que já não se falassem e não pudesse mencionar Beth Hennessy. Pousou o olhar na pasta cinzenta e avultada que deixara na mesa, estava tão cheia que as argolas mal conseguiam conter o monte de material escolar prático que recolhera com tanta diligência.

Ezra tirou um pouco de tabaco da ponta da língua, sorriu e abanou a cabeça, antes de afirmar:

— Estão loucas.

— Porquê? — perguntou ela.

— Na minha opinião, se tiveres alguém cujo trabalho consiste em ficar com os filhos durante oito horas por dia, tens de estar maluca para renunciar a isso.

— Ezra! Que brincalhão! — exclamou Lou.

— Estou a falar a sério.

A própria Sara também não ficou calada.

— Se realmente pensas isso é porque não tens filhos, mas suponho que concordarás que um modelo educativo concentrado na criança é preferível a ensinar, à força de mera repetição, o denominador comum.

Ele encolheu os ombros e respondeu, com ar de indiferença:

— Essas coisas não podem legislar-se. Se uma criança quer escrever, fá-lo-á. Se quer pintar, fá-lo-á. Achas que o Herman Melville ou o Picasso participaram em *workshops*?

— Então, achas que ser escritor é algo inato, que não é algo que possa aprender-se? — perguntou ela, pensativa.

Aquele grande autor encolheu os ombros novamente.

— Não sei. A única coisa que sei é que, se tentares transformar o teu filho num escritor ou num artista, ele acabará por ser canalizador ou gerente só para te contrariar.

— Pois! Como o Gav, mas ao contrário! — exclamou, sorridente.

— A que te referes? — Olhou para ela com um súbito interesse.

— Eh... — Lançou um olhar fugaz a Lou. Tinha a impressão de que cometera um erro. — Ele comentou que a mãe queria que aprendesse um ofício, não foi? E a sua família não compreende a sua arte porque é...

Lou parecia estar um pouco incomodada, mas, nesse momento, ligaram-lhe para o telemóvel.

— Perdão, tenho de atender. — Agarrou o telemóvel com brusquidão e, depois de lançar um olhar de exasperação a Sara, saiu da cozinha a passo rápido.

Ezra esboçou um sorriso inescrutável e começou a brincar com o isqueiro em cima da mesa.

O silêncio prolongou-se e Sara ganhou coragem e perguntou, finalmente:

— Suponho que ainda não tenhas tido oportunidade de ler o meu romance, pois não?

— Quando foi publicado?

— Não, ainda não foi publicado. Expressei-me mal, é um manuscrito. A Lou ia pedir-te para dares uma olhadela.

— Suponho que esteja a reservá-lo para o momento adequado.

— Claro.

— De que trata?

Aquela pergunta inesperada perturbou-a por completo.

— Ah, bom... Como é que posso explicar... é uma espécie de romance sobre a passagem de menina a mulher de uma rapariga. Tem uma relação bastante insalubre com o pai e conhece um rapaz de extrato humilde e ficam juntos. O pai irrita-se e tudo se torna muito intenso e... — Interrompeu-se ao ver que lançava o olhar para o jornal que havia num canto da mesa. — Enfim, é um relato bastante curto, portanto, se tiveres algum tempo para me dar alguns conselhos...

— Sim, claro.

— Obrigada! Eu adorei o teu livro!

Ele limitou-se a esboçar um sorriso tolerante, portanto, ela acrescentou:

— O meu não ambiciona ter tanto alcance. Adorei como fizeste com que a família representasse a nação. — Era uma coisa que lera numa crítica.

— Fiz isso?

— Bom, isso é o que... Não sou a pessoa indicada para falar de quais foram as tuas intenções, é claro. A questão é que o livro me pareceu incrivelmente comovente, terno e surpreendente.

— Obrigado — agradeceu, com gravidade.

O regresso de Lou salvou-a de ter de continuar a prolongar aquele momento tão incómodo. A sua amiga parecia estar muito contente, estava claro que a chamada lhe dera uma alegria que a fizera esquecer como estivera irritada com a indiscrição que ela cometera antes.

— Desculpem-me pela interrupção! — exclamou, radiante de satisfação e entusiasmo. — Era o Cory Hamer, da *Niche*. Conseguiu-me um lugar como jurada no festival cinematográfico de Ann Arbor!

175

— Que bom! — exclamou ela, antes de se levantar e a abraçar com um certo torpor. — Vais fazê-lo daqui?

— Não, claro que não! Tenho de assistir! — Olhou para Ezra como se dissesse: «Que pergunta tão absurda!». — Não posso ser jurada no festival cinematográfico de Ann Arbor à distância!

— Mas quando se celebra? — perguntou ela, com rigidez.

— De oito a vinte de março... Merda, não pode ser! — O sorriso de Lou desapareceu.

— Já o adiámos duas vezes, Lou.

— Eu sei, eu sei! — Começou a saltitar como uma criança. — Olha, tomarei conta dos meninos sozinha até me ir embora e, assim, terás tempo para as tuas... — fez um gesto vago com a mão —, coisas e, depois, poderias ficar com o controlo até eu regressar. — Deslizou o dedo para cima e para baixo pelo ecrã do telemóvel, estava entusiasmada. — Sim, essas datas vão funcionar lindamente! Pensei num passeio fantástico!

17

A primavera chegara ao sudoeste de Inglaterra e os pássaros que pousavam nos ramos das bétulas reluziam como as fitas de pompons de uma animadora. Enquanto o *Volvo* circulava por estradas rurais estreitas e serpenteantes e entre arbustos de grossura considerável, Sara reparava na proximidade dos casulos a abrir-se, nas raízes a sobressair do chão, nas plantas a livrar-se do seu pólen para que a brisa o transportasse. O coração acelerou e sentiu-se exultante.

— Não tem aspeto de estar muito bom tempo — comentou Neil, enquanto olhava por baixo do retrovisor para as nuvens que salpicavam o céu.

— Não vamos escalar a face norte do Eiger — respondeu ela.

— Mesmo assim, vai estragar-nos a festa se começar a chover.

— Temos a tenda da Carol, Neil. De certeza que é mais hermética do que a nossa casa.

Fora um pouco incómodo pedi-la emprestada. Ela teria preferido comprar uma, mas os bilhetes para o festival tinham-lhes custado bastante e, na conta de economias, tinham poucos recursos. E o facto de Carol ter acedido a emprestar-lha com tanta amabilidade fizera com que se sentisse ainda pior.

— Não te preocupes — dissera a vizinha, quando ela inventara uma desculpa patética para justificar o facto de mal se terem visto ultimamente —, estamos todos muito ocupados. Estou a beber um *Nespresso*, queres um?

Depois de conversarem durante cerca de quinze minutos com toda a cordialidade, Carol nem se alterara quando ela, sem muita subtileza, puxara o assunto do acampamento.

— Ah, vão a um festival? — perguntara, com apenas um pouco de condescendência. — Bom, cada um tem os seus gostos.

Mas oferecera-se para lhes emprestar a tenda moderna, juntamente com todos os seus acessórios, sem necessidade de lhe pedir. Ela esquecera que, para além de ser tão especialista e do seu empenho em ganhar pontos, na verdade, Carol era um ser humano decente.

Quanto a Neil, não estava a enganar ninguém ao resmungar sobre o mau tempo. Não havia dúvida de que aquela saída de fim de semana o entusiasmara mais do que a ela própria. Era incrível como um cartaz adequado podia influenciar o estado de espírito de um homem (naquele caso em concreto, era uma mistura previsível de acústica *hipster* excêntrica, a velha música *blues* de sempre e alguma banda de *punk* obsoleta). Quanto a ela, o evento tinha outros estímulos e um dos principais era a ideia de poder passar quarenta e oito horas praticamente ininterruptas com Gav e Lou. Normalmente, só podia desfrutar da sua companhia de forma bastante pontual (um jantar aqui, uma tarde acolá) e sempre com a sensação de que havia outras pessoas à espera para os levar e para monopolizar a sua atenção, que tinham outras prioridades. Mas tinham aquele fim de semana todo só para eles.

— Poderemos apanhar o nosso próprio jantar, mamã? Como no *Sobrevivência*? — perguntou Patrick, do banco de trás do carro.

Ela sentiu-se um pouco culpada, porque talvez tivesse exagerado um bocadinho ao contar às crianças como seriam autossuficientes durante o acampamento.

— Não sei se isso será possível, mas o que vamos poder fazer é cozinhá-lo. Trouxe salsichas.

— Que aborrecimento! Não podíamos caçar um coelho e esfolá-lo?

— Para com isso! — disse Caleb ao irmão, num tom brincalhão.

— Como vais matar um coelho? Choraste quando o hámster morreu!

Aquilo deu azo a uma refrega no banco traseiro do carro e Neil interveio, num tom firme.

— Ninguém vai matar nenhum bicho.

— Mas há arco e flecha — interveio Sara, para tentar apaziguá-los, antes de lhes passar um folheto por cima do ombro. — Olhem!

Patrick agarrou na folha e começou a lê-la com dificuldade.

— «Lush, dois... mil e catorze. Med... Medlar's Farm, Devon. Com Craw... daddy, The Jere... Jeremiahs, They Might B Giants». Isto é aborrecido!

— Continua a ler — incentivou ela —, estás a fazê-lo muito bem! Vê a parte onde diz: «Lush para crianças»?

— «Contador... de histórias, jogo da corda...». O que será isso? «Ativi... vidades do circo... E, *workshops* para compor letras de canções.»

— Não é fantástico? — Virou-se para olhar para ele com um sorriso de ânimo. — O Dash e tu queriam formar uma banda, não era?

O menino limitou-se a olhar pela janela, carrancudo.

Neil ligou os limpa para-brisas ao ver que começavam a cair umas gotas de chuva e todos ficaram a ver em silêncio como se mexiam inutilmente de um lado para o outro, antes de voltar a desligá-los.

— Ena! Olha que coincidência! — exclamou, ao fim de um momento, ao olhar pelo retrovisor.

Ela virou-se para olhar para trás e exclamou, surpreendida:

— Não pode ser!

Tinham o *Humber* mesmo atrás. Lou tinha os pés descalços apoiados no tabliê, Gav tinha um chapéu *Stetson* absurdo e, tendo em conta que tinham saído de Londres pela M4 em hora de ponta, era incrível (e um pouco irritante, na verdade) que estivessem tão alegres e relaxados.

179

— Como terão conseguido? — acrescentou, atónita.

Patrick já tirara o cinto de segurança. Virou-se para olhar pelo vidro traseiro e estava a fazer caretas e gestos com a mão que Lou retribuía entre gargalhadas.

— Devem ter vindo a bom ritmo, a verdade é que esse carro tem bastante potência — comentou Neil.

Qualquer um diria que Gav o ouvira, porque, aproveitando que a estrada se alargava, acelerou de repente. Os dois veículos ficaram um ao lado do outro por um instante que a deixou com taquicardia, Lou abriu a janela do passageiro e gritou qualquer coisa que não conseguiu ouvir e, então, Gavin pisou a fundo no acelerador e, com imensas exclamações de entusiasmo e gestos de cumprimento, afastaram-se pela estrada.

— Apanha-os, papá! — pediu Patrick, enquanto saltitava de emoção no banco.

— Sim, tens de os ultrapassar! — insistiu Caleb, com indignação.

Num momento de loucura, ela própria desejou que Neil também pisasse a fundo no acelerador e demonstrasse a Gavin do que era capaz, mas o marido manteve-se a trinta e indicou que as estradas rurais não tinham sido feitas para fazer corridas e que gostaria de chegar inteiro.

Para um evento à pequena escala, Lush criara um verdadeiro caos nas estradas. Saíram da A35, deixando para trás os *Mercedes* e os *Audis* que rebocavam as suas lanchas para a Riviera da Cornualha e entraram numa caravana que avançava lentamente rumo ao festival e que era formada principalmente por autocaravanas, velhos *Morris Minors*, *Citroëns* e *Saabs*. Quase todos os veículos tinham um aspeto velho, mas mostravam-no com tanto orgulho como as mandalas multicoloridas e os autocolantes com mensagens de conscencialização social que tinham nas janelas.

— Parece-me que vamos divertir-nos muito aqui. Não sei porque nunca tínhamos vindo.

Neil disse aquilo com um sorriso amplo quando um homem com rastas, casaco de alta visibilidade e brincos de dilatação nos lóbulos das orelhas lhes pôs as suas respetivas pulseiras de néon e os dirigiu com jovialidade para um espaço onde estacionar.

Depois de descarregar as coisas que tinham no carro, juntaram-se ao fluxo constante de recém-chegados entre os quais imperavam as calças de ganga com os joelhos rasgados, as sandálias, os gorros de lã e os chapéus de feltro. Aquele novo contingente que se dirigia para a medula do festival, carregado com malas térmicas e malas de viagem do IKEA, misturava-se com aqueles que tinham chegado primeiro e que, dado que já lá estavam há vinte e quatro horas, já se tinham livrado dos grilhões do conformismo. Vestidos com tutus e botas *Doc Marten*, circulavam com toda naturalidade entre palcos, casas de banho portáteis, bancas de comida e tendas dos serviços médicos. De vez em quando, no palco principal, faziam um teste de som que criava um barulho ensurdecedor que ecoava por todo o vale.

Com a ajuda de uma família dinamarquesa cordial, encontraram o lugar que lhes tinham atribuído, que estava convenientemente situado entre as casas de banho portáteis e uma zona recreativa para as crianças. Também não lhes faltou acompanhamento na hora de montar a tenda de Carol, uma muito cara e nova que contrastava com as outras. Ao ver que tinham problemas para o fazer, uma mulher que se apresentou como Twink aproximou-se para lhes dar uma ajuda enquanto a sua parceira, que estava sentada no degrau da autocaravana, continuava a amamentar um bebé gordinho. Com uma habilidade impressionante, esticou as varinhas extensíveis, explicou-lhes onde ia cada coisa e regressou com reforços, vinte minutos depois, para os ajudar a levantá-la. O resultado final estava tão deslocado ali como um mordomo elegante num churrasco, mas dava a impressão de que ninguém se importava muito. Naquele lugar, as regras que costumavam reger a sociedade estavam ao contrário, já que o que se valorizava e se elogiava não era o elegante e o custoso, mas o caseiro e o velho.

181

Depois de a tenda ficar montada, só restava abrir umas cervejas para celebrar e esperar que Lou e Gavin aparecessem.

— Espero que estejam bem, porque pela forma como o Gav conduzia... — murmurou Neil.

— Claro que estão bem, estão sempre.

Ele assentiu e bebeu outro gole da garrafa. Embora mal tivessem acabado de chegar, já parecia mais jovem e relaxado. Estava a aparecer uma barba incipiente que lhe assentava muito bem. O cabelo crescera um pouco, perdera aquele corte de executivo recém-saído do cabeleireiro e ondulava ligeiramente como o de um jovenzinho. Nem sequer se sentia incomodada com a camisa havaiana horrível que usava (tragicamente, o lugar estava cheio de pais roqueiros, portanto, por uma vez, estava perfeitamente vestido para a ocasião). Inclinou-se para ele e beijou-o nos lábios, o que fez com que Patrick e Caleb fingissem que tinham vómitos.

— Rapazes, porque não vão explorar? — Neil tirou uma nota de dez libras do bolso e deu-a a Caleb. — Aqui têm, comprem um hambúrguer de lentilhas ou o que quer que seja que vendem neste lugar.

Assim que os meninos se afastaram pelo campo (Patrick a saltitar e cheio de entusiasmo, Caleb a segui-lo com relutância e a arrastar os pés), o seu marido olhou para ela e apontou com um gesto da cabeça para a entrada aberta da tenda.

— O quê? Agora? — Não soube se devia sentir prazer ou sentir-se horrorizada, mas decidiu que um pouco de espontaneidade não tinha nada de mal e entrou atrás dele.

O colchão insuflável parecia uma daquelas camas elásticas onde as pessoas ricocheteavam e tinha um cheiro forte a borracha. Desejou ter bebido uma segunda cerveja. Embora aquele quarto matrimonial improvisado estivesse na penumbra, lá fora, ainda era de dia e ouvia-se a agitação das famílias que havia em redor (uma tal Daisy estava a ser felicitada por ter sabido usar tão bem o bacio, um tal Elijah estava a recusar-se a comer massa integral). Levantou os braços por cima da cabeça para permitir que Neil lhe tirasse a *t-shirt* e

182

tentou fazer um ar sedutor enquanto lhe desabotoava o sutiã e o deixava com atitude reverente na cama.

— Tens uns seios muito bonitos — afirmou, olhando para ela nos olhos, enquanto os cobria com a mão.

A situação era um pouco estranha. Ela chegou-se para a frente com a intenção de o beijar, mas ele já estava a baixar a cabeça para o seu seio esquerdo e deu-lhe uma lambidela comprida e húmida que a fez deixar escapar um suspiro abafado que foi mais de surpresa do que de prazer. Ele parou e, sem levantar o olhar, lambeu o outro lado como se estivesse a nivelar um gelado. Pouco depois, estava a lamber-lhe o seio por todo o lado e a esmerar-se. Dava a impressão de estar a desfrutar da tarefa. Ela fechou os olhos e tentou deixar-se levar. Embora fosse bastante sensual estar nua da cintura para cima enquanto continuava a usar as calças de ganga e as botas de montanha, tinha consciência de que o marido ainda continuava totalmente vestido, portanto, talvez devesse colaborar para que a coisa avançasse. Tentou desabotoar-lhe a camisa, mas afastou-lhe a mão com suavidade e continuou concentrado no seu projeto de continuar a lambê-la com delicadeza, mas, ao mesmo tempo, com insistência. Passou para o outro seio e ela começou a relaxar enquanto a língua do marido deslizava pela sua pele, enquanto continuava a lamber e a traçar círculos ao redor da zona do mamilo. A sensação tornou-se prazenteira, muito prazenteira, mas o facto de evitar tocar-lhe no mamilo começava a atormentá-la e apercebeu-se de que ele estava a negar-lhe aquele prazer de propósito. Deixou escapar um gemido e ele interrompeu-se por um instante e olhou para a cara dela com um sorriso de satisfação, consciente do que ela desejava. O mamilo estava endurecido e parecia um belo pagode de terminações nervosas. Nunca o vira assim tão grande. Arqueou-se para cima numa súplica muda, mas ele recusou-se a dar-lhe o que lhe pedia e deslizou os lábios pela sua pele até os deixar a um suspiro de distância do mamilo. Aquilo transformara-se num jogo. Tornava-se mais lento quando ela queria que acelerasse o ritmo, recuava um pouco quando ela queria que a devorasse e, de vez em quando, olhava para a cara dela para se certificar de que o seu sadismo estava a sortir o efeito desejado. O marido deixara de lado a sua política de estar em igualdade de condições e de cada um conseguir o seu orgasmo correspondente e, no seu lugar, optara por aquela alternativa libidinosa e aberta em que a saboreava como um adolescente a fazer um festim, uma alternativa que parecia estar a excitá-los ao máximo. Quando se pôs em cima dela, estava tão enlouquecida que teve de lhe tapar a boca com uma mão para silenciar os gemidos de súplica que ela mal tinha consciência de estar a emitir. Ouvira dizer que era possível que uma mulher chegasse ao orgasmo a partir da mera estimulação dos seios, mas sempre pensara que era uma falácia. De facto, talvez o seu orgasmo se tivesse atrasado um pouco mais se a ponta do membro do marido não lhe tivesse tocado no clitóris com tanta firmeza ao penetrá-la, mas tocou-lhe e ela chegou ao orgasmo.

Depois, quando tudo acabou, só conseguiu dizer:

— Ena!

— Sim, ena! — Neil tirou um lenço de papel amarrotado do bolso das calças e ofereceu-lho.

Agradeceu-lhe ao aceitá-lo e usou-o para se limpar entre as pernas. Não estaria bem devolver o colchão insuflável a Carol com uma mancha suspeita.

— Esforçaste-te, campeão! — Espreguiçou-se, satisfeita, e pôs os braços por cima da cabeça.

— Sim. — Inclinou-se para a entrada do quarto e espreitou para pegar num dos rolos de papel higiénico que tinham numa das mochilas.

— Devia ter-te trazido a um festival antes.

— Sim. — Parecia um pouco espantado com a grandiosidade do seu próprio sucesso. Saiu a gatinhar do quarto e voltou a deixar cair a lona da entrada. — Vou à casa de banho!

Ela ouviu como abotoava o cinto e calçava os sapatos, uns sapatos que conhecia na perfeição. O cordão do esquerdo estava cortado e não conseguia abotoá-lo bem, portanto, ao caminhar, arrastava o pé. Ela ficou ali, a ouvir como o som rítmico e particular dos seus passos se afastava.

Enquanto jazia no seu quarto da tenda, perdida naquele estado de frouxidão, com a cabeça virada para um lado na almofada (que também era demasiado elástica), começou a puxar um fio solto de borracha que havia na beira do colchão e dedicou-se a ouvir as conversas procedentes do exterior. Adultos e crianças brincavam uns com outros, protestavam e negociavam. Alguém dissera alguma vez que todas as famílias eram iguais e, portanto, aborrecidas, mas, durante aquele fim de semana pelo menos, não era algo que pudesse aplicar-se à dela. Era maravilhoso mudar de ares e fazer algo que não era habitual neles, quebrar a rotina e a monotonia, ter sexo numa tenda e, como quem diz, em plena luz do dia. Gavin e Lou eram os artífices daquilo e de muitas outras coisas. Sentira-se insignificante durante a festa que tinham dado para inaugurar a casa! E deslocada! Mas, naquele momento, era tudo muito diferente. Não importava que o *Humber* os tivesse deixado para trás numa estrada rural. Não importava que Lou e Gav ainda não tivessem chegado, que nem sequer tivessem mandado uma simples mensagem de texto. Nem sequer importava (bom, não muito) que Lou a tivesse deixado com os meninos e tivesse desaparecido alegremente para França no mês passado. Tudo aquilo carecia de importância porque Lou admirava o seu talento como escritora e Gavin a compreendia. Porque ambos tinham aberto o coração a Neil. Porque os quatro podiam conversar e brincar até às duas da madrugada a meio da semana e estar frescos como uma alface no dia seguinte. Pela primeira vez, naquela tarde de maio, com o sémen do marido a coagular na parte interior da coxa e o cheiro a *cannabis* a flutuar no ambiente, sentiu que aquela amizade estava exatamente onde ela desejava que estivesse.

18

«Aí está, mamã! A azul!» Sara ouviu a voz de uma menina em sonhos. Estava no bengaleiro de uma escola, uma mãe e a filha estavam à procura de um casaco do outro lado das barras onde pendiam os cabides. Só conseguia ver-lhes as pernas e queria avisar a mãe de que estavam a cometer um erro, de que o casaco não era da menina, que era dela, mas quando abriu a boca para lhe dizer, não conseguiu emitir som algum. O gemido gutural e cheio de impotência da sua própria voz acordou-a e apercebeu-se de que a menina do sonho era Zuley. Era a voz de Zuley que estava a ouvir, a coisa azul era a tenda em que estava. Levantou-se apressadamente e saiu a toda a pressa do quarto.

— Meu Deus! Isto não é uma tenda, é um palácio! — exclamou Gav.

Ela tinha uma perna tapada pelas calças de ganga e a outra fora quando o fecho da entrada principal se abriu. Cobriu os seios com um braço e ficou paralisada, mas foi o rosto de Lou que apareceu pela abertura.

— Ena, desculpa!

Reparou que o olhar da amiga percorria o seu peito nu com rapidez, antes de o levantar novamente para o seu rosto.

— Não faz mal. Estava a fazer uma sesta. Deve ser por causa do ar do campo.

— Uma sesta? Sim, claro — replicou a amiga, com um sorrisinho travesso. Tinha os lábios pintados num tom cobre em pó e um lenço em redor do cabelo. Só ela conseguia usar uma coisa assim com tanto estilo. — Fica à vontade. O Neil está a dar-nos uma ajuda com a tenda. Estamos bastante atrás, perto do poste telefónico. Vem beber uma cerveja quando estiveres pronta.

Assim que Lou se foi embora, procurou o seu sutiã com o olhar (no fim, acabara no chão da tenda) e voltou a vesti-lo. Ao princípio pensou que alguns restos de folhas deviam ter-se colado ao tecido, porque, assim que o vestiu, começou a irritar os seus seios superexcitados, mas depois percebeu que as calças de ganga também estavam apertadas e coladas. Era como se estivessem acabadas de lavar e esse não era o caso. Por muito que rebolasse e se retorcesse, não conseguiu livrar-se daquela sensação, embora a verdade fosse que lhe dava um certo prazer masoquista. Tê-lo-ia atribuído às hormonas se não fosse porque o joguinho preliminar idiossincrásico de Neil a fazia pensar que ele também estava a agir sob os efeitos de alguma influência estranha (alguma linha de Lei próxima, talvez, ou um alinhamento específico das estrelas). Enquanto sorria para si, recordando o que acontecera, pendurou um espelho na aba extensível do fogão de acampamento de Carol e baixou-se à frente dele, provida com a mala de maquilhagem. Aplicou um pouco de batom nos lábios com o dedo do meio e observou o seu próprio reflexo, pensativa. Parecia muito atraente àquela luz ténue. Aquela mulherzinha de bairro residencial que só se atrevia a enfrentar o mundo por trás de uma camada protetora da Laura Mercier desaparecera e fora substituída por uma dríade imbuída do espírito radiante dos bosques. Pensou em pôr um pouco de rímel, mas, no último momento, decidiu que estava bem assim e, depois de voltar a pôr a escova no tubo, guardou tudo novamente e fechou a mala de maquilhagem. Porque haveria de tentar melhorar o que já estava bem?

Teve de andar um trecho considerável para chegar à tenda de Gavin e Lou. Ela presumira que as duas famílias ocupariam lugares adjacentes e estava a esforçar-se para reprimir a sua irritação ao ver que a tardança dos amigos tivera como consequência um resultado que distava muito de ser ideal. Ao princípio, alegrara-se ao ver que Neil e ela estavam perto do epicentro do festival (estavam a pouca distância do palco principal e ter as casas de banho por perto parecera-lhe prático), mas, naquele momento, não pôde evitar pensar que o lugar de Gav e Lou, situado numa posição elevada e com vistas panorâmicas, longe do bulício e do cheiro a comida, era preferível em muitos sentidos. Havia mais sombra, já que a encosta suave da ladeira estava salpicada de carvalhos e a erva que havia ali em cima continuava a estar verde, viçosa e densamente povoada de trevos (não tinha nada a ver com a zona de baixo, que estava pisada e lamacenta). Parou por um instante, pôs a mão sobre os olhos a modo de viseira e observou o vale. Uma neblina vespertina leve dava ao céu um aspeto leitoso e tingia de um tom púrpura um pouco sinistro a colónia de tendas que se prolongava à frente do seu olhar. Havia galhardetes a ondear à brisa, começavam a acender-se algumas lanternas e um grupo de música popular celta estava a afinar os seus instrumentos em algum lugar indeterminável. Era como se uma tribo de elfos que tinha predileção pelos hambúrgueres sofisticados e os castelos insufláveis tivesse chegado da Terra Média para se apropriar daquele canto idílio de Devon.

Teria sabido dizer qual era a tenda de Gavin e Lou, mesmo a metros de distância, pelo seu estilo chamativo e o facto de parecer tão pouco prática à primeira vista. Mesmo que os três não estivessem deitados no tapete que estava estendido à frente da entrada, rodeados de garrafas vazias de cerveja.

— Ena! Que festão! — comentou.

— Olá!

Lou conseguiu esboçar um sorriso indolente, Neil afastou-se um pouco para lhe dar espaço no tapete e teve de ser Gavin a levantar-se e a dar-lhe umas boas-vindas em condições com um grande abraço de urso. Ao inalar o seu cheiro, uma mistura de cerveja, tabaco e suor, sentiu-se como se alguém tivesse feito uma confusão com os seus órgãos internos e os tivesse atirado por um precipício.

Sentou-se com as pernas cruzadas e perguntou a Neil, quando lhe passou uma cerveja:

— Onde estão os meninos?

Foi Lou que respondeu.

— Os rapazes levaram a Zuley a brincar nos trampolins.

— Ah, que bom. — Não pôde esconder a sua preocupação e percorreu o horizonte com o olhar.

A sua amiga deu-lhe umas palmadinhas na mão e disse, sorridente:

— Relaxa, este festival é como um grande *kibutz*! Não pode acontecer-lhes nada de mal, garanto-te. Ouve, não tens um pouco de calor? — acrescentou, enquanto olhava para a sua roupa de cima a baixo.

— Pensava que ia chover — defendeu-se.

Lançou um olhar de soslaio para a amiga e observou o vestido floreado de estilo *vintage*, os tornozelos finos, as unhas dos pés pintadas num tom turquesa... Apercebeu-se de que todos tinham vestido alguma coisa para condizer com o espírito do festival. Gav tinha o seu chapéu *Stetson* satírico e até Neil optara por usar aquela camisa havaiana absurda. Ela era a única que destoava. Vestida com calças de ganga, *t-shirt* e umas botas robustas, com o rosto sem maquilhar, parecia a recruta de algum campo de treino feminista.

Bebeu um gole de cerveja e olhou em redor. À direita, tinham uma tenda inócua com forma de domo, à esquerda um tipi de que tinham começado a emergir uns ruídos surdos e rítmicos acompanhados por uma série de gemidos que cada vez ganhavam mais intensidade.

Gavin apontou para lá com a cabeça e comentou, num tom de brincadeira:

— Parece-me que a Pocahontas está a divertir-se imenso.

— Oh, meu Deus! — exclamou Lou, com exasperação. — Espero que não estejam assim toda a noite!

Neil olhou para ela com um sorrisinho brincalhão.

— O que se passa? Têm medo de que vos superem?

— Sim, claro! Olha quem fala! — protestou ela, com uma indignação fingida.

Sara sentiu que um rubor incipiente lhe formigava pelo pescoço.

— Alguns de nós são capazes de se controlar! Não é, Gav? — acrescentou Lou, com uma atitude dissimulada e teatral.

— Não vamos ter outro remédio com as crianças no quarto do lado, pois não? — inquiriu o aludido, antes de deslizar dois dedos por baixo da saia da sua mulher. — Embora a verdade seja que sempre me considerei um bombardeiro bastante silencioso...

Lou, tal como uma professora rígida da escola, deu-lhe uma palmada para parar a ascensão daqueles dois dedos pela sua perna, e Sara desviou o olhar. Tinha o rosto tingido de um rubor avermelhado vívido gerado por uma mistura de inveja e de excitação sexual.

Esperou até considerar que passara tempo suficiente e, então, perguntou:

— Bom, alguém quer ir ver os The Jeremiahs depois?

— Oh, meu Deus! — exclamou Gav, carrancudo. — Suponho que deveríamos ir, não é?

— São bastante bons, não são? — perguntou Neil.

— Sim, o Caleb gosta bastante — declarou, embora aquilo não servisse para o descrever.

Eram o único grupo por que o menino mostrara algum interesse. Se não levasse o filho a vê-los atuar, já podia parar de fingir que aquele fim de semana fora planeado a pensar nas crianças.

— Sim, o Dash também — afirmou Gavin, enquanto estendia a mão para a sua marijuana. — Mas, vá lá, nós somos adultos!

— São uns músicos muito bons — afirmou Neil, à defesa. Acabara de ir buscar o segundo álbum do grupo.

— Sim, não ponho isso em dúvida, mas fazem um *folk* um pouco descafeinado, não achas? Eu acho que, para quem gosta dessas coisas, poderia ouvir Jeff Buckley, Tim Hardin ou até Flatt e Scruggs.

— Mas todos esses já estão mortos, não estão? — argumentou Neil.

Gav desatou a rir-se.

— Nisso tens razão! A questão é que, se formos vê-los, vou sentir-me obrigado a ir cumprimentá-los depois. — Mostrou um ar de aborrecimento.

— Conhece-los? — perguntou Sara, toda ouvidos.

Foi Lou que respondeu.

— Conhecemos o representante. É um tipo encantador, era o nosso vizinho de cima quando vivíamos no Soho. Naquela época, já era bastante despreocupado.

— Aposto que agora ainda é mais, tem dinheiro de sobra para gastar em bebida — afirmou Gav. — Sabiam que o primeiro álbum do grupo conseguiu um disco de platina? — Com dedos manchados de nicotina, esmiuçou uma fatia generosa de erva por cima de uma boa quantidade de tabaco e, como um perito, espalhou a mistura ao longo da mortalha.

— Não importa se vamos ou não. — Sentiu-se como uma traidora ao mentir assim, pois sabia que Caleb mataria por ter a oportunidade de conhecer grupo. Começou a descolar a etiqueta da sua garrafa de cerveja com uma unha.

Neil levantou-se, antes de opinar:

— Decidiremos mais tarde. Eu vou começar o churrasco, lembraram-se de trazer os briquetes?

— Ainda estão no porta-bagagem — admitiu Lou, com uma careta.

— Aqui tens, homenzarrão!

Gavin atirou as chaves do seu carro a Neil, que as apanhou em voo com toda a naturalidade e começou a dirigir-se para o estacionamento.

— Gav! — protestou Lou, entre gargalhadas.

— O que foi?

Ao ver que o marido olhava para ela, perturbado, ela franziu o sobrolho com exasperação e apressou-se a levantar-se.

— Espera, Neil! Vou contigo!

Qualquer sensação de ofensa que Sara sentira em nome do marido viu-se mais do que compensada por aquele tempo extra inesperado que poderia passar a sós com Gavin.

— És um preguiçoso! — exclamou, quando Neil e Lou se foram embora, num tom em que se refletia mais admiração do que recriminação.

Ele pôs um filtro com mãos peritas no fundo do charro, deslizou os dedos de um extremo para o outro com delicadeza para acabar de o enrolar bem e, depois, passou-lho.

— Vou ficar devastada — avisou, antes de o levar aos lábios.

— Só se vive uma vez — redarguiu, antes de lho acender com um fósforo.

Ela deu uma passa tentativa. Nem sequer começara a anoitecer e as coisas estavam a ficar demasiado interessantes para arriscar tudo daquela forma. Virou a cabeça para um lado e, depois de fingir que dava uma segunda passa, assentiu com aprovação tácita e deu-lhe o charro. Ele não teve nenhum tipo de reparo em consumir metade do charro, inalando com uma mestria nascida da prática. Fechou os olhos, deitou a cabeça para trás e, quando ela achou que o fumo desaparecera por completo, exalou-o numa nuvem com uma segurança insolente. Ficaram assim, sentados em silêncio enquanto ele fumava e ela revia o programa do festival, até, ao fim de um instante, lhe perguntar quais eram os grupos que queria ver. Como encontrou problemas com todos, no fim, optou por lhe passar o programa e perguntar se havia uma só atuação que lhe parecesse suficientemente boa. Ao ver que acabava por abanar a cabeça depois de rever a lista de nomes, desatou a rir-se exasperada, arrancou um punhado de erva e atirou-lho à cabeça, mas ele esquivou-o e caiu-lhe na nuca.

— Merda! — exclamou, mortificada.

Tentou sacudir-lhe a relva, mas a única coisa que conseguiu foi pô-la ainda mais para dentro do colarinho da camisa. Ajoelhou-se, pôs a mão pelo colarinho e começou a rebuscar, mas tirou-a novamente e riu-se com desconforto ao aperceber-se de que a sua incursão se tornara demasiado íntima.

— Lamento muito, Gav!

— Não faz mal — respondeu ele.

Ela tinha a mão humedecida por causa do suor das suas costas. Chegou-se para trás até ficar de cócoras e fez-se um novo silêncio.

Ele encolheu os joelhos e rodeou-os com os braços. Sentou-se para a frente como um menino curioso e observou-a com interesse.

— És uma pessoa divertida, Sara. — Embora tivesse os olhos desfocados, parecia estar a falar com sinceridade.

Ela não soube como aceitar aquelas palavras e limitou-se a responder:

— Ah, sim?

Ele não explicou a sua afirmação, continuou a observá-la de uma forma que era tão lisonjeadora como perturbadora. Numa tentativa de não ficar quieta e ocupar-se com qualquer coisa, levantou a garrafa de cerveja e verteu na língua as últimas gotas que restavam. Sabia que ele estava a vê-la a fazer aquilo, que estava a conseguir o efeito desejado.

— Comecei a gostar cada vez mais de ti com o tempo, Sara. — Disse-o num tom fraco, até um pouco rouco.

— Claro!

— Não, não me interpretes mal! Sempre gostei de ti. — Fincou-lhe um dedo no joelho num gesto de recriminação. — O que se passa é que não te via!

— E tenho de me alegrar porque me tornei visível, não é?

Resmungou-o como se estivesse zangada, mas claro que se alegrava! De facto, estava eufórica! Que maior elogio podia receber-se de um artista?

Ele inclinou-se um pouco para trás, tirou uma cerveja da geleira e ofereceu-lha, mas, quando ela esticou a mão para a aceitar, encolheu o braço de repente para que não conseguisse alcançá-la e desatou a rir-se. Ofereceu-lha novamente, ela estendeu a mão e ele afastou a garrafa. Olhou para ele com uma careta de indignação e diversão e com a respiração acelerada por causa do esforço. Precipitou-se para a garrafa de repente, mas ele tirou-a novamente do seu alcance e ela caiu sobre o tapete entre gargalhadas e ficou ali, deitada de barriga para cima como um escaravelho virado ao contrário e com o rosto de Gav a bloquear a luz do sol.

— Não podemos deixar-vos sozinhos nem um minuto, pois não? — O tom de voz de Lou era mais de diversão do que de aborrecimento.

Ela endireitou-se com tanta rapidez que viu estrelas. Passou uma mão pelo cabelo, sentindo-se incomodada, e tentou beber de uma garrafa que ainda tinha a rolha. Gavin, no entanto, não mostrou desconforto nem reparo e disse, com toda a naturalidade:

— Porque demoraram tanto? Estávamos a ficar velhos de tanto esperar!

— Não encontrávamos o carro, amigo — redarguiu Neil, enquanto se aproximava, cambaleante, com um saco cheio de briquetes de carvão vegetal para o churrasco.

Gav abanou a cabeça num gesto que era uma mistura de diversão e de resignação.

Os vinte minutos seguintes decorreram numa voragem febril de atividade. Os homens, nus da cintura para cima (Sara não pôde evitar pensar que a imagem que Gav oferecia era mais agradável do que a de Neil), alternaram-se para se baixar junto do churrasco e soprar para os carvões. Enquanto eles atiravam um fósforo atrás de outro para a pira e se queixavam cada vez que o vento mudava de direção, elas esquivavam-se uma à outra enquanto andavam de um lado para o outro, transportando salsichas, abrindo pacotes de pão e destapando frascos de salada de couve. Em todos os meses que tinham passado de amizade nunca tinham trocado tantos «obrigada», «por favor» e «achas que...?» como naquele breve espaço de tempo e Sara não teria sabido dizer qual das duas era a responsável por aquela amabilidade tão exagerada e carregada de desconforto. A única coisa que sabia era que, quanto mais se esforçava para retomar o tom relaxado e natural com que costumavam tratar-se, mais vazio lhe parecia.

A coisa não melhorou quando as crianças regressaram. Ela foi a primeira que os viu chegar a correr pela colina. Pareciam alegres e cheios de vitalidade, tal como devia ser, e apercebeu-se de que há muito tempo que não via os seus filhos assim. Patrick ia à frente e, conforme se aproximou, a sua expressão foi passando da despreocupação própria de um menino à incompreensão e, por último, à indignação. Lembrou-se de que lhe prometera que poderia cozinhar as suas próprias salsichas, mas já era demasiado tarde e viu, como em câmara lenta, que acabavam de fazer a última que restava e Lou a transportava da churrasqueira para um prato aquecido. Os meninos chegaram naquele momento e começaram a mexer-se, ofegantes, exaltados e famintos, ao redor dos adultos.

— Aqui tens, Patrick! O primeiro a chegar come primeiro.

O menino ignorou as sandes que Lou lhe oferecia e fulminou-a com olhos acusadores.

— Não há direito! Não há direito!

— Sim, querido, eu sei o que te disse, mas se quisermos ir ver os The Jerem...

— Não importa! — O lábio inferior tremia-lhe cada vez mais. Era óbvio que estava a tentar conter-se à frente dos mais velhos.

— Sugiro-te que comas isto se queres jantar esta noite, Patrick — avisou Lou, enquanto tamborilava no chão com o pé.

— Não quero! — gritou o menino, antes de passar junto dela e afastar-se, furioso.

— Ena! Alguém se levantou com o pé esquerdo esta manhã! — exclamou Lou, com um aborrecimento fingido.

— Queria cozinhar o próprio jantar e prometi-lhe que poderia fazê-lo — explicou Sara, em voz baixa.

— Em nossa casa, não damos às crianças tudo o que pedem — respondeu Lou, antes de dar as sandes a Dash.

Observou-a, atónita. Que ironia! O principezinho mimado que recebia tudo, absolutamente tudo o que pedia, estava a comer o jantar de Patrick enquanto a mãe lecionava sobre restrições.

— Guarda uma para depois — murmurou.

— Bom, se achas que isso é apropriado, como queiras — declarou Lou. — Mas acho que não seria mau desinchar-lhe um pouco o ego.

Sara ficou a olhar para ela com incredulidade. Era incrível que ela, precisamente ela, estivesse a falar de egos... A mulher que deixara todos à espera durante semanas enquanto se dedicava a perder o tempo com a curta-metragem pretensiosa. A mulher que fora para Ann Arbor para se dar com outros narcisistas com a esperança de que retribuíssem o elogio, até todos eles terem acabado a lamber os seus traseiros pretensiosos num redemoinho de autocomplacência patrocinado pelo governo e ajudado por subsídios. Aquela injustiça era mais do que conseguia suportar. Virou-se e afastou-se antes de ceder ao impulso avassalador de estampar a cara de Lou contra o churrasco e mantê-la lá até assar e queimar.

19

Patrick detivera-se a alguns metros de distância, tinha as mãos entrelaçadas sobre a cabeça e estava a arrastar a ponta do sapato pelo chão. Embora estivesse de costas para Sara, era óbvio que lutava para conter as lágrimas.

— Pat...

Chamou-o num tom de voz suave e tentativo, mas ele deu um salto ao ouvi-la e começou a correr com umas passadas desajeitadas que o aproximaram cada vez mais da multidão. Consciente de que o filho poderia perder-se entre tantas pessoas num abrir e fechar de olhos, seguiu-o a uma distância prudente, mas sem o perder de vista. Viu como ia diminuindo finalmente a velocidade e, adotando uma indiferença de macho valente que lhe partiu quase tanto o coração como a birra de antes, parava numa das bancas e examinava uma varinha fluorescente com interesse.

— Queres uma? — perguntou, ao parar junto dele.

O menino fulminou-a com o olhar e abanou a cabeça.

— Uma libra cada, cinco se levarem seis — informou o jovem vendedor.

— Podíamos comprar também para os outros. Agora, não parecem grande coisa, mas quando a dobrares e a abanares...

— Sei como funcionam, deram-nos umas no dia Multicultural — resmungou o menino.

— Sim, tens razão.

Por um instante, viu-se transportada para o passado. Regressou a uma tarde de verão em que a música de uma banda de percussão caribenha invadia o pátio da escola e o cheiro a caril flutuava na brisa. Uma tarde em que reis com pérolas, vestidos com os seus fatos decorados com botões de madrepérola, tinham servido *falafel* enquanto somalis embelezados com o tradicional *kameez* serviam bolinhos com doce para acompanhar o chá. Tinham-na posto a cargo da tômbola que, por si só, angariara sessenta e quatro libras e trinta para a escola do Malawi, a parceira de Cranmer Road. Aquilo ficara muito longe!

Agarrou numa das varinhas, dobrou-a e maravilhou-se ao ver como começava a irradiar luz fluorescente.

— Que incrível! — exclamou, antes de criar um tocado improvisado para o cabelo com ela. — Como funcionarão? Lembra-me de procurar no Google quando chegarmos a casa. Talvez possamos fabricar umas sozinhos, seria um projeto de ciências muito engraçado.

— Não quero!

— Está bem, então, não tens de o fazer — redarguiu ela, com atitude apaziguadora. — O lado bom de aprender em casa é que podemos fazer as coisas de que gostamos, será divertido.

— Não, com essa mulher, não será!

— Pat, vá lá, não digas isso. — Baixou-se para que ficassem cara a cara. — A Lou não te disse aquilo com má intenção, o que se passa é que ela não sabia o que eu te tinha dito sobre as salsichas. — Engoliu a bílis que estava a subir pela garganta ao recordar a atitude moralista de Lou e respirou fundo. — Vais poder aprender muito com ela, tem imensas ideias. Sabias que até tem uma amiga que se dedica a fabricar marionetas? Umas muito engraçadas! A Lou vai pedir-lhe para fazer uma oficina criativa connosco.

— Não sou um menino pequeno!

— Eu sei, querido. Haverá muito mais atividades, coisas de menino grande. De facto, será de um nível muito mais avançado do que o que fazias em Cranmer Road, porque não terás de te preocupar com... pessoas menos motivadas, para o dizer de alguma forma.

— Ao ver que não conseguia entendê-la, acrescentou: — Olha, quero dizer que, na tua turma, eram... quantos, trinta alunos?

— Trinta e um, porque esse menino que não fala a nossa língua chegou a meio do trimestre.

— Exato! É precisamente a isso que me refiro. A menina Nicholls tem de ensinar trinta e um alunos, dos quais há um, no mínimo, que tem a nossa língua como segunda língua.

— Não a tem como segunda nem como primeira.

— Está bem, isso não tem nada de mal, mas a questão é que a menina Nicholls tem de se encarregar sozinha de uma turma com trinta e um alunos.

— Bom, agora, são apenas trinta outra vez, porque eu me fui embora.

— Sim, isso, trinta. E há um, no mínimo, que tem problemas com a nossa língua.

— Não é que tenha problemas, é que não sabe.

— Não, não sabe. Está bem, está bem. É óbvio que, para a menina Nicholls, não é uma tarefa fácil ensinar tantos meninos, mas tu tiravas umas notas brilhantes! — Olhou para ele com um sorriso radiante que fez com que ele a observasse com desconfiança. — Se conseguiste aprender tanto apesar de teres trinta colegas, cada um deles com as suas próprias... dificuldades, imagina o que vais aprender numa turma com quatro alunos!

— Isso não é uma turma a sério.

— Claro que é! É uma turma pequena e haverá duas professoras entre quatro, o que significa que terão...

— Meia professora para cada um.

— Sim, muito bem! — Acariciou-lhe o cabelo num gesto afetuoso. — Ou dois alunos por professora, se quisermos expressar a proporção.

Depois de fazer um breve passeio pelo festival, Patrick e ela dirigiram-se para a tenda de Gavin e Lou. O menino que, na altura, já parecia ter esquecido o seu aborrecimento e estava a devorar com vontade um *burrito* enquanto subiam pela ladeira, começou a correr assim que viu os outros, impaciente por mostrar as varinhas às outras crianças. Ela, enquanto isso, seguiu-o sem pressa e parou ao ver Lou parada junto de uma torneira, a lavar os pratos.

— Olá, Lou! — cumprimentou, com uma certa secura.

A sua amiga chegou-se para trás até ficar de cócoras, semicerrou um pouco os olhos ao levantar o olhar para ela e cumprimentou-a com o sorriso encantador e persuasivo de alguém que não tem a menor ideia de que ofendeu a outra pessoa com o seu comportamento.

— Que bom! Já estás de volta!

— Eu teria feito isso — afirmou, ao apontar com um gesto da cabeça para a bacia cheia de água.

— Não te preocupes, já está feito. Pensei que, se vamos ver os The Jeremiahs...

— Ah, isso já está decidido?

— As crianças têm muita vontade de ir.

Ela esforçou-se para sorrir. Pensou que era uma simpatia por parte de Lou lavar a loiça e também ir ver o grupo para agradar às crianças. Sim, claro, uma verdadeira simpatia.

— Está bem. Mas, primeiro, gostaria de ir mudar de roupa.

— Não é preciso, estás bem assim — garantiu a amiga, antes de lhe segurar o braço.

Os outros já desciam a ladeira em fila. Zuley estava nos ombros de Gavin e as crianças conversavam animadamente e tinham agarrado as varinhas fluorescentes. Pareciam uma família Von Trapp psicadélica a dirigir-se para a fronteira da Suíça.

Quando chegaram ao palco principal, o lugar já estava ocupado por uma multidão densa, mas reinava um ambiente relaxado que foi de agradecer, tendo em conta que Lou e Gavin não tiveram reparos em avançar para a frente, abrindo caminho entre as pessoas. Ela baixou a cabeça e seguiu-os e surpreendeu-se ao ver a docilidade com que as pessoas cediam terreno para alguém que se comportava como se tivesse todo o direito do mundo de avançar sem mais nem menos. Assim que chegaram à frente do palco, os quatro adultos dedicaram-se a partilhar uma garrafa de tequila e a conversar entre eles enquanto o anoitecer ia caindo. O público era jovem, mas de aspeto vanguardista. Adolescentes magros com calças de ganga rasgadas partilhavam charros com os pais, uns pais que pareciam ter a síndrome do Peter Pan e que, na sua maioria, tinham tantos *piercings* e tatuagens como os filhos. Se aqueles eram o tipo de seguidores que os The Jeremiahs tinham, Gavin também não tinha de se gabar tanto pelo facto de os conhecer.

O público rebentou em gritos e aplausos quando o grupo apareceu finalmente em palco. Era formado por homens diversificados e desarranjados que vestiam coletes e usavam lenços ao pescoço, tinham o cabelo espesso a coroar a cabeça e alguns pelos no queixo que, com muita dificuldade, podiam considerar-se uma pera. Começaram a tocar o tema mais conhecido e, satisfeita ao ver que sabia a letra toda, cantou juntamente com os outros e sorriu com indulgência ao ver que Caleb e Dash levantavam os braços ao ritmo da música. Durante a segunda canção, animou-se um pouco mais e começou a entrechocar as coxas com um ritmo sincopado. Neil estava no sétimo céu, mexia a cabeça com os olhos semicerrados como um recém-nascido à procura do peito e, embora não pudesse evitar pensar que parecia um pouco tolo, a verdade era que sentia inveja ao vê-lo a desfrutar com tanto abandono. Gavin começara a demonstrar estar também ligeiramente entretido, embora existisse a possibilidade de os movimentos rítmicos que fazia de forma esporádica serem para entreter Zuley, que continuava às cavalitas. Quanto a Lou, não parecia estar a desfrutar do concerto. De facto, duas ou três vezes, pôs-se em bicos de pés, levou uma mão à boca e gritou qualquer coisa ao ouvido Gav, que respondeu com um sorriso irónico e um gesto de assentimento.

Umas últimas linhas cantadas em coro e acompanhadas por um sapateado rítmico, os instrumentos de sopro a terminar as últimas notas e o concerto acabou. O público assobiou, aplaudiu, deu gritos entusiastas e, depois de um suspiro de satisfação coletivo, começou a dispersar-se finalmente.

— O que querem fazer agora? — Gav pôs Zuley no chão, apesar dos protestos da menina, e esfregou o pescoço. — Se nos apressarmos, chegaremos a tempo de ver o Billy Bragg no Spiegeltent.

— Achava que íamos conhecer grupo — disse Sara.

— Ufa! A sério que temos de ir? — Gav fez uma careta.

— Será melhor irmos, Gav — interveio Lou. — Parece-me que o Will me viu.

— Quem é o Will? — perguntou Sara.

— O teclista — respondeu Lou, com um sorriso condescendente.

Quando passaram o cordão de segurança e chegaram à zona reservada aos artistas, Sara começava a pensar que talvez aquilo não tivesse sido uma boa ideia. O lugar sacrossanto para onde os fizeram entrar era apenas um módulo prefabricado com um cartaz onde dizia «Visitas», mas o mero facto de os deixarem entrar já parecia dar-lhes um prestígio de que não se sentia merecedora. Lou e Gavin, como sempre, exsudavam um estilo relaxado e natural e até o próprio Neil estava à altura das circunstâncias, graças à sua barba incipiente e aos seus *Converse*, mas ela ainda estava vestida com as calças de ganga e a *t-shirt* que escolhera naquela manhã. Tinha manchas de suor nas axilas, o rosto gorduroso e o cabelo murcho devido ao calor. A única coisa boa do seu conjunto era a pulseira que lhe tinham posto, que lhe dava acesso a todas as zonas do festival.

O módulo estava mobilado de forma muito simples e havia o principal para satisfazer as necessidades básicas da banda. Uma mesa com garrafas de água e um pequeno lanche, dois sofás velhos em que estavam sentadas as namoradas de vários deles com cara de aborrecidas. Os membros da banda andavam de um lado para o outro com o peito nu e a beber cerveja. Pareciam cansados, mas entusiasmados. Gavin e Lou foram cumprimentá-los e, durante a ronda de choques de punhos, palmadinhas no ombro e beijos no ar, apresentaram Dash e Caleb como grandes fãs do grupo, que acedeu a tirar fotografias com eles. Neil começou a conversar com o técnico de som e Sara permaneceu ao seu lado durante alguns minutos, mas acabou por se aborrecer e foi servir-se de alguma coisa para beber. O ambiente cada vez animava mais e os decibéis foram subindo à medida que permitiam o acesso a mais convidados. Ao ver que o lugar se enchia cada vez mais de pessoas que, ao contrário dela, pareciam ter uma razão válida para estar ali, sentiu-se mais do que nunca como uma impostora. Lou e Gavin estavam no outro extremo da sala, a conversar com um tipo bastante bonito que devia ter cerca de cinquenta anos e que, apesar de ter uns olhos cansados e uma barriga incipiente, ainda irradiava um carisma plausível de roqueiro. Supôs que devia ser Mick, o representante do grupo. Gav passara-lhe um braço pelo ombro e estava a contar-lhe alguma história arrevesada, mas o tipo tinha toda a sua atenção concentrada em Lou. Nem a menina adormecida que ela tinha apoiada na anca nem o facto de o seu marido estar ali mesmo conseguiam distraí-lo do decote de Lou, para onde dirigia todos os seus comentários, e ela não parecia estar incomodada. Ao contrário, dava a impressão de que a amiga estava a desfrutar da situação. Ter-se-ia sentido mal por Gav se não soubesse em primeira mão que ele também tinha tendência a sentir-se tentado.

Naquele momento, ouviu o som de vozes que se erguiam cada vez mais e, ao lançar o olhar para lá, viu Dash e Caleb a discutir junto dos matraquilhos. A coisa estava a descontrolar-se e alguns dos convidados começavam a lançar-lhes olhares de desaprovação. Dirigia-se para eles quando Lou a intercetou e lhe disse, em voz alta, para se fazer ouvir por cima do bulício:

— Sim, parece-me que já está hora de nos irmos embora! Vão andando, Sara, nós vamos assim que nos despedirmos de todos. Levam as crianças, não é? Importas-te de levar também a Zuley? — Passou-lhe a menina, que continuava a dormir. — Sabia que não era boa ideia trazê-los.

* * *

203

Minutos depois, enquanto se dirigia para a tenda aos tropeções, Sara resmungou, carrancuda:

— O que se passa? Agora, sou a ama? — A cabeça de Zuley ricocheteava contra o seu ombro com cada passo irado que dava.

— Vais acordá-la! — avisou Neil, que andava junto dela, apressado. — Vá lá, passa-ma!

— Eu nunca disse que me ia embora! Ela presumiu-o!

— Sar, as crianças vão ouvir-te.

Ela parou e virou-se para ele.

— Não quero saber se me ouvem! Essa mulher tem uma grande lata! — Sentiu-se um pouco culpada ao ver que Zuley levantava a cabeça e dava um pequeno gemido de protesto. — Pobrezinha, já devia estar deitada há horas. Não foi uma atividade muito apta para crianças, pois não? O lugar estava cheio de fumo. Além disso, quem pensa em dar *Red Bull* às crianças? Que disparate!

— Viram-no na mesa e beberam-no sozinhas, agradece o facto de não terem tocado no *Jack Daniel's*. Em qualquer caso, não sei porque culpas os outros, se foste tu que insististe que o Gav nos levasse a conhecer o grupo.

— Sim, mas achava que seria um autógrafo rápido e que nos despediríamos — queixou-se, em voz baixa —, não esperava tanta atividade! Viste o pervertido que não tirava os olhos de cima da Lou? Estava muito envergonhada! Ah e mais outra coisinha: Primeiro dizem: «Que aborrecimento, são o grupo mais tolo do planeta e não temos vontade de ir vê-los.» Depois, dizem: «Oh, Will, foste incrível!», «Mick, amigo, fico muito feliz por voltar a ver-te!». Ou é uma coisa ou é outra, que se decidam! Não sei se compreendes.

Nessa altura, já tinham chegado à tenda e, depois de esperar que Neil abrisse o fecho, entrou e foi deitar Zuley no colchão insuflável de Carol. A fralda da menina estava praticamente encharcada, mas não havia nada que pudesse fazer. Neil estava a tentar sossegar as crianças no habitáculo que servia de sala de estar, mas, a julgar pelo barulho, o *Red Bull* começava a fazer efeito.

20

— Truz-truz! Bom-dia! Quem quer um café?

Sara abriu os olhos e ficou cega pela luz brilhante do dia. Sentia dores de cabeça. Tentou mexer-se, mas descobriu que estava aprisionada por baixo do corpo de Patrick, cuja respiração quente lhe passava por baixo do nariz. Foi saindo com cuidado de baixo do menino, tentando evitar que rodasse para um lado e chocasse contra a confusão de crianças comatosas que os rodeavam.

— Já vou! — exclamou, com irritação, enquanto abria caminho entre os corpos imóveis. Abriu o fecho da entrada e saiu.

— Bom-dia! — cumprimentou-a Lou, antes de lhe dar uma base para copos de cartão.

Ela aceitou, contrariada, um dos três copos de café que continha e a amiga acrescentou:

— Que mau aspeto! Estás por fora como eu estou por dentro.

Ela baixou o olhar para o seu pijama largo e anódino e olhou para Lou, que irradiava vitalidade com uns calções desfiados e umas botas *Blundstone* e tinha o cabelo apanhado em duas tranças que lhe ficavam muito bem. Foi incapaz de emitir uma resposta.

— A festa de ontem à noite foi incrível!

Fez uma careta ao ouvir aquelas palavras e limitou-se a perguntar:

— A que horas se foram embora?

— Pouco depois de vocês. Viemos buscar as crianças, mas estava tudo tão silencioso que decidimos que seria melhor não incomodar. Devem ter conseguido deitá-las num tempo recorde.

— Não, a verdade é que não. — Viu que a amiga tinha, pelo menos, a decência de parecer um pouco contrita. Depois de um silêncio bastante incómodo, murmurou: — Este café é muito bom.

— É, não é? É da Guatemala, também tenho algumas delícias para o pequeno-almoço. Venham quando vos passar a ressaca, vamos cozinhar para vocês.

— Não poderiam vir aqui? Assim, pouparíamos o esforço de ter de levar as crianças até lá acima.

— Esta zona é bastante pública, não te parece? Além disso, convidámos alguém para tomar o pequeno-almoço que, certamente, prefere ter toda a privacidade possível. — Esboçou um sorrisinho enigmático.

Sara sabia que devia perguntar quem era esse convidado misterioso, mas limitou-se a responder:

— Está bem, incrível.

Apesar de tudo, enquanto subia com Neil rumo à tenda dos amigos alguns instantes depois, já estava de melhor humor. Desejava ver Gav e, para dizer a verdade, sentia curiosidade por descobrir a identidade do visitante misterioso. Ao fim e ao cabo, quem poderia estar tão interessado em proteger a sua privacidade num festival onde havia dez mil pessoas dispostas a fazer tudo?

Ao chegar ao topo da colina, descobriu a resposta. O recém-chegado estava sentado numa cadeira de acampamento, com uma *t-shirt* que rezava «Occupy Wall Street» e uns calções caqui.

— Ezra!

Olhou para eles com reserva e Lou inclinou-se para lhe sussurrar alguma coisa ao ouvido.

— Sara! Neil!

— O que te traz por estas bandas? — perguntou ela, enquanto se aproximava dele e lhe beijava ambas as faces com uma certa hesitação.

— Estou a fugir.

Lou apontou para ele com o polegar e comentou, com uma pequena gargalhada:

— Fugiu a correr do festival literário de Budleigh Salterton. Ainda devem estar à procura dele lá.

Neil e ela sentaram-se junto de Lou e Gavin no tapete aos quadrados. Enquanto tomavam o pequeno-almoço à base de ovos fritos com chouriço que não podia negar-se que estavam deliciosos, dedicaram-se a ouvir enquanto Ezra tagarelava sem parar.

— Mas tenho de reconhecer que estas inglesas adoram ler — comentou ele, a certa altura, com as comissuras da boca sujas de gema de ovo.

— Adoram ler o teu trabalho — lisonjeou Lou, com um sorriso afetado.

— O meu e o de qualquer outro — corrigiu Ezra. — Tanto faz se é um pobre diabo a explicar as suas misérias, um chefe famoso, um ditador deposto ou o cabrão do Deepak Chopra. Se escreveres um livro, estarão aos saltos à tua volta.

— Não te parece que é um pouco condescendente? — inquiriu Neil.

— Bom, suponho que poderia ser se realmente gostares do Deepak Chopra. — Ao ver que Neil cruzava os braços e não cedia, admitiu: — Está bem, tens alguma razão. — Pôs na boca um último pedaço de pão e continuou a falar com a boca cheia. — Estou a exagerar, mas se estivesses preso numa assinatura de livros por causa de uma fila de miúdas... porque há sempre noventa por cento de miúdas... Que ia desde aqui até... — Fez um gesto vago para indicar uma grande distância.

— A *Hay-on-Wye* — propôs Gav.

— Sim, isso. Enfim, tu também estarias farto.

— Achava que gostavas de mulheres — replicou Lou, num tom de recriminação.

— Gosto de algumas. — Olhou para ela com um sorrisinho descarado.

Sara escolheu aquele momento para se atrever a intervir na conversa com uma pergunta.

— O que estás a ler agora, Ezra?

— Bom, Sara — enfatizou ligeiramente o seu nome —, estou a descobrir a *oeuvre* da Doris Lessing.

— A sério? Ena, nunca teria adivinhado que era o teu estilo.

— Estás a dizer que tenho um estilo?

— Não! Quero dizer que... Enfim, não era uma feminista famosa?

— Ao contrário, eu diria que tinha uma falta de correção política deliciosa. Ofende tudo e todos, tal como qualquer artista sério deve fazer. — Olhou para ela e arqueou uma sobrancelha eloquente.

Ela corou, entusiasmada ao mesmo tempo que incrédula. Aquilo significaria que...? Observou-o com um sorriso cúmplice e provocador. Sim, não havia dúvida, o próprio Ezra Bell lera o seu romance! Corou ainda mais, enlevada, e lutou para manter a compostura. Estava surpreendida, sentia-se lisonjeada... não, mais ainda: Estava pronta! Sabia que era suscetível a ser acusada de ser politicamente correta, mas argumentara essa crítica num sem-fim de conversas imaginárias que tivera com Ezra na sua mente. De facto, na classificação das suas fantasias preferidas, aquela ocupava o segundo lugar.

— Eu sou totalmente a favor de ofender seja quem for, é claro, mas acho que, para o fazer, não é necessário reforçar estereótipos negativos.

— Ah, não? — Ezra adotou uma expressão maliciosa.

— Não. Sim, é verdade que o traficante de droga do meu livro é de cor e que isso, obviamente, me expõe a, no melhor dos casos, me acusares de usar estereótipos e, no pior, de ser racista, mas não me arrependo da minha escolha porque encaixa na história.

Ezra franziu o sobrolho e acendeu um cigarro.

— Mas enganas-te se achas que essa é a razão por que decidi dotá-lo de um mundo interior e apresentá-lo como um personagem de moral ambígua com um passado que demonstra que tem muitas qualidades positivas. Tem de possuir essa dualidade para o facto de se sentir fascinado pela Nora fazer sentido, visto que ela não é uma masoquista comum. Para mim, teria sido muito fácil descrevê-lo como um valentão, mas eu diria que o facto de ter dado profundidade à personagem não é uma demonstração de correção política instintiva, mas um ponto positivo como escritora. — Chegou-se um pouco para trás. Sentia-se bastante satisfeita consigo própria.

Levou o cigarro à boca, exalou o fumo e abanou a cabeça.

— Apanhaste-me.

— Estás a dar-me a razão? — Olhou para ele com desconfiança. Achava que, pelo menos, daria um pouco de luta.

— Suponho que ta daria se realmente soubesse a que te referes.

Ela ficou atónita ao ouvir aquilo e sentiu como as faces coravam, mas, nesse caso, foi por causa da humilhação que sentia. Ali estava ele, como um semideus literário, sentado na cadeira de acampamento, a segurar um cigarro entre os seus dedos ossudos e com os pés pulcramente cruzados à altura dos tornozelos, a olhar para ela com um ar de perplexidade cortês. Como raios lhe passara sequer pela cabeça que ele leria o seu manuscrito? Estava claro que nem sequer o vira, que nem sequer se lembrava de que lhe tinham pedido para o ler. De facto, de certeza que mal recordava vagamente tê-la conhecido antes.

— Ah, é que tinha a impressão de que tinhas lido o que escrevi. Desculpa a confusão. — Lançou um olhar magoado a Lou.

— Alguém poderia dizer-me o que devia ter lido, caralho?

— O romance da Sara, Ezra. Enviei-to. — Lou esbugalhou os olhos. — É fantástico, realmente prometedor! Talvez devesses verificar se foi parar ao lixo no teu correio eletrónico, chama-se *Regresso ao Lar*.

— *A Boa Cobrança* — murmurou Sara.

— Sim, *A Boa Cobrança*! Talvez o arquivo fosse demasiado grande para o enviar por correio eletrónico.

* * *

À tarde, os homens foram ao concerto de um grupo de *bluegrass* e Sara e Lou levaram as crianças a um *workshop* de atividades do circo.

— Isto traz-me muitas lembranças! — exclamou a segunda, enquanto estavam na fila e saboreava o cheiro a erva quente e à tenda do circo.

— Que sorte. Nós nunca fomos ao circo. A minha mãe dizia que era algo muito ordinário.

— Também não me levaram quando era criança. Referia-me a ter estado num.

«É claro», pensou Sara para si. «Só podia ser!»

— Nunca te falei de Full Fathom Five? — perguntou Lou. Dava a impressão de que lhe parecia incrível ter-se esquecido de mencionar aquele assunto. — Suponho que, tecnicamente, não era um circo, mas um teatro físico, embora fosse algo que ainda não existia como tal naquele tempo. Treinávamos numa tenda muito parecida com esta. O fundador foi o Jerzy Novak, um polaco com um talento incrível. Está casado com a Beth, da *Little Creatures*, que virá...

— Fazer marionetas. — Sara acabou a frase por ela e assentiu.

Estivera a pensar sobre fazer marionetas, sobre as aulas de guitarra e sobre o resto das atividades que Lou e ela teriam de planear e fiscalizar dia após dia quando começassem a educar as crianças em casa. Era algo em que não parara de pensar.

— Agora, é alcoólico, é uma verdadeira pena — acrescentou Lou. — Naquele tempo, era fantástico, nem imaginas o que esse homem era capaz de fazer com o corpo! A verdade é que estava um pouco apaixonada por ele. Preguei um bom susto aos meus pais porque chumbei a quase todas as disciplinas. Mas não me esqueci de como andar sobre as mãos, olha!

Sara deu por si a olhar, atónita, para as plantas dos pés de Lou, que começou a passear de um lado para o outro à frente do olhar surpreendido das famílias que estavam na fila. O vestido caía-lhe sobre a cara e a única coisa que evitava que ficasse exposta era umas *leggings* pretas. Endireitou-se novamente com um salto ágil para trás e os ali presentes recompensaram-na com uma ronda espontânea de gargalhadas e aplausos.

Assim que as crianças se inscreveram, todos se sentaram nos bancos e Hepzibah e Dave, dois instrutores que tinham *piercings* nos lugares mais imaginativos, explicaram que comportamentos eram aceitáveis ou não num *workshop* como aquele, onde tinham de ser especialmente cuidadosos para acautelar acidentes. Começaram a enumerar as atividades disponíveis e o ambiente animou-se cada vez mais. Para cada disciplina (acrobacias, pernas de pau, monociclo, etc.), havia um colchão que servia como ponto de reunião. Dash e Caleb optaram pelos malabarismos, mas os pequenos começaram a andar de um lado para o outro sem conseguir decidir e as suas opções foram diminuindo com cada segundo que desperdiçavam.

— Acrobacias! — exclamou Patrick, finalmente.

O menino agarrou na manga de Arlo para o levar até ao colchão em questão, mas, antes de conseguirem ficar com os dois últimos lugares disponíveis, Lou distraiu-os. Baixou-se à frente deles com as palmas das mãos juntas entre as coxas e começou a dar-lhes um sermão. Sara não conseguia ouvi-la devido ao barulho, mas viu-a a apontar com a cabeça imensas vezes para outro colchão, um que parecia distinguir-se pela sua falta de popularidade. Ao ver que Patrick lhe lançava um olhar suplicante, começou a levantar-se do banco para intervir, mas apercebeu-se de que não só tinham ocupado os lugares que restavam para as acrobacias, como todos os outros colchões estavam cheios. Sentou-se novamente e encolheu os ombros com resignação.

— Mímica! — exclamou Lou, ao regressar ao banco, com um ar de satisfação. — Sempre pensei que seria a atividade perfeita para o Arlo, que o ajudaria com os seus problemas.

Ela estava prestes a dizer-lhe que isso não significava que também fosse a atividade perfeita para Patrick quando viu que o menino se aproximava com passo irado e um ar de tristeza. Tentou passar-lhe um braço pelos ombros, mas ele rejeitou o gesto.

— Vá lá, Pat, antes adoravas o Mr. Bean! — exclamou, num tom persuasivo.

— Sim, quando tinha cinco anos!

— Isto vai ser fantástico! — exclamou Lou, que mal parecia ter-se apercebido do desgosto de Patrick. Fez um trejeito de entusiasmo e, sem se virar para olhar para ela, deu-lhe uma pequena cotovelada. — O tipo que gere este *workshop* trabalha no *Théâtre de Complicité*! É um privilégio! — Levantou-se e estendeu a mão para o menino. — Ainda estás a tempo de mudar de ideias, Patrick.

Olhou para ela com um semblante pétreo e ela encolheu os ombros, voltou a sentar-se e, então, lançou um olhar de comiseração a Sara, como se ela tivesse criado um delinquente.

Ficaram ali os três, sentados em fila no banco, enquanto cada grupo desenvolvia a atividade escolhida e os gritinhos e as gargalhadas ecoavam na tenda. Sara agradeceu que houvesse tanto barulho, porque não estava de humor para falar e estava claro que o mesmo poderia dizer-se de Patrick. Estava quase tão zangada consigo própria como com Lou e, àquela altura, já não podia fazer nada para parar o vendaval colossal da educação em casa, que se aproximava, imparável. Não podia cancelá-lo. O mundo inteiro estava atento, Carol estava atenta. Mas teria de se esforçar mais para defender os direitos dos filhos.

Ao fim de um instante, apercebeu-se de que Lou estava a mexer-se de vez em quando, que apalpava por baixo do banco e inclinava a orelha para o chão como se conseguisse ouvir, por cima do barulho, algum som enigmático. Ela limitou-se a ignorá-la, pois não estava disposta a dar-lhe o gosto de responder a outra tentativa patética de chamar a atenção. A pobre nem sequer tinha consciência do que estava a fazer, era como uma criança pequena. Mas Lou não se rendeu. Continuou assim até chegar um momento em que estava ajoelhada na erva, a olhar entre os pés de Patrick com a mão estendida para a frente, e ela não pôde continuar em silêncio.

— O que se passa, Lou?

— Psiu! — Levou um dedo aos lábios e sorriu.

Intrigada, apesar de não querer, viu-a a esfregar o polegar e o indicador como se tentasse atrair algum bicho. Rodeou os joelhos com os braços para se proteger e chegou-se um pouco para um lado para o caso de se tratar de um rato. Lou parecia apreensiva, mas não parecia assustada. Estava a fazer um barulho curioso, como se tentasse atrair o que quer que fosse. Patrick também se apercebeu do que se passava e, embora fingisse indiferença ao princípio, no fim, a curiosidade venceu.

— O que se passa? — perguntou-o sem falar, articulando a pergunta com os lábios.

Ela encolheu os ombros para responder que não sabia e ambos voltaram a baixar o olhar para Lou que, de repente, se chegou para trás. Fosse o que fosse o que havia lá em baixo, estava claro que se mexera. Patrick deu um grito. Lou fez um gesto descendente com a mão para pedir calma, gatinhando pelo chão e, depois de percorrer mais ou menos um metro, estendeu a mão como se estivesse a oferecer comida. Com a respiração contida, inclinou-se para a frente e esticou-se ao máximo. Parecia estar prestes a ganhar a confiança do bicho... Apanhou-o de repente e, depois de recuar com uma certa dificuldade, levantou-se com uma atitude de triunfo. Sara teve um momento de confusão total. A posição desajeitada de Lou, a sua expressão enlevada, o movimento repetitivo da mão direita... Tudo isso parecia indicar que segurava algum animal bastante pesado, provavelmente, um coelho. Ela teve de voltar a olhar bem para se certificar, mas não, não se enganara, ali, não havia animal algum. Sentiu um formigueiro na nuca e a pele ardia de vergonha. «Está louca», pensou para si. E, então, olhou para Patrick e viu que o seu aborrecimento desaparecera e se aproximava de Lou, maravilhado e sorridente, ao ver o convite tácito dela para acariciar o bichinho inexistente.

21

Lou tivera razão ao dizer que o festival seria como uma espécie de experiência prática. O que as crianças poderiam ter aprendido era o menos importante, a questão era que, para Sara, fora muito instrutivo. Poderia dizer-se que a lição principal que tirara de tudo aquilo fora que o amor e o ódio estavam relacionados. Por cada vez que Lou a deixara espantada com algum comportamento narcisista, houvera outra em que a apaixonara com o seu encanto. Cada ato de insensibilidade chocante fora contraposto com um de generosidade, cada palavra cheia de aspereza fora compensada com alguma ação terna. Ver Patrick a aprender o poder da mímica através da interpretação extraordinária de Lou comovera-a e também lhe recordara porque se esforçara tanto para conquistar a amizade daquela mulher. E, mesmo assim, o que levou consigo daquela saída foi o ódio, um ódio que, durante a viagem de regresso, aumentou ainda mais. Tinham combinado que Arlo viajaria com Neil e com ela para deixar espaço no *Humber* para Ezra e aquela decisão não fora um problema até, noventa minutos depois de começar o trajeto, o menino vomitar copiosamente no banco traseiro do carro.

— O Ezra poderia ter apanhado o comboio, não achas? Dinheiro não lhe falta! — exclamou em voz baixa para Neil, enquanto ia cortando toalhitas de papel do rolo que tinha na mão e as passava para o banco traseiro.

— Não podia dizer-lhes isso com ele presente, pois não?

Tínhamos um lugar livre e faltava-lhes um. Talvez o tivesse feito se soubesse que o Arlo ia vomitar, mas não sou adivinho!

— Tem graça, não tem? — perguntou, com amargura, antes de abrir a janela para que o interior do carro ventilasse um pouco. — Acabam sempre por nos passar as crianças. Meu Deus, está a vomitar outra vez!

— Merda, que nojo! — exclamou Caleb. — Papá, tens de parar! Há vómito por todo o lado!

— Sim, Caleb. Cuidado com essa linguagem. Achas que não estou a tentar encontrar algum lugar onde parar? Estamos na autoestrada!

Ela olhou com preocupação por cima do ombro. Patrick estava muito quieto, demasiado e, tal como Arlo, também tinha um ar macilento.

— Vamos chegar à saída de Staines em breve — avisou Neil, para que ela decidisse o que fazer.

— Ai, não! Falas a sério?

Pouco depois, a mãe de Sara estava a dar-lhes as boas-vindas.

— Não, claro que não me importo! Entrem, entrem! Só que... Como se chamava? Ah, sim, Arlo. Arlo, querido, podes ficar no alpendre por um momento, até te trazer uma muda de roupa? Ena, é um desastre, não é?

Não havia nada de que a mãe de Sara gostasse mais do que de uma crise. Daquela vez, tomou imediatamente o controlo e andou de um lado para o outro, abrindo a torneira do duche, indo buscar roupa limpa e dando instruções ao seu marido sobre como limpar o carro. Mas aquela avalanche tão exagerada de amabilidade solícita foi demasiado para Arlo, que estava habituado a um regime espartano de mão dura em que as suas necessidades ocupavam os últimos lugares do escalão. Depois de um fim de semana em que os limites frágeis a que estava habituado quase tinham desaparecido, um fim de semana em que comera e dormira de forma errática, se dera com estrelas de *rock*, subira uma escada rolante imaginária e o tinham posto num carro a que não estava habituado, ver-se de repente numa carpete *Wilton*

215

que lhe chegava até aos tornozelos enquanto uma senhora perfumada o enchia de cuidados foi mais do que conseguiu suportar. Encolheu-se num canto e começou a soluçar discretamente.

— Pobrezinho, quer que a sua mamã venha! Não é, meu querido? — A mãe de Sara deu-lhe umas palmadinhas no ombro e pôs a mão na manga em busca do lenço que guardava lá.

— Ficará bem em breve, mamã — garantiu ela. — Vamo-nos embora assim que o carro secar.

Mas Arlo agarrou-se à ideia que acabavam de lhe pôr na cabeça.

— Mamã! Quero... quero a minha mamã!

Continuou a soluçar aquelas palavras enquanto chorava, até que tudo o que não fosse ligar com urgência a Lou parecesse uma crueldade.

— Vou pôr a chaleira a aquecer — disse a mãe.

— Não é preciso, não vêm — apressou-se a responder ela.

Richard esticou o braço para fazer emergir o pulso por baixo do punho da camisa de algodão e deu uma olhadela ao seu relógio.

— Talvez venham, Sara. A esta hora, há demasiado trânsito para circular por Londres.

E, com essas palavras, a última esperança de Sara de evitar a colisão de dois planetas remotos e hostis desapareceu e preparou-se para a catástrofe que se aproximava.

O *Humber* parecia algo tirado de outro planeta ao estacionar naquele bairro cheio de *BMW* e *Audis*. Quando as portas se abriram, Sara percebeu um cheiro leve a couro, para além do cheiro característico do clã Sheedy Cunningham. Esse cheiro era uma mistura do cheiro agradável a humidade que imperava na casa, do perfume particular de Lou e de algo a que ela não saberia pôr um nome, talvez fossem feromonas.

Minutos depois, enquanto abria a marcha pelo caminho duplo de entrada pavimentado com blocos de pedra, olhou para Lou e murmurou, num tom de desculpa:

— Uma chávena rápida de chá e vamos, só querem ser hospitaleiros.

Mas Lou não parecia ter pressa e ligou o seu encanto na potência máxima.

— Que casa tão espetacular, senhora Wells! Não sabe como lhe agradeço por ter ajudado com o Arlo.

— De facto, Louise, sou a senhora Wentworth-Wells, já que voltei a casar-me e fui suficientemente tradicional para querer ficar com o apelido do Richard. Mas não queria ser desrespeitosa com o falecido pai da Sara, é claro, portanto, uso os dois. Para ser sincera, é algo que me parece bastante pretensioso quando os outros o fazem, mas é o que há. Podes chamar-me Audrey.

— Olá, Audrey — cumprimentou Gav, com um sorriso encantador.

— Vocês são os vizinhos, não são?

Sara apercebeu-se de que a mãe estava a tirar-lhes medidas como uma perita. Albergara a esperança de que não fizesse a ligação, mas Gavin e Lou eram a imagem viva de um artista e de uma cineasta. Para tentar minimizar os danos, estava disposta a desviar a conversa se houvesse alguma menção do assunto da educação em casa, já que queria evitar que o abismo filosófico que separava o ponto de vista da mãe do dos amigos no que dizia respeito a essa opção fosse demasiado evidente e impossível de ignorar. Aquela reviravolta desafortunada dos acontecimentos tinha um único aspeto positivo: Ezra decidira ficar no carro.

Depois de limpar a sola dos sapatos no alpendre, tal como exigiam as regras de cortesia, entraram na casa.

— Olá, campeão! Sentes-te melhor? — perguntou Gavin a Arlo, antes de o sentar no seu colo.

O menino, que acabara de tomar banho, escondeu o rosto no pescoço do pai.

— A Sara era igualzinha — comentou a mãe, com um sorriso nostálgico, enquanto ia distribuindo chávenas de café. — Lembras-te, querida? Enjoavas sempre no carro quando íamos de férias.

— Lembro-me de ter enjoado uma vez.

— Não, acontecia-te com frequência! Daquela vez que fomos ao casamento da Gail, só estávamos há vinte minutos no carro quando começaste a...

— Obrigada, mamã!

— A chave consiste em estarmos preparados, eu tinha sempre alguns sacos de plástico no porta-luvas.

— Nós tínhamos sacos no carro.

— E deviam ter posto umas folhas de jornal por baixo, se sabias que enjoava.

— O Arlo não costuma enjoar.

Sara olhou para Lou com incredulidade ao ouvi-la a dizer aquilo, mas, antes de conseguir falar, a amiga acrescentou:

— Mas suponho que esteja habituado ao nosso carro velho, não a um carro novo como o vosso. Parece-me que esse cheiro tão sintético, às vezes, pode ser um pouco... não sei, desagradável. Além disso, os carros assim, como Deus manda, estão hermeticamente fechados, não é? Não como o nosso carro velhote. Entra-nos um vento impetuoso de força dez, mesmo que tenhamos as janelas fechadas.

Todos sorriram ao ouvir falar da excentricidade encantadora do carro de Lou e Gavin, um carro que tinha um sem-fim de defeitos peculiares que, na verdade, eram (que surpresa, quem teria podido imaginá-lo?) vantagens encobertas.

— De modo que sim, é possível que tenha sido por causa do carro — estava a dizer Lou, naquele momento —, mas penso que o verdadeiro motivo é o facto de se ter deitado tarde ontem à noite.

Sara apertou a almofada que tinha no colo com força, mas, antes de conseguir decidir-se entre atirá-la a Lou ou afundar os dentes nela, Ezra espreitou pela porta.

— Perdão, alguém pode dizer-me onde é a casa de banho?

Assim que a mãe descobriu que, por muito que as aparências indicassem o contrário, Ezra não era um vagabundo de Bronx que

218

caíra num buraco de vermes e fora parar àquele bairro residencial arborizado de Middlesex, mas um escritor importante (e um que, pensando com atenção, estava convencida de ter ouvido a ser entrevistado na Rádio 4), Sara soube que não iam poder escapulir-se o mais depressa possível.

— Não é problema nenhum, a sério que não, tenho algumas lasanhas caseiras no congelador — insistiu a mãe. — Além disso, Sara, a verdade é que esse carro não estará em condições até dentro de pelo menos uma hora. O mais sensato seria ficarem a dormir aqui esta noite.

— Não, mamã, cada um tem de voltar à sua casa! — apressou-se a responder. — Jantamos e vamo-nos embora.

Parecia-lhe surpreendente como a mãe aplicava de forma instintiva as técnicas de *realpolitik* da guerra fria para fazer com que uma chávena de chá rápida se transformasse num jantar. Mas parecia-lhe mais surpreendente ainda que todos, incluindo Ezra, parecessem estar totalmente de acordo com o plano.

Tentou convencê-la a servir o jantar na cozinha, mas recusou-se e, no fim, jantaram naquela sala de estar que parecia um mausoléu, numa mesa de palissandro, com toalhas individuais e serviço de copos *Waterford*.

— Ezra, posso tentar-te a provar um pouco de lasanha?

A mãe disse aquilo com uma naturalidade que não conseguiu esconder um certo deleite face ao nome exótico do seu convidado. Se não estivesse tão tensa e nervosa, talvez Sara tivesse visto o lado engraçado daquela cena em que a mãe se abatia sobre aquele titã da literatura. O espírito indómito dela não tinha nada a invejar à reputação do outro.

— Não vais dizer-me que és vegetariano!

— Não, claro que não. — Ezra sorriu com agradecimento enquanto a via a servir uma fatia generosa.

Dava a impressão de que estava a divertir-se e Sara apercebeu-se de que, para ele, aquilo era uma janela para um mundo que, de outra forma, nunca teria visto. Tal como, a um nível puramente antropológico, para ela, teria sido fascinante jantar papas de milho e molho com uns texanos temerosos de Deus. Ezra devia estar a tomar nota mental daquele momento.

Gavin parecia igualmente interessado em aproveitar para dar uma olhadela oportunista à estética de um lar conservador e ela sentiu-se mortificada ao vê-lo a observar com interesse as obras de arte que estavam expostas nas paredes da sala de estar. Era difícil dizer o que era mais lamentável, as cópias de obras impressionistas tão insossas que pareciam tiradas da receção de algum hotel ou a vulgaridade do Jack Vettriano original de Richard, que estava pendurado num lugar de honra: Por cima da lareira a gás que simulava uma lareira a lenha. Olhou para Gavin nos olhos e tentou fazer com que, nos seus, se refletisse uma diversão urbana, tentou transmitir com o olhar que sim, aquilo era uma barbaridade, mas devia ser tolerado porque... Enfim, porque a família era a família.

— Sei que és realizadora de cinema, Louise — afirmou a mãe, antes de desdobrar um guardanapo e se sentar no fim.

— Argumentista e realizadora — corrigiu Lou.

— Deve ser uma ocupação interessante.

— Sim. — Parecia reticente, algo muito fora do comum nela.

— Quando vamos poder ver o teu último trabalho?

Daquela vez, foi a própria Sara que respondeu.

— Não vai aparecer nos cinemas Odeon de Staines, mamã.

— Bom, filha, já me conheces. De vez em quando, aventuro-me a ir à cidade para algum evento cultural.

Ela sorriu para si ao ouvir aquilo, porque a ideia de a mãe fazer uma peregrinação cultural a West End para ver uma curta-metragem de arte e ensaio era verdadeiramente surreal.

— De qualquer modo, ainda falta bastante para estrear no Reino Unido — indicou Lou.

Ao ver que não entrava em mais detalhes e se virava para Zuley, questionou-se se teria havido algum problema com a curta-metragem. Lou não o mencionara durante o festival e, embora fosse típico nela agir com bastante secretismo, de certeza que, se tivesse

220

conseguido o acordo de distribuição esperado, teria partilhado a boa notícia com os seus investidores.

Do outro lado da mesa, Caleb e Dash pareciam ter começado uma conversa animada com o seu padrasto que, nesse momento, estava a dizer:

— Quem viram nesse concerto *pop*?

— É um festival de música e vimos bastantes grupos — explicou Caleb.

— Mas qual é o vosso grupo preferido? Tenho de estar em dia com todas estas coisas, os meus netos vêm visitar-me amanhã.

— The Jeremiahs — respondeu Caleb.

— Sim, foi um estrondo! — Dash assentiu.

— Ena! — Richard parou de carregar o garfo de comida. — Houve foguetes?

As crianças entreolharam-se, incrédulas e brincalhonas, ao ver que interpretara mal a expressão e Dash respondeu com toda a seriedade.

— Sim, foi um espetáculo. Os The Jeremiahs esforçam-se sempre para surpreender os fãs.

Sara lançou um olhar carrancudo a Caleb ao vê-lo a deixar escapar um suspiro brincalhão.

— Talvez o menino se tenha assustado com tanto barulho e, entre isso e a agitação do fim de semana, tenha ficado doente. — Richard apontou com a cabeça para Arlo, que estava a brincar, triste, com a lasanha do seu prato, sem a comer.

— É possível, com tanto petardo solto... — Dash assentiu, com toda a gravidade.

Aquilo foi demasiado para Caleb, que começou a deslizar para baixo na cadeira enquanto se agarrava à barriga, sem conseguir parar de se rir... Embora ela suspeitasse que, na verdade, estava a fingir, que estava a simular aquela diversão para lisonjear Dash. Talvez fosse precisamente aquela obsequiosidade do seu filho que a tirou do sério, para além da atitude matreira de Dash ou do facto de estar a rir-se de alguém.

— Dashiell! — exclamou, ao vê-lo a abrir a boca para continuar com a brincadeira mesquinha.

Olhou para ela com toda a inocência do mundo. O barulho da conversa e o tinido dos talheres interromperam-se de repente e sentiu o peso do olhar de Lou. Observou o menino por um instante e, no fim, acabou por ceder e limitou-se a perguntar:

— Passas-me o páo, por favor?

Deu-lho com uma cortesia exagerada. Depois de uma pequena pausa, todos continuaram a comer e a conversar. Neil começou a falar de golfe com Richard, Lou começou a pegar nos pratos sujos e as crianças serviram-se dos copos de bolacha com creme e frutas que tinham para a sobremesa.

Minutos depois, apercebeu-se de que, enquanto ela tinha a atenção fixa noutras coisas, parecia ter-se iniciado uma conversa inesperada entre Ezra e a mãe que disse, naquele momento:

— Ainda bem que li o livro antes de ver o filme.

— Que livro, mamã? — perguntou, com medo de ouvir a resposta.

— *As Serviçais*, o Ezra e eu estamos a debater sobre literatura americana. O filme não é mau, mas imaginamos sempre os personagens de forma diferente de como os vemos depois no ecrã. Suponho que deve ser ainda mais frustrante quando foste tu a criá-los. Algum dos teus livros foi adaptado para o grande ecrã, Ezra?

— Não, suponho que não escreva esse tipo de obras.

— Ouve, Ezra, ninguém se interessou em adaptar o *Appalachia*? — interveio Gavin. — A verdade é que me surpreende, teria gostado de ver o que os Cohen fariam com esse material.

— Não, ninguém — replicou o escritor, com tristeza, enquanto a cabeça grisalha fazia um gesto de negação. — O meu agente esteve a negociar com os colaboradores do Francis Ford Coppola, mas a coisa não chegou a lado nenhum. Se o tipo que realizou o melhor filme de todos os tempos diz que o meu livro não pode filmar-se, suponho que esteja fodido.

Aquela palavra áspera fez com que Sara olhasse com inquietação para a mãe, mas, aparentemente, estava disposta a deixá-lo à vontade.

— *O Padrinho II!* — exclamou Richard, de repente, do outro extremo da mesa.

Todos se viraram para olhar para ele, surpreendidos, e a mãe de Sara disse, em voz baixa:

— Esqueceu-se de tomar a medicação.

— Exato! — exclamou Ezra. Apontou para Richard com a faca e acrescentou: — O segundo é o melhor! Tem mais matizes do que o primeiro, é mais profundo do que o terceiro. Este tipo sabe de cinema!

Assim que os copos da sobremesa ficaram bem rapados e os levaram para lavar, serviu-se o que, em teoria, devia passar como café, mas que, na verdade, era uma mistura tão insípida que, em comparação com ele, o tão desprezado *cappuccino* do Rumbles parecia pura ambrósia. Sara pensou que já faltava pouco para ficar livre daquele purgatório e que, em breve, todos iriam para casa. A mãe, encorajada depois de roer o cadáver da fama de Ezra até o deixar nos ossos, passou a concentrar-se em Gavin. Insistiu que o nome lhe parecia familiar, embora não pudesse afirmar estar totalmente *au courant* no que dizia respeito à arte moderna. Questionou-se se teria sido alguma das suas obras que vira recentemente, a decorar o jardim de uma casa provençal que vira na revista *Vida Campestre*, mas disse-lhe que não achava que fosse assim.

— Bom, não te preocupes — declarou ela, antes de estender a mão por cima da mesa para lhe dar umas palmadinhas no pulso.

A julgar pela sua atitude, dava a impressão de que se não recordava nenhuma das suas obras não era por ignorância própria, mas porque ele era um artista pouco conhecido.

— Podes explicar-me o que fazes.

Sara ficou envergonhada ao ouvi-la acrescentar aquilo, mas Gavin não pareceu incomodar-se e respondeu com toda a naturalidade.

— Suponho que possa considerar-se escultura, porque o que faço são trabalhos figurativos tridimensionais, mas não gosto muito dessa etiqueta, porque deixa a minha obra dentro do grupo de uma tradição em que não me sinto confortável. É uma tradição literalmente monolítica, pétrea, enquanto, para mim, a arte significa experimentar e bisbilhotar, é algo infantil. Quanto menos nos concentrarmos na ideia de produzir «grandes obras de arte», mais possibilidades temos de criar alguma coisa que valha a pena. Essa foi a razão que me levou a trabalhar com materiais baratos como o gesso e o arame nestes últimos tempos. As minhas obras acabadas seriam o ponto de começo do processo para outro escultor, o que se conhece como «maquetas».

— Deixa-me ver se entendo, são estátuas brancas de gesso? — perguntou a mãe de Sara, com a cara que costumava usar quando enfrentava um Sudoku de nível três.

— Sim, ainda que, mais do que estátuas, sejam figuras. Normalmente, não costumam ser de tamanho real. Costumo experimentar com texturas superficiais, portanto, uso objetos que tenha encontrado por aí, coisas como vidros partidos ou penas, até algumas das latas de sumo... para sujar um pouco as coisas.

— Gostas de coisas sujas?

Ao ver que as sinapses da sua mãe estavam prestes a sofrer um curto-circuito, Sara não pôde continuar a morder a língua e declarou, com secura:

— Nem tudo tem de ser pulcro e limpo, mamã! O Gavin refere-se ao facto de o meio refletir o significado da obra de arte. Se se tratar de um humano que se retorce de tortura, é apropriado dar-lhe uns limites irregulares ou protuberâncias e vultos cancerígenos, porque isso transmite um sentimento, estabelece uma ligação emocional com a pessoa que o vê. E o facto de ser difícil de limpar, de não podermos passar-lhe um pano para o deixar impoluto, não o invalida como arte. De facto, é exatamente o contrário.

— Ah... — Era óbvio que a mãe se sentia magoada com as suas palavras.

Os outros adultos que estavam sentados ao redor da mesa tinham um ar de desconforto e Sara olhou para eles, desafiante.

224

No fim, foi Lou que interveio, com um sorriso conciliador.

— Enfim, foi uma noite fantástica! — Olhou para a mãe de Sara. — Muito obrigada pela tua hospitalidade, Audrey, ainda me custa a acreditar que tenhas conseguido criar um jantar tão espetacular do nada! Mas será melhor irmos andando. Temos de deitar estas crianças.

22

A casa tinha um certo ar de abandono quando chegaram, como se o tempo que tinham estado ausentes não tivesse sido um mero fim de semana. No tapete, caíra uma chuva de correio publicitário, o pó acumulara-se nos cantos e a lâmpada do patamar fundira-se. Sara esforçou-se para tentar dar uma nova vida ao lugar, deixou a roupa suja na lavandaria junto da máquina de lavar roupa e guardou as provisões que não tinham usado (as caixas de cereais maltratadas, uma maçã amassada e solitária). Preparou um banho às crianças e pôs botijas de água quente nas suas respetivas camas. Era pouco habitual estar a fazer aquilo naquela época do ano, mas, na casa, parecia reinar um ambiente bastante frio.

Mais tarde, enquanto jazia na sua cama com o olhar fixo no teto, sussurrou, pensativa:

— Nunca teria pensado que gostaria de acampar.

— Sim.

— Devíamos comprar uma tenda. — Procurou a mão de Neil por baixo do edredão.

— Talvez.

Virou-se para ele e pôs a cabeça na curva do seu braço. Depois de um bom bocado de silêncio, murmurou:

— Aquilo que fizeste...

— Sim.

— Eu gostei.

Pousou a mão no seio com a condescendência incómoda de alguém que está a doar umas moedas soltas para uma boa causa. Ela deixou escapar um pequeno suspiro fingido, mas, ao ver que a mão permanecia imóvel, deslizou o dedo do pé pela barriga da perna do marido. Recebeu um pequeno apertão no seio por isso, antes de a mão relaxar por completo e a respiração dele começar a aprofundar-se. Quando teve a certeza de que, das duas uma: Ou adormecera realmente ou estava a esforçar-se tanto a fingi-lo que perdera todo o direito de objetar, deslizou a mão entre as suas próprias coxas e masturbou-se, sem fazer barulho e cheia de ressentimento, até alcançar um orgasmo.

Acordou-a o cheiro cítrico e intenso da loção pós-barba do marido, a que só usava para ir trabalhar.

— Vou pedir ao Steve Driscoll para dar uma olhadela a essa greta, parece-me que pode ser estrutural — declarou ele.

«E porque mo dizes?», pensou ela para si. «Porque me importaria com isso?»

— Está bem — murmurou, antes de fechar novamente os olhos.

— Sara.

«Cala-te de uma vez!», pensou, mas ele insistiu.

— Sara...

— O que foi?

— Disseste-me para me certificar de que ficavas acordada antes de ir. Hoje, começa o trimestre escolar, não é?

Aquilo animou-a de repente. Levaria as crianças à escola e passaria o dia a mandar mensagens eletrónicas a diferentes editoras.

O seu ânimo desapareceu quando recordou a realidade.

— Sim, estou desejosa de começar.

Não estava desejosa, nada podia estar mais longe da realidade. Sentia-se aterrorizada e desmoralizada com a tarefa que tinha pela frente e, então, passou quase imediatamente a sentir-se culpada por se sentir assim. O que sentiu depois foi algo que era muito mais confortável, algo com que estava familiarizada: Ressentimento por Neil, por ter sido o culpado de se gerarem nela todas aquelas emoções.

— O que há aí dentro? — perguntou Patrick, enquanto percorria com o olhar as caixas coloridas que se alinhavam por baixo da janela da cozinha e que estavam etiquetadas com o nome de diferentes disciplinas.

— Material para as aulas — respondeu ela. — Livros, ferramentas, questionários...

O rosto do menino iluminou-se ao ouvir aquilo.

— Posso fazer um?

— Não queres vestir-te primeiro?

— Não.

Pensou que não haveria problema se o deixasse ficar de pijama. Ao fim e ao cabo, o objetivo do ensino em casa era eliminar os limites que existiam entre a aprendizagem e a vida, manter um ambiente relaxado.

— Aqui tens — replicou, antes de lhe dar um questionário impresso.

Foi virando as folhas do maço até encontrar outro sobre o mesmo tema de um nível adequado à idade de Caleb, mas ele limitou-se a dar uma olhadela rápida e, olhando para ela com um sorriso beatífico, dobrou a folha até criar um aviãozinho que atirou pela cozinha. Era o tipo de comportamento que Dash teria tido, uma provocação deliberada, mas estava decidida a ter paciência e a não se deixar provocar. Dirigiu-se para o lugar de aterragem do aviãozinho, apanhou-o do chão e examinou-o com interesse.

— Não está mau — opinou, finalmente.

Caleb olhou para ela com um sorrisito brincalhão, mas a campainha da porta tocou antes de conseguir pensar em alguma resposta e saiu disparado para ir abrir.

Lou entrou na cozinha pouco mais tarde e, depois de cumprimentar Sara com um abraço direto, exclamou, com exasperação:

— Meu Deus, que pesadelo de mulher!

— A quem te referes? — perguntou ela.

— À ama! Juro-te que, a estas alturas, já a teria despedido se soubesse de alguém que pudesse encarregar-se da Zuley, que descarada!

— Porque dizes isso?

— É óbvio que gosta do Gav. Por um lado, não me incomoda, porque não é a primeira.

Sara virou-se para a bancada e começou a preparar a chaleira enquanto Lou continuava a falar.

— Mas nem sequer tenta disfarçar! E também deixa muito claro que não me suporta.

Ao ver que Lou tinha vontade de conversar, as crianças aproveitaram para se escapulir.

— Podíamos deixar este assunto para depois? — pediu Sara.

— Sabes o que me disse? — Sentou-se numa cadeira e tirou um maço de tabaco. — Desculpa, só vou fumar um! Olha como estou por causa dela! Espera, vou abrir a janela. Não devemos encher a sala de aula de fumo!

Foi abri-la e Sara olhou para o jardim com nervosismo. As crianças tinham começado a brincar com a bola e Patrick ainda continuava de pijama.

— O que te disse? — perguntou, enquanto enchia a cafeteira.

— Acha que é vidente, o que só por si já dá vontade de rir, tendo em conta que nem sequer é capaz de ver como é absurda, e teve o descaramento de me dizer que a aura da Zuley não está equilibrada! — Ao ver que Sara virava um dedo junto da têmpora e ficava vesga, acrescentou: — Não, as auras existem, o absurdo é que a Mandy se ache capaz de as ver. Não consigo imaginar alguém com menos aptidões para possuir o terceiro olho.

— Claro. — Pareceu-lhe a resposta mais prudente.

— Aparentemente, a Zuley tinha a aura de cor lilás quando

229

começou a cuidar dela. — Lou desatou a rir-se e exalou uma nuvem de fumo. Parecia estar à defesa. — E, agora, diz que é cinzenta!

— Pelo amor de Deus! — exclamou ela, ao ver através da janela aberta que Dash fazia uma placagem bastante forte a Patrick. — Meninos!

— Portanto, a *madame* Mandy questiona-se se está tudo bem em casa, vai e pergunta-me se, por exemplo, a Zuley começou a fazer chichi na cama! Não, claro que não! A minha filha não faz chichi na cama desde os nove meses!

— Ena! Tão cedo?

— De qualquer modo, quem faz chichi na cama às vezes é o Arlo!

— Sim...

— Bom, a questão é que vou começar a procurar o quanto antes.

— Outra ama?

— Sim. A Mandy acha que me tem nas suas mãos, mas a Zuley aguenta bem as mudanças. A verdade é que é uma pena, porque a menina está contente lá e adora a Sky.

— Quem é a Sky?

— A filhinha da Mandy. Enfim, desculpa-me por ter ficado assim, mas precisava de desabafar. — Inclinou-se para a frente e atirou o cigarro pela janela, que estava quase intacto. — Está um dia lindo.

Sara olhou para fora e teve de lhe dar a razão. As cerejeiras estavam em flor e o frio desaparecera.

— O que achas de começarmos com alguns exercícios de corpo e mente no jardim? — propôs Lou.

— Exercícios do quê?

— De ioga. É muito bom para a concentração. Podia encarregar-me de fazer alguma meditação guiada, para ver para onde nos leva.

— Para onde...?

— Estou a falar num sentido criativo. Refiro-me a ver como se sentem depois, a expressarem-se através da pintura, da escrita, da música ou seja o que for.

— Ah, está bem. Sim, parece-me bem. — Ela preparara uma sessão sobre simetria em que tencionava usar uns espelhos de mão que comprara na The Pound Shop.

— Diverti-me muito este fim de semana — afirmou Lou.

— Eu também — declarou, com um sorriso forçado, enquanto tentava tirar de algum canto recôndito um pouco de afeto residual. — Havia um ambiente fantástico, no ano que vem, temos de ir outra vez.

Lou assentiu com entusiasmo e exclamou, sorridente:

— A tua mãe é um personagem!

— Sim.

— Não, a sério, gostei muito dela. É uma pessoa fantástica e o Richard também. Tens sorte, Sara. Tenho inveja.

Ela surpreendeu-se ao ouvir aquilo, mas, antes de conseguir responder, Lou já se levantara e dirigira-se às crianças através da janela.

— Eh, rapazes! Vamos fazer uma atividade muito divertida! Que cada um se ponha num ponto do jardim onde tenha espaço para se virar sobre si próprio com os braços estendidos, sem tocar em mais ninguém.

Não pareciam muito convencidos, mas, para surpresa de Sara, guardaram a bola no barracão e obedeceram às instruções que lhes davam.

— Sim, isso! — Lou guiou-os, num tom de comando. — Muito bem! Afastem-se mais, um pouco mais. Disse que sem tocar em ninguém!

Tendo em conta o estado em que encontrou a casa ao voltar do trabalho, Neil parecia estar de bastante bom humor. Abriu uma cerveja, bebeu um gole e encheu a máquina de lavar loiça enquanto ela ficava sentada numa das cadeiras da cozinha, exausta e com um copo de vinho na mão. Nem sequer lhe restavam forças para tentar começar uma conversa.

— Tiveste um dia difícil? — Ao ver que ela se limitava a lançar-lhe um olhar eloquente, o marido acrescentou: — Vais habituar-te, é uma questão de te acostumares à rotina.

— Obrigada.

Ele fechou a máquina de lavar loiça com um joelho e carregou no botão para a ligar, antes de perguntar:

— Não tens de guardar a argila que sobrou antes de secar?

— Não sobrou, isso é o Ulrik, o destruidor.

— Eh... Ah, está bem. — Afastou a figura tosca de argila com cuidado e começou a limpar o plástico da mesa com um pano.

Sara conseguiu reunir com muita dificuldade a força necessária para levantar o copo de vinho.

— Já está! — exclamou ele, sorridente, antes de atirar o pano para o lava-loiça e sentar-se. Encheu o copo de Sara, chegou-se um pouco mais para a frente na sua cadeira e afrouxou a gravata. — Vá, conta-me o que se passou.

Ela apercebeu-se de que estava a manipulá-la, a resolver um problema de recursos humanos.

— Não sei, não pensei que seria tão... que eu seria tão... — Sentiu um nó na garganta e foi incapaz de falar.

Enquanto os precedia rumo à cozinha, ofegante e com as faces rosadas depois de praticar a saudação ao sol, Lou perguntara-lhes o que queriam fazer depois e ela sugerira que lessem um pouco de poesia e fora buscar uma antologia infantil ao seu caderno de exercícios. As crianças sentaram-se à volta da mesa, calmas e aparentemente dispostas a portar-se bem, e ela começou a folhear o caderno, tentando encontrar o poema perfeito para aproveitar o facto de estarem tão recetivas. Tinha de ser algo divertido, algo relevante... e, finalmente, encontrara exatamente o que procurava.

Depois de passar uma mão pela página, olhou para eles nos olhos, um a um, e pigarreou ligeiramente, antes de ler os dois primeiros versos de *Dis Poetry*, de Benjamin Zephaniah.

Dis poetry is like a riddim dat drops,
De tongue fires a riddim dat shoots like shots.

Pelo canto do olho, vira que Dash esboçava um sorrisinho brincalhão e dava uma cotovelada a Caleb, que gemera e apoiara a testa na mesa, mas ela fingiu não os ver e continuou a ler os dois versos seguintes.

Dis poetry is designed fe rantin,
Dance hall style, big mouth chanting,

Dash riu-se e, então, cobriu a boca com ambas as mãos e baixou os olhos com uma atitude contrita brincalhona. Caleb ficou de barriga para baixo.

Dis poetry nar put yu to sleep
Preaching follow me, like yu is blind sheep...

Continuou a recitar a poesia, mas, mesmo aos seus próprios ouvidos, a sua entoação começara a parecer mais própria de Gales do que das Caraíbas e, quanto mais a sua confiança diminuía, mais a coisa piorava. Dash estava a corar por causa do esforço que fazia para reprimir a gargalhada, Patrick estava a olhar para ela em silêncio enquanto lhe pedia com os olhos que parasse.

Dis poetry is not Party Political,
Nat designed fe dose who are...

Ela fizera um último esforço para continuar a recitar até, no fim, ter fechado o caderno de repente, o ter atirado para a mesa e lhes ter dito com irritação que podiam lê-lo sozinhos se quisessem.

* * *

233

— Parece-me que estás a ser muito dura contigo própria — disse Neil. — O facto de a primeira aula não ter corrido de acordo com o planeado não significa que tudo vá ser um desastre. É normal que demores algum tempo a habituar-te ao ritmo. O importante é que soubeste recuperar desses primeiros tropeções. Ao fim e ao cabo, conseguiste completar o dia, não foi? E todos sobreviveram. Meu Deus, se até fizeram figurinhas de argila! — Apontou com um gesto da mão para a figura de argila rudimentar que descansava na mesa.

— Peço-te que não sejas condescendente comigo, Neil. Trabalhei muito arduamente para me preparar para hoje.

— Eu sei, claro que sei.

— E a Lou não tinha feito nada... Bom, para além de se gabar sobre todas as pessoas que, no seu mundo de fantasia, virão fazer atividades algum dia, quando as estrelas estiverem corretamente alinhadas.

— Não, enfim...

— Portanto, é um bocadinho irritante voltar depois de perder a cabeça e descobrir que está a fazer com que as crianças improvisem poesia urbana.

— Irritante? Seria de pensar que te alegrarias.

— Ui, sim, cheia de alegria! — exclamou ela, num tom cheio de amargura. — A Lou tem uma facilidade inata para isto, as crianças adoram-na. Com ela, não há caretas trocistas nem risinhos, as crianças divertem-se a improvisar juntos para criar um poema muito divertido. Tudo muito Kate Tempest, muito fodidamente urbano.

— Mas... — Neil hesitou. — Não são precisamente atividades como essa que queres que faça?

— Sim, claro, é exatamente o que eu queria! — exclamou, com sarcasmo. — Fazer emergir a criatividade das crianças, fazer com que experimentassem. Ah, na verdade, queres adivinhar o que nos espera amanhã? — Abanou a cabeça e imitou a voz entusiasta e com falta de ar de Lou. — Podíamos transformar a poesia numa pequena peça interpretativa!

Neil limitou-se a fazer uma careta e ela acrescentou:

— Mas só se a musa se dignar a vir visitar-nos e se os nossos chacras estiverem equilibrados.

— Sar... — Disse-o tentativamente, como se soubesse que tinha de ter muita cautela.

Olhou para os olhos dele com um brilho resistente nos seus e ficou calada à espera de ver o que dizia.

— Sei que é difícil estar à altura de alguém como a Lou. Tem muitas ideias, imenso carisma...

Ela pegou na figura de argila de Dash e pesou-a numa mão.

— Mas acho que seria uma pena se deixasses que um espírito competitivo interferisse nisto.

Sara apertou a argila até a mão começar a tremer por causa do esforço.

— Estamos a falar dos nossos filhos, Sara. Tenho consciência de que a Lou tem os seus defeitos. É um pouco despistada e esquecida e não é tão metódica como tu.

Ela abriu a mão, deixou cair a figura devastada na mesa e levantou o punho.

— Mas tens de admitir que também é, em certo sentido, um génio... Caraças!

O copo deu um saltinho na mesa por causa do golpe.

— Está bem — disse ela, enquanto, com calma, tirava a argila esmagada do dorso do punho —, entendido. Obrigada.

23

Lou continuou a ser um génio durante cerca de duas semanas, depois das quais começou a ausentar-se de vez em quando. A certa altura, estava a fiscalizar uma aula de papel machê e, de um momento para o outro, via-a a andar de um lado para o outro pelo jardim com o telemóvel colado à orelha. Era surpreendente ver como, desde que tinham começado a educação em casa, todos os outros aspetos da vida de Lou se tinham tornado, casualmente, muito mais complicados e absorventes. Tinha de se encarregar dos assuntos administrativos de Gav, tinha de organizar o seu próprio trabalho com essa atitude tão enigmática. Já para não falar da «Casa». Ao ouvir falar da «Casa», qualquer um diria que mais ninguém tinha uma e muito menos uma idêntica (de facto, naquele mesmo momento, estavam sentadas nela enquanto os filhos de Lou se dedicavam a devastar ainda mais a decoração maltratada). Lou referia-se à sua casa como se fosse uma adversária, uma hidra de várias cabeças que tinha de derrotar. Acontecia sempre qualquer coisa. Se não eram problemas com a reforma da cave eram contas com que não estava de acordo ou acordos arrevesados com o seguro devido à sua condição de local onde se desenvolvia uma atividade profissional. Era uma história sem fim. O seu telemóvel piscava constantemente no canto da mesa da cozinha e, cada vez que tocava, era a mesma conversa: «Espera um momento, Sara, volto já...»

E, depois, havia os atrasos na hora de começar as aulas, os dias que se davam por acabados antes de tempo, as longas pausas à hora de almoço porque, na agência de correios, havia uma fila «alucinante». Também havia aqueles dias do mês em que tinha o período e, às vezes, em que estava convencida de que apanhara uma constipação ou uma coisa dessas e isso significava acabar as aulas mais cedo, mas não a impedia de regressar de táxi às duas da madrugada, fazendo animação e claramente bêbada. E mesmo assim, apesar de todas essas ausências, Sara continuava a vê-la com demasiada frequência para propiciar uma amizade saudável.

Quanto a Gavin, não o via o suficiente e sentia a falta dele. Sentia a falta de brincar com ele quando levavam e traziam as crianças da escola, das conversas relaxadas a beber uma chávena de café, dos debates cheios de seduções quando estavam drogados, das piadas surreais que contavam e da sensação de que lhe dava tudo o que ele precisava. Na noite em que tinham falado pela primeira vez do assunto da educação em casa, ele mostrara-se mais do que disposto a colaborar, comprometera-se a ajudar as crianças a construir um *kart* e a levá-las a Sussex para procurar conchas em alguma praia. Ainda existia a possibilidade de essas coisas acontecerem, mas começava a dar a impressão de que era pouco provável que fosse assim.

Segundo Lou, Gav tinha muitas coisas na cabeça naquele momento. A resina estava a tornar as coisas difíceis. Era um método de trabalho totalmente novo para ele, tinha de aprender a lidar com o espaço negativo e isso era como... Enfim, a única analogia que lhe ocorria era aprender a andar novamente depois de sofrer um acidente de viação. Sara interrogou-se o que Gav teria pensado de semelhante hipérbole. De certeza que teria desatado a rir-se. Quando o vira por acaso da janela do quarto, não lhe dera a impressão de que estivesse especialmente atormentado. Não vira nada nele que revelasse que estava a sofrer uma crise existencial. Antes pelo contrário, estava a assobiar tranquilamente enquanto tirava uns frascos de epóxi de tamanho industrial do porta-bagagem do carro e os levava às costas para casa. Também o vira a afastar-se pela rua em alguma das suas muitas saídas para se encarregar de alguma diligência misteriosa, cantarolando o que estava a ouvir pelos auscultadores. E nas contadas vezes em que, por uma coincidência feliz, levavam o lixo para a rua ao mesmo tempo, não parecia menos animado do que o normal nem a seduzia menos.

Estava a fiscalizar com Lou uma das sessões de arte raras e maravilhosas dela quando a campainha da porta tocou e sentiu um certo alívio ao levantar-se para ir abrir. Embora fossem apenas um quarto para as dez, já estava farta de tanto batique. Talvez, tal como podia ver-se no YouTube, o Coletivo de Mulheres de Yoruba desfrutasse muito de uma coisa dessas, mas, na sua opinião, uma técnica de tingimento através de cera quente não era a atividade artística ideal para quatro crianças cheias de energia.

Sentiu tal alegria ao ver que era Gav que estava à espera na soleira, que sentiu o impulso de ser indelicada com ele.

— O que se passou com a tua cara?

— Não gostas? — Esfregou a sua barba incipiente com timidez.

— Não é isso, adoro. Por um segundo, pensei que o hámster do Caleb tinha ressuscitado e se tinha tornado homicida.

— Muito engraçado, Sara, obrigado por não me fazeres sentir inseguro.

— Oh, pobrezinho! — troçou ela, com uma gargalhada. — Não, falando a sério, fica-te muito bem.

Estava a estender a mão para lhe acariciar o queixo quando Lou se materializou de repente procedente da cozinha e disse, como uma esposa solícita:

— O que fazes aqui, Gav? Não aconteceu nada de mal, pois não?

Pôs-se entre os dois com a astúcia e a agilidade de uma jogadora de *netball* profissional.

— Nada de grave — respondeu ele. — Vinha para te perguntar se podes obrar a tua magia com a impressora, aquela porcaria parou a meio do contrato do White Cube.

238

Sara mal conseguia acreditar no que estava a ouvir. Se Neil a tivesse interrompido por algo tão corriqueiro... Enfim, ele saberia que não devia fazê-lo. Mas Lou já se afastava pelo caminho do jardim, queixando-se com exasperação (não se queixava da incompetência patética da sua alma gémea, mas da regularidade com que a tecnologia conseguia foder a vida às pessoas criativas).

Gav lançou-lhe um olhar de desculpa e virou-se para se ir embora atrás da mulher, mas ela teve uma ideia repentina.

— Podes usar a nossa impressora se se trata de algo urgente.

— Incrível!

Ao ver que ia entrar na casa, apontou para Lou.

— Não devíamos...?

— Nem pensar, de qualquer forma, terá de a arranjar.

Sara conduziu-o pela escada e, ao chegar ao escritório, afastou alguns dos papéis que tinha na secretária, afastou-lhe a cadeira para que se sentasse, carregou num botão e a impressora começou a trabalhar.

— Já está pronta, abre o teu documento e podes imprimir.

Chegara ao patamar quando ele a chamou para que regressasse. Ouviu vozes altas procedentes da cozinha e deduziu que era alguma nova discussão sobre alguma paspalhice como tantas outras. Hesitou por um instante ao pensar nas tintas naturais indeléveis, na cera quente, nas crianças de sete anos... mas, então, ouviu que Gav voltava a chamá-la.

— Desculpa, isto é uma coisa em que estás a trabalhar? Não quis fechar o arquivo, para o caso de não estar guardado.

— Ena! Que vergonha! — Inclinou-se por cima dele e escreveu apressadamente, desesperada para se desfazer do parágrafo incriminador. Sentia o calor da sua pele e o seu cheiro a terra.

— Desculpa. — Virou a cabeça para ela e as suas faces ficaram a um suspiro de distância. — Li sem querer, é um novo romance?

— É pura porcaria, não gosto nada de como ficou. Vou apagá-lo. — Pensou na sua prosa pesada, na abundância de adjetivos, no sexo e acrescentou, com rigidez: — Espera, vou abrir o Safari. Pronto, já está. Será melhor descer para vigiar as crianças.

Mas antes de conseguir ir-se embora, virou-se para ela na cadeira giratória e segurou-lhe a mão.

— Eh, não te irrites comigo. Tens de te habituar a deixar que as pessoas leiam o teu trabalho quando o publicares.

— Sim, claro, como se isso fosse acontecer. — Puxou um pouco, tentando libertar a mão, mas ele não a soltou.

— Tens de acreditar em ti própria, a Lou adora como escreves.

Olhou para ela com os olhos cheios de sinceridade e ela viu que tinha uma bolinha castanha no cinzento da íris. Começou a ofegar.

— Diz isso por amabilidade. Não sei escrever, tu próprio acabaste de o ver.

O contacto visual era demasiado, aquilo era uma tolice. Pensou que tinha de desviar o olhar, que tinha de o desviar imediatamente.

— O que vi foi um trabalho em processo — declarou, num tom suave. — Ninguém traz um trabalho perfeitamente formado para o mundo. Tens de te permitir ser uma artista, Sara. Tens de te permitir alcançar o sucesso.

Aquelas palavras expressavam até tal ponto o que queria ouvir que foi incapaz de encontrar uma resposta. Tinha a garganta constrangida. Sentiu-se envergonhada ao aperceber-se de que tinha a mão suada e tentou voltar a soltar-se, mas ele recusou-se a fazê-lo. O ar crepitava de tensão. Ele começou a traçar círculos na sua palma com o polegar e a solidez e a firmeza que havia nela desapareceram e cederam. Estava a acontecer! Aquilo com que fantasiara durante meses estava a tornar-se realidade! Gav olhou para ela nos olhos, esboçou um sorriso lento e puxou a sua mão para a sentar no seu colo. A cadeira baixou um pouco por causa daquele peso extra e ela gemeu e encostou o rosto no seu pescoço masculino ao sentir a sua ereção contra a coxa. Os gritos procedentes do andar baixo tinham ganhado intensidade, mas, naquele momento, mal se apercebia disso.

O beijo foi como um choque frontal, foi trôpego, brutal e incrivelmente excitante. Ela arqueou o corpo para trás e lutou, desesperada, para desabotoar as calças de ganga, porque raios teria decidido vestir umas malditas calças? Ele baixou a mão para a ajudar e o som do fecho a abrir-se fez com que se excitasse. Conseguira baixar as calças de ganga até às coxas quando ouviu o som de passos a subir a correr e uns gritos frenéticos.

— Mamã! Mamã!

Quando a porta se abriu de repente, ela estava de pé com a camisola bem puxada para baixo, a um metro de Gav e a afastar-se ainda mais.

— Tens de vir! Anda! — Patrick puxou-lhe a mão, estava macilento.

A descarga de adrenalina fê-la descer a correr. Sentiu-se invadida pela culpa e pelo receio ao ouvir o gemido estranho e triste que saía da cozinha.

— Arlo! Querido! — exclamou, ao entrar a correr e ver a cena que tinha à sua frente.

O menino estava ajoelhado no chão e cobria a cara com a mão, Caleb estava junto dele e passara-lhe um braço pelos ombros numa tentativa de o consolar e Dash estava de lado com uma atitude suspeita. Com supremo cuidado, obrigou Arlo a afastar a mão da face e deixou escapar uma exclamação abafada. O pequeno tinha uma marca de um tom avermelhado vívido que ia desde a face até à têmpora e a pálpebra inchara e parecia brilhante por baixo de uma camada de cera que estava a solidificar.

— O que se passou? — perguntou, num tom tenso.

Os dois mais velhos começaram a falar em uníssono, mas o falatório atrapalhado deu lugar a um silêncio carregado de nervosismo quando viram Gav a entrar na cozinha. Fê-la afastar-se para um lado antes de se ajoelhar e emoldurar o rosto do filho entre as mãos.

— Santo Deus! — murmurou. — Arlo, amigo! Como raios aconteceu isto?

Ele percorreu a cozinha com o olhar e viu os pedaços amarrotados de tecido que havia na mesa, a tigela de cera entornada, as ferramentas de metal espalhadas e, então, lançou a Sara um único olhar intenso de confusão. Ela aproximou-se depressa do lava-loiça e, enquanto ensopava um pano com água fria para fazer uma compressa, Patrick aproximou-se e puxou-a pelo cotovelo.

— Foi o Dash! — avisou o menino, antes de lançar um olhar rápido por cima do ombro com nervosismo. — Atirou-lhe a cera à cara de propósito, porque o Arlo estava a demorar muito com aquela ferramenta.

Ela mal assimilou aquela informação no meio de todo aquele caos (a torneira aberta, o menino que não parava de chorar e queixar-se, o pânico que enchia o ambiente), mas, mais tarde, o sangue gelaria ao pensar nisso.

— Deve ser a Lou — disse Gavin, ao ouvir que tocavam à campainha.

Todos sustiveram a respiração por um instante e foi Dash que disse, finalmente:

— Eu vou lá.

— Diz-lhe para pôr o carro a trabalhar. Vamos ao hospital! — exclamou Gavin.

Mais tarde, depois de tudo passar, Sara fervia de indignação enquanto revia mentalmente todas as razões por que Lou era tão culpada como ela. O batique fora ideia de Lou, não fora? Fora ela que desaparecera a correr para arranjar a impressora de Gav e deixara quatro crianças sem supervisão. Mas, embora o seu próprio aborrecimento estivesse temperado pelo sentimento de culpa que a embargava, em Lou, não havia rasto de remorso algum. Irrompera na cozinha como um anjo vingador e começara a gritar com todos: Com ela por permitir que acontecesse, com Gav por não chamar uma ambulância, com Patrick e com Caleb por estorvar. De facto, até o pobre Arlo levou uma reprimenda porque estava a gemer tão alto que não a deixava pensar. O único que parecia não ter culpa de nada era Dash e isso teria parecido irónico a Sara se tivesse tido tempo para pensar nisso.

Assim que Gav e Lou se foram embora com Arlo, ela começou a arrumar a cozinha e Caleb e Patrick ajudaram-na, muito submissos e aparentemente decididos a colaborar no que pudessem. Dash era o único que, aparentemente incapaz de adequar a sua atitude às circunstâncias sombrias, se dedicava a tagarelar com toda a normalidade. Enquanto raspava com uma faca de cozinha a cera solidificada que ficara colada à mesa, começou a explicar que Arlo começara a abanar a ferramenta no ar enquanto ameaçava os outros, brincalhão, e que ele tentara tirar-lha para evitar que se magoasse. Arlo deixara-a cair e a cera salpicara-lhe a cara, o que, pensando bem, era bem feito.

Ela esboçou um sorriso sereno enquanto pensava para si que aquele menino era um psicopata.

Sara ouviu o som da chave de Neil a abrir a porta principal, ouviu-o a chamá-la num tom forçado que revelava que vinha acompanhado por alguém.

— Olá, Sara!

Ouviu-se o som de passos a aproximar-se pelo corredor ladrilhado e, segundos depois, apareceram na porta da cozinha, dois intrusos pertencentes ao mundo real.

— Este é o Steve, um colega de trabalho. É topógrafo, veio para dar uma olhadela à greta.

Ela esforçou-se para sorrir.

— Olá, Steve. Neil, podia falar-te de...?

Interrompeu-a antes de conseguir completar a frase.

— Ah, conseguiste fazer com que ajudem a limpar? Disse-te que começarias a habituar-te ao ritmo. Vou levar o Steve a ver a greta, está desejoso de chegar a casa.

Passaram bastante tempo lá em cima. Ela não conseguia ouvir o que diziam, mas Neil estava a falar naquele tom de voz direto e cheio de autoridade que costumava usar no trabalho. Interrogou-se quando ia acabar aquele maldito dia. Desejava servir-se de um copo de vinho, mas não lhe parecia apropriado fazê-lo até Lou e Gav regressarem e lhe dizerem como estava Arlo. Numa tentativa de se distrair, foi para a sala de estar e ligou a televisão. Estava inquieta e um pouco descomposta e não conseguia tirar Gavin da cabeça, mas tudo isso se misturou com o remorso e a ansiedade que sentia por causa do acidente de Arlo. Talvez as coisas fossem assim normalmente quando alguém iniciava uma aventura, mas a verdade era que não o tornara nada fácil para si própria. Ele estava a viver na casa do lado, a esposa e ela eram melhores amigas, mudara a sua vida inteira e até a educação dos filhos em torno de uma ideia que aquele casal tão especial e encantador parecia personificar. E, mesmo assim, estava a pensar em cometer uma traição que destruiria tudo aquilo.

Naquele momento, Neil espreitou pela porta da sala de estar.

— Podes silenciar a televisão por um instante?

Steve e ele entraram e sentaram-se, traziam consigo aquele cheiro a mata-borrão tão habitual no seu trabalho.

— Os vizinhos do lado são vossos amigos, não são? — perguntou Steve.

— Sim. — Ela própria percebeu que não o disse com total convicção.

— É uma sorte, porque preciso de dar uma olhadela para saber como está esse lado da parede. Não saberão se a greta a atravessa de um lado ao outro, pois não?

Sara subira e descera muitas vezes a escada de Lou e Gavin, mas nunca pensara em verificar isso. Abanou a cabeça e Steve assentiu.

— Tanto faz, voltarei para verificar como está tudo. Em qualquer caso, é melhor vê-lo de dia.

— O seguro cobrirá os gastos, não é? — disse-o mais para mostrar algum interesse do que porque estava realmente interessada.

— É provável que sim, depende da causa. A greta pode ter-se originado por muitos motivos. Pode ser por um encolhimento do chão ou por causa das raízes das árvores. No pior dos casos, seria por afundamento. Neil, disseste-me que os vizinhos da casa do lado tinham estado a fazer obras, não foi?

Mais tarde, enquanto Steve se afastava pela rua, o *Humber* parou à frente da casa do lado. Depois de tirar a cadeirinha de Zuley, Gavin sentou a menina na sua anca e, então, levantou Arlo, que tinha o rosto meio tapado por uma ligadura enorme, e sentou-o na outra. Levou ambos para casa como se não pesassem nada e ela estava tão absorta a admirar aquela demonstração de força que não se apercebeu de que Lou se aproximava dela.

— Toma, isto é para ti — declarou a amiga, antes de lhe entregar um ramo de flores. — Lamento.

— O quê?

— Não foi justo culpar-te pelo que se passou. Mas assustei-me.

— Ah. Obrigada. — Esboçou um sorriso tentativo. — Como está o Arlo? O que vos disseram?

— Não é tão grave como parecia, graças a Deus. Só tem queimaduras de primeiro grau. Talvez fique com alguma cicatriz, mas a sua visão não se viu afetada.

— Que alívio! Nunca me teria perdoado!

— Nada de te flagelares, Sara! — Levantou o indicador num gesto admonitório. — Tu não tiveste a culpa. — Aceitou o abraço que Sara lhe deu e, então, acrescentou: — Mas isto foi uma verdadeira chamada de atenção. Há algum tempo que penso que trabalhar juntas não está a beneficiar-nos.

— O que queres dizer com isso, queres esquecer a educação em casa? — Apesar de aquelas semanas terem sido tão frustrantes, de repente, sentiu-se abandonada.

— Não, claro que não! O que se passa é que acho que, embora tenha sido com um motivo justo porque estivemos tão concentradas nas crianças, perdemos as nossas próprias necessidades de vista. E acho que devíamos fazer alguma coisa, tanto pelo bem das crianças como pelo nosso próprio bem. Acho que temos de ser um bocadinho mais egoístas, Sara, que devemos dedicar mais tempo a nós próprias. Quando foi a última vez que tu e eu fizemos alguma coisa juntas? Já nem sequer vamos à piscina!

Se não estivesse a sentir-se tão bem com ela, teria assinalado que se não iam à piscina era porque, naqueles últimos tempos, Lou nunca tirava tempo para isso. Parecia tê-lo eliminado da sua agenda devido à pressão que sentia ao ver que se aproximava a data limite para pedir um subsídio ao Instituto de Cinema Britânico. O problema era que parecia ter-se esquecido de que, quisesse ou não tonificar o seu corpo com um pouco de exercício, algum pardal tinha de levar as crianças de carro até ao centro de lazer para a aula de taekwondo. Naquelas últimas cinco semanas, fora ela que o fizera.

Nem sequer lhe dera demasiada importância, pois gostava muito do lugar. Desfrutava desse ambiente melancólico causado pelas luzes fluorescentes e o cheiro reconfortante a cloro e batatas fritas. Gostava de escrever no café, sentia-se como alguém anónimo. Ali, não havia ninguém que a julgasse, não havia *hipsters* com calças rasgadas nem mulheres com ar de intelectual vestidas com maiôs extravagantes. O café servia-se de uma única forma: Quente, aguado e com muita espuma.

Fora por isso que tivera uma surpresa há dias, quando, estando no café, uma voz familiar a interrompera a meio de uma frase.

— Olá! Não te vejo há tanto tempo!

Carol usava um colete acolchoado como se se tratasse de uma armadura. Tinha o cabelo húmido e esmagado contra a cabeça e, à luz pouco favorecedora do café, a pressão de passar quarenta e dois anos a limitar-se a agir corretamente notava-se no seu rosto. Mesmo assim, surpreendeu-se ao aperceber-se de como se alegrava ao vê-la.

— Olá! — Fechou o portátil e pô-lo disfarçadamente na mala.
— É estranho ver-te por aqui, não é o tipo de lugar que costumas frequentar.

— Sim, eu sei. — Carol baixou o tom de voz e apontou com a cabeça para Holly, que estava na fila do café. — Tive de desistir do meu ginásio, malditas taxas escolares!

Fez-se um silêncio incómodo. Sara puxou uma cadeira de plástico e Carol sentou-se na beira com um certo desconforto.

— Como está a Holly?

— Bom, já sabes. — Abanou a cabeça num gesto enganoso cujo significado não estava nada claro. — Alguns problemas de adaptação, mas de certeza que os supera. Como está a correr a...?

— A educação em casa? Bem. Muito, mas muito bem.

— Alegro-me. — Carol assentiu. Houve outro longo silêncio e, de repente, acrescentou: — A pobre não suporta essa escola, todos os dias tenho vontade de ir a correr salvá-la! É um lugar competitivo e exclusivista e a Holly está sempre no grupo dos últimos. Chora todas as noites, parte-me o coração!

— Que horror! — Sentiu verdadeira pena. Estendeu o braço por cima da mesa e segurou-lhe a mão, uma mão de manicura perfeita. — Pensaste em inscrevê-la novamente em Cranmer Road?

— Essa opção está descartada, não posso voltar a levá-la para lá agora que a Celia e tu se foram embora. Estava a falar no outro dia com a Deborah Parry e disse-me que aquilo é uma zona de guerra. Disse-me «Não estou a exagerar, Carol, esse lugar é como Saraievo!». Não, quanto mais penso nisso, mais me convenço de que é possível que tenhas optado pela solução perfeita.

— Ui, eu não estaria tão certa disso! Educar as crianças em casa não é nada fácil, garanto-te. É cansativo tentar mantê-las entretidas todo o dia e fazer com que não percam o interesse. Além disso, mesmo que tenha toda a boa vontade do mundo, a verdade é que a Lou pode ser um pouco...

Ao ver que os olhos da Carol se iluminavam viu finalmente, com um pouco de atraso, a cilada que lhe tinham armado. Podia tê-la evitado com rodeios, mas optou por não o fazer e atirar-se de cabeça.

— Para ser sincera, pode ser um verdadeiro pesadelo. Tem muitas grandes ideias, mas esquece-se de que o Patrick e o Arlo são pequenos e ficam para trás. Depois, começam a portar-se mal e nem imaginas o mau feitio que essa mulher tem!

— Eu sei, vi-o com os meus próprios olhos — garantiu Carol.

— Uma vez, cometi o erro de repreender o filho mais velho por atirar uma bola contra a porta da nossa garagem e não sabes o que...!

247

— De vez em quando, desaparece e tenho de me encarregar de tudo sozinha! — interrompeu-a Sara. — E torna-se condescendente quando lhe parece que o que estou a fazer não é suficientemente artístico. As suas ideias parecem brilhantes no papel, mas, na metade das vezes, não funcionam na prática. Supostamente, ia fazer com que a Beth Hennessy viesse, a do teatro de marionetas *Little Creatures*, para fazer uma oficina criativa com as crianças.

— Oh, isso seria fantástico!

— Sim, sim, mas eu não acho que venha. Li recentemente no jornal que estão de viagem pelo leste da Europa. A Lou mente mais do que fala, Carol. Se alguma coisa não está focada nela, não lhe interessa. Não sei como o Gavin a aguenta.

— Ah, sim, o encantador Gavin! — A voz de Carol estava carregada de sarcasmo.

— Ele não é um mau tipo — alegou ela, consciente de que já fora muito desleal.

— Mas é muito falso. Quando o encontro na rua, exagera e comporta-se como se fosse um grande amigo meu, mas, é óbvio que, na verdade, não está a prestar a mínima atenção ao que estou a dizer-lhe.

— Não estou de acordo nisso, parece-me uma pessoa muito genuína! — Foi um protesto acalorado. — Além disso, também não é nada presunçoso no que se refere à arte dele, nada mesmo.

— A sua arte não é uma razão para se vangloriar, na verdade. É como o fato novo do imperador. Olha, eu não sou uma inculta e gosto tanto da arte moderna como qualquer outro, mas o Simon e eu vimos várias das suas obras numa galeria de Copenhaga e sabes qual foi a nossa reação? Entreolhámo-nos e encolhemos os ombros.

— A sério? — Começava a irritar-se. Tinha esquecido como Carol tinha a mente fechada. Esquecera o seu empenho em acreditar que tudo o que ela não entendia devia ser uma fraude. — Parece-me que a sua arte é muito bela. Acho que o Gavin tem muito a dizer sobre a condição humana e que, como o seu trabalho é figurativo, é fácil pensar que é mais simples do que realmente é.

— Bom, claro, é verdade que tu viste mais obras dele — admitiu Carol, com rigidez —, portanto, terei de aceitar que falas com maior conhecimento de causa. — As barreiras tinham voltado a erguer-se. — Mas deixa-me dar-te um conselho...

Sara não chegou a ouvir esse conselho, porque, nesse preciso momento, as crianças irromperam no café, acaloradas e cheias de adrenalina depois da aula de artes marciais. Quando conseguiu acalmá-las e lhes deu algumas moedas para comprarem qualquer coisa na máquina de venda automática, Carol já se desculpara e se fora embora.

Ao recordar aquela conversa naquele momento, estando parada na soleira da sua casa a segurar as flores que Lou lhe oferecera enquanto ia sugerindo coisas que podiam fazer para reencontrar a sua ligação, sentiu-se um pouco culpada.

— Em Kent, há um centro de retiro onde podemos praticar ioga — estava a dizer Lou. — Conheço a Shani, a mulher que o gere, portanto, podia fazer-nos um desconto.

— Parece perfeito.

— Vou ligar-lhes, mas talvez tenhamos de esperar uma ou duas semanas. No fim de semana que vem é o evento de estudos abertos e, no próximo, o meu aniversário...

— É verdade! Chegas aos receados quarenta!

— Ah, isso recorda-me que queria pedir-te para reservares essa data. Queremos sair para jantar fora com vocês.

24

Sara pôs o cartão de aniversário de Lou à frente de Neil.

— Assina isto. — Ao ver que ele devorava o pedaço de torrada que restava, chupava os dedos e estampava a sua assinatura sem mais nem menos, insistiu: — Já está? Não vais acrescentar, mesmo que seja um beijinho?

Ela escrevera a sua própria felicitação no envelope de papel onde vinha o cartão, para que parecesse algo fluido e espontâneo:

> *Querida Lou,*
> *Desejo que se cumpram todos os teus desejos no teu quadragésimo ano de vida. A tua valiosa amizade significa imenso para mim/nós. Estou desejosa de o celebrar contigo!*
> *Muito amor, beijos e abraços, Sara.*

Neil pegou novamente no cartão e acrescentou dois beijinhos junto da sua própria assinatura.

— É o seu quadragésimo primeiro ano de vida — corrigiu.

— Tem quarenta anos, Neil. É minha amiga, sei quantos anos faz.

— Mas o seu quadragésimo aniversário é o princípio do seu quadragésimo primeiro ano de vida.

— Oh, pelo amor de Deus! — exclamou, exasperada, antes de lhe tirar o cartão das mãos.

Nesse momento, todos os pequenos tiques e hábitos do marido a irritavam ao máximo... A forma como puxava demasiado a cintura das calças, a sua mania de guardar a comida em *tupperwares* herméticos, essa obsessão que tinha ultimamente de verificar o seu próprio hálito depois de lavar os dentes, exalando o ar contra a palma da mão. Era difícil não fazer comparações (umas comparações em que não saía muito bem qualificado) com Gavin, a quem a roupa ficava tão bem, que era um desastre enternecedor com as tarefas domésticas e que, graças à sua atitude despreocupada no que dizia respeito à higiene pessoal, tinha um cheiro a terra e fúngico que a enlouquecia.

Mal o vira ultimamente, mas era de esperar que estivesse a evitá-la. Ao fim e ao cabo, o que sentiam um pelo outro não teria futuro... Bom, para além do óbvio, claro. O que acontecera ocupava a sua mente por completo. Para ela, era muito humilhante ter de admitir que uns segundos de frenesim com o marido da melhor amiga eram a experiência mais erótica de toda a sua vida até à data, mas era a pura verdade. Isso não queria dizer que não tivesse tido relações sexuais satisfatórias com antecedência, claro que tivera. E até devia admitir que algumas delas tinham sido com Neil. Mas era a primeira vez que o desejo a cegava ao ponto de a fazer esquecer quem era e onde estava. Nem sequer fora um beijo como Deus manda, mas uma espécie de escaramuça dolorosa que devia ter durado no máximo três segundos. Os dentes de um tinham chocado com os do outro, ela acabara com sangue no lábio e ele, com saliva na barba. *A posteriori*, questionara-se com preocupação se teria apoiado demasiado peso sobre o seu pénis e não teria sido erótico. Fora uma experiência trôpega e ignominiosa e, mesmo assim, derretia-se cada vez que a recordava. Até chegara ao ponto de ir à casa de banho a meio do dia para se masturbar.

Fora feliz no seu casamento com Neil. Nunca se atormentara, questionando-se o que teria acontecido se tivesse feito as coisas de forma diferente, nunca se sabotara, sucumbindo a alguma tentação passageira. De facto, só houvera uma de tais tentações: Tim

Hughes, o supervisor que tivera no seu primeiro trabalho, que lhe parecera byroniano e atraente durante cerca de três semanas, até ter ido beber um copo com ele ao sair do trabalho e se aperceber de que tinha um pescoço mais comprido do que o normal. Isso pusera um ponto final àquela atração. Ela amava Neil. Adorava o seu sorriso, um sorriso em que se misturavam uma certa timidez e um pouco de arrogância e que a fazia pensar na fotografia escolar de um menino. Adorava essa masculinidade despretensiosa, como era competente e como vivia. Adorava que fosse brincalhão, mas essencialmente sério. Adorava as suas mãos, aquelas mãos firmes e seguras em que estavam tanto a vida dela como a dos filhos.

Mas alguma vez a fizera cair rendida aos seus pés? Fizera-a sentir-se tão excitada, tão carregada de terminações nervosas, que a teria feito explodir só de tocar nela como a cápsula cheia de sementes de uma planta?

A situação com Gavin estava a enlouquecê-la. Entendia porque estava a evitar vê-la e até o respeitava por isso, mas carecia da autodisciplina para agir de igual forma. Ela era o seu próprio pior inimigo. Perdia o tempo no patamar pelo prazer de o ver a sair para fumar no jardim durante uma pausa. Fazia mais viagens do que as necessárias ao tirar as compras do porta-bagagem, porque ele estava sentado no sofá a ver televisão e cada viagem lhe permitia vislumbrar a parte posterior da sua cabeça. Sabia que era uma espécie de loucura, mas não conseguia evitá-lo. E, quanto mais privada estava da sua companhia, mais temerária se tornava.

Uma manhã, estava a fazer limpezas quando o viu sair de bicicleta, com Zuley sentada na cadeira para bebés. Sabia que ele costumava parar na papelaria depois de deixar a pequena com a ama para comprar um exemplar do *The Guardian* e olhou para o relógio para ver as horas. Ao ver que dispunha de vinte minutos antes de Lou chegar com as crianças, subiu para trocar a camisa por outra mais favorecedora e pôs umas gotinhas de *Jo Malone* atrás das orelhas.

— Vou à loja do Samir! — disse a Caleb. Não soube se a teria ouvido, porque a sua voz ficou abafada com o som dos desenhos animados que ouviam no volume máximo.

Enquanto avançava pela rua, sentiu que o ar era bastante fresco, já faltava pouco para os filhos dos outros regressarem à escola. Andava a passo lento, mas tentando dar a impressão de que se dirigia para algum lugar e, quando a papelaria apareceu à vista, tirou o telemóvel e deixou passar uns minutos enquanto se deslocava pela zona da entrada e, ao mesmo tempo, continuava atenta à esquina da rua. Os seus vinte minutos estavam prestes a esgotar-se e ainda não havia rasto dele.

Entrou na papelaria e percorreu os corredores estreitos sem rumo fixo e como uma criminosa, mais do que consciente da câmara de segurança que piscava no canto. Ninguém estranharia se tivesse de comprar cola, portanto, examinou as três marcas disponíveis como se tivesse de elaborar depois um artigo sobre elas para alguma revista para consumidores. Finalmente, escolheu uma e parou a caminho da caixa para ler os artigos dos jornais. Ficou ali parada durante mais de um minuto enquanto aguçava o ouvido à espera de ouvir o assobio eletrónico de dois tons que alertava a Samir que algum cliente entrara. Estava convencida de que, de um momento para o outro, ouviria a voz de Gav a pronunciar o seu nome ou sentiria como a agarrava pelo cotovelo, só de pensar nisso, sentia-se aborrecida e enlevada ao mesmo tempo. Mas a fila de clientes com pouco tempo que tinham parado para comprar qualquer coisa a caminho do trabalho começara a diminuir e, naquele momento, era a única que restava na loja. Pensou que Gavin devia ter-se desviado da sua rotina habitual. Pagou com um suspiro e regressou a casa a passo apressado e com a respiração agitada. Viu-se por um breve instante refletida na montra da lavandaria e apercebeu-se de que tinha um ar de louca. Quando seguiu pelo caminho da entrada e tirou a chave, ouviu o zumbido de umas rodas e um som surdo quando a bicicleta de Gavin subiu a calçada.

— Olá, Sara! — cumprimentou-a, num tom alegre.

Ela virou-se, conseguiu ver o seu cocuruto por trás das sebes de ligustrina e, ao fim de um momento, ouviu que a porta lateral da casa do lado se sacudia antes de se fechar de repente.

O restaurante Lupercal estava situado numa rua secundária de Camberwell. Acedia-se a ele descendo os degraus que levavam à cave e era muito do estilo de Gavin e Lou. Graças à sua localização discreta, quando Sara e Neil o encontraram, poderia dizer-se que chegaram mais elegantemente tarde do que o planeado. Mesmo assim, os seus anfitriões superaram-nos nesse aspeto, porque ainda não estavam lá. O empregado conduziu-os a um reservado íntimo revestido de painéis de madeira e iluminado por um castiçal *retro* elaborado com garrafas de vinho e disse-lhes que regressaria em breve para tomar nota das bebidas.

— Disse-te que íamos chegar demasiado cedo — queixou-se, num tom acusador.

— Não chegámos cedo, eles é que estão atrasados.

Sentou-se no banco junto dela e, ao fazê-lo, esmagou-lhe sem querer a saia comprida do vestido. Ela suspirou e puxou-a com força.

O empregado chegou pouco mais tarde e, depois de pedir dois martínis secos com um aprumo que a surpreendeu, Neil deu uma olhadela à ementa e comentou:

— Este lugar é muito bom, embora seja um pouco caro.

— E então? Pagam eles.

— Achas que devemos deixar que o façam? É o aniversário da Lou.

— Sim, claro, vamos pagar-lhe o jantar, para além de lhe dar um presente caro. Ah, e não nos esqueçamos do serviço de ama gratuito.

Sabia que estava a ser hipócrita. Quando Lou fora vê-la, nervosa, porque, no último momento, tinham ficado sem ama para aquela noite, a mãe apressara-se a oferecer-se. «Trá-los para minha casa, Louise. Quantos mais formos, melhor!», insistira, mais do que disposta a ajudar novamente a família encantadora que lhe trouxera a casa um escritor que fora galardoado com o prémio Pulitzer.

Mas, na opinião de Sara, uma coisa era aceitar a oferta amável da mãe e, outra muito diferente, era levar as crianças uma hora antes de tempo para poder ir a um evento de arte privado a caminho do restaurante.

— Pode saber-se porque estás tão aborrecida? A tua mãe não se importou de cuidar deles.

— Sim, mas ela não conhece o Dash.

— Tens alguma coisa contra esse menino?

Ficou a olhar para ele com semblante pétreo. A noite mal acabara de começar e já estava a correr mal.

Ele respirou fundo antes de dizer:

— Eu gosto desse vestido, é novo?

— Não o comprei expressamente para hoje, para o caso de ser o que estás a insinuar.

— Não teria nada de mal se o tivesses feito.

— Mas não foi assim.

Estava a mentir. Fora ao centro comercial para comprar o presente de Lou e, no fim, acabara por comprar também aquele vestido, uma roupa do estilo *Mad Men* que realçava os seus ombros e criava a ilusão de que tinha seios. Não era o que costumava usar, mas, assim que o experimentara, começara a imaginar Gav a tirar-lho novamente, portanto, comprara-o. Como se sentira culpada com a compra, gastara o dobro do que pensara no presente de Lou.

Bebeu um gole do martíni, que estava delicioso... limpo e frio, como o corte de um bisturi. Lembrou-se com atraso de brindar com Neil.

— Agitado, não mexido — disse ele, imitando Sean Connery.

— Que imitação tão má.

A chegada de Lou e Gav chamou bastante a atenção no restaurante, embora devesse questionar-se se foi porque os outros clientes os reconheceram ou porque entraram como duas pessoas que esperavam ser reconhecidas. Lou não estava nada discreta com uma saia de couro e uma *t-shirt* justa dos Nirvana, certamente. Tal como costumava acontecer, Sara sentiu-se insegura a respeito da sua própria roupa ao vê-la, mas sentiu-se imediatamente melhor quando viu que Gav percorria o seu decote com olhos vorazes.

Assim que concluíram os abraços e as felicitações de aniversário, sentaram-se e Neil indicou ao empregado que servisse mais dois martínis.

— Pedimos desculpa pela demora — disse Gav —, tivemos de passar por Shoreditch. Um amigo meu fez um evento privado para mostrar a sua exposição.

— Gostaste? — perguntou Neil.

— Nem por isso!

Depois das gargalhadas generalizadas, houve uma pausa enquanto acabavam de se acomodar e suportavam a curiosidade inibidora do resto dos clientes.

— Hum! Isto é letal! — exclamou Lou, sorridente, enquanto saboreava o seu martíni.

Gav virou-se, procurou o empregado com o olhar e pediu outra rodada com um simples gesto de dedo.

Sara já começara a sentir o efeito do álcool com o primeiro copo, mas ter Gav tão perto impulsionou-a a beber um bom gole do segundo para acalmar os nervos. Ele estava sempre atraente, mas, daquela vez, refinara perfeitamente a sua estética alternativa. Tinha uma camisa de ganga preta por baixo de um casaco que, apesar de ser de lá, conseguia dar uma imagem mais seleta do que o de sarja da marca *Jaeger* que Neil usava. Os olhos de Gav brilhavam como o azeviche à luz das velas e as suas maçãs do rosto pareciam muito marcadas, mas, mesmo assim, irradiava uma certa vulnerabilidade, havia algo diferente nele que ela não conseguia identificar... De repente, apercebeu-se do que era: Barbeara-se. Recordou como gozara com ele por causa da barba e sentiu-se culpada e enlevada ao mesmo tempo. Que tonto! Que tonto tão adorável! Teve vontade de lhe dizer que não precisava de se ter barbeado, que o amava de qualquer forma.

Neil deu-lhe uma pequena cotovelada que a arrancou dos seus pensamentos e apressou-se a tirar da mala o presente e o cartão para Lou.

— Isto é para mim? — perguntou-o com os olhos esbugalhados e transbordantes de gratidão, como se receber um presente de aniversário fosse algo que ultrapassava todas as suas expectativas.

Abriu o cartão, fez uma pequena careta de agradecimento e, então, começou a abrir o presente. Sara pensou que parecia mais bela e frágil do que nunca. Tinha o cabelo apanhado num coque descuidado e tinha o rosto limpo de maquilhagem, a não ser por um pouco de rímel e, mesmo assim, conseguia fazê-la sentir-se óbvia e suburbana por estar bem arranjada e com o seu vestido caro.

— Não é grande coisa — disse, embora fosse mentira. — Não sabia se gostarias, mas podes trocá-la, se quiseres. Havia duas ou três de que gostava, mas esta pareceu-me a mais... — interrompeu-se como uma tola ao ver que lhe cobria a mão com a sua.

— Eu adoro, é linda. — Lou deixou a pulseira de lado, juntamente com o papel de presente, e concentrou a sua atenção na ementa. — Boa, vamos ver o que vamos pedir... Não sei se devo pedir pato confitado, embora o arroz preto com tamboril também deva ser muito bom... Meu Deus, não consigo decidir-me! — Fechou a ementa. — Neil, podes pedir por todos?

O aludido levantou o olhar como um aluno alarmado a quem a professora acabara de pedir que se encarregasse da turma, mas fez a tarefa pedida com uma prepotência que, na opinião de Sara, era um pouco desmedida, tendo em conta que não estava habituado a comer naquele tipo de restaurantes. Mas, pouco depois, estavam a desfrutar de um banquete como se fossem os últimos dias do Império Romano e os pratos foram chegando com rapidez procedentes da cozinha, cada um deles cheio de partes de animais peculiares e saladas exóticas com ingredientes de que Sara nem sequer ouvira falar. Gav não quis ficar atrás e pediu uma garrafa de vinho que custava oitenta libras. Beberam-na numa questão de meia hora e pediram mais outra.

Era uma pena, pensou Sara vagamente, não estar a prestar mais atenção àqueles molhos elaborados com tanta delicadeza, àqueles enfeites subtis e às guarnições imaginativas. Quem sabia quando voltaria a desfrutar de uma ementa tão boa? Mas poderia estar a comer serradura e nem se teria apercebido, porque como podia concentrar-se na comida quando era o seu olhar que estava a receber um verdadeiro banquete? Passara semanas quase sem ver Gav e, naquele momento, tinha-o ali, a escassos centímetros de distância, com aquele sorriso retorcido na cara enquanto mexia o garfo no ar ao expressar uma opinião. Tentou prestar atenção ao que ele estava a dizer... Alguma coisa sobre um homem que conhecera no evento privado, um tipo baixinho e musculado chamado Matt que tinha um bigode impressionante e uma voz de contratenor que chocava um pouco com o seu físico.

— Sabia que me parecia familiar — estava a dizer, naquele momento —, mas não conseguia lembrar-me de onde o tinha visto antes. E, de repente, apercebi-me de que era a Matilda, uma colega que tive na escola de arte. Mudou de sexo. Tive uma surpresa, mas, por outro lado, foi fantástico. Parecia muito mais relaxado, muito mais natural e em paz consigo próprio do que antes.

Sara segurou o seu copo de vinho a meio caminho entre a mesa e os seus lábios enquanto olhava para ele, sorridente, e abanava a cabeça.

— E eu disse-lhe algo como: «Colega, alegro-me muito por te ver, bem-vindo ao clube! Mas pelo amor de Deus, não podes estar parado ao meu lado com esses músculos e esses abdominais, porque, comparado contigo, pareço um maricas.»

Todos desataram a rir-se, mas Neil aguou um pouco a festa ao embarcar numa dissertação sobre ideias preconcebidas sobre a normativa heterossexual. Ao ver que Gavin, apesar de assentir e sorrir, levava a mão ao bolso em busca do seu tabaco, Sara decidiu que chegara o momento de agir e, antes de ele conseguir dizer que ia sair para fumar, anunciou que tinha de ir fazer chichi. Levantou-se e, sem prestar a mínima atenção a Gav, foi diretamente para a casa de banho das mulheres. Uma vez lá, deu uma olhadela ao espelho, carregou no botão do secador de mãos para dar mais autenticidade à coisa e, em vez de regressar diretamente à mesa, deu uma pequena volta matreira que a fez passar pelo pátio onde sabia que Gav já devia estar.

Encontrou-o sentado nos degraus. A sombra de um loureiro artisticamente podado caía sobre ele e toldava parcialmente o seu corpo.

— Oferece-me um.

— Pede-se por favor — declarou, com severidade.

— Vá lá, por favor, oferece-me um!

Deu-lhe o cigarro que acabara de fazer e começou a preparar outro. Assim que acabou, acendeu o isqueiro e ambos se inclinaram para a frente. Ao ver o seu rosto ao brilho ténue da chama, os seus olhos com as pálpebras semicerradas e o seu sorriso fino e trocista, uma onda de luxúria atingiu-a totalmente.

— Hum! — exclamou, ao inalar, para que ficasse claro que estava a desfrutar.

— Tem cuidado, não vás enjoar-te.

— Garanto-te que me sinto melhor do que nunca.

Bebera a quantidade exata de álcool para se desinibir, mas não a suficiente para não saber com clareza o que estava a fazer. Pousou a mão naquele queixo masculino barbeado.

— Não tinhas de te barbear.

— Sim, eu sei.

— Mas lisonjeia-me que o tenhas feito.

Deixou cair o cigarro quase intacto ao chão, segurou-lhe as mãos e puxou-o para que se endireitasse. Sentia o cheiro da lã do seu casaco, o cheiro adstringente do seu perfume e o seu cheiro corporal subjacente, esse cheiro a terra que o caracterizava e que, para ela, se transformara no melhor cheiro do mundo. Sabia que não podiam foder e que, naquele lugar, não podiam fazer uma coisa dessas, mas bastava-lhe um beijo. Sim, bastaria um beijo no aniversário de Lou. Fê-lo baixar a cabeça, levantou a dela e fechou os olhos.

— Lamento — murmurou ele, com um hálito adocicado e acre por causa do vinho e do tabaco.

— Não tens de lamentar.

Tocou-lhe na boca com a sua, mas segurou-lhe o queixo com a mão e disse, num tom de voz suave:

— Não, Sara, lamento realmente.

25

«Dirigiu-se para a beira-mar como se estivesse num transe e sentiu como os seus pés se afundavam cada vez mais na areia com cada passo que dava, com cada passo que a aproximava das ondas que rebentavam. Agarrou num pedaço de alga que havia na areia e pesou-o, tinha um toque estranho e os caules cheios de ar pareciam mais substanciais do que a sua própria vida. Pô-la na cara a modo de véu. Era apropriado estar assim, escondida por trás de uma matéria aquosa e pútrida, por trás de um vegetal primitivo. Os seres humanos procediam da água e ela estava prestes a voltar ao ponto de partida. Os seus pés afundaram-se inexoravelmente na areia e uma onda cobriu-os. Quando alguém fosse procurá-la na manhã seguinte...»

— Sara?
— Que susto! — exclamou, antes de se virar na cadeira giratória.
— O que estás a fazer?
Neil tinha olheiras devido ao cansaço. A única coisa que usava era as calças do pijama e ela lançou o olhar para os círculos de pelo hirsuto que lhe rodeavam os mamilos.
— Estou a escrever — limitou-se a responder.
— Às duas da madrugada?
— O que importa?

— Não consigo dormir.

— Que culpa tenho disso?

— Vá lá, anda para a cama.

— Sim e quando posso escrever?

— Durante o fim de semana.

— Sim, claro. Tencionas levar as crianças a passear?

— Eh... Poderia fazê-lo, mas é que...

Ela encolheu os ombros e virou-se novamente para o computador. Estava irritada, mas sentiu uma certa satisfação ao ver que ele continuava parado atrás dela sem saber o que fazer. Ele acabou por deixar escapar um suspiro e, depois de fechar a porta, aproximou-se da poltrona horrível que a mãe dela lhes dera quando se fartara de a ter em casa. Depois de se sentar na beira da cadeira incómoda, limitou-se a observá-la durante alguns segundos em silêncio, mas, ao ver que ela mantinha o olhar fixo no ecrã do computador com uma atitude eloquente, no fim, aventurou-se a perguntar:

— Estás a reescrever o teu manuscrito? Não percebo muito do assunto, mas não devias esperar até receberes a opinião de algum profissional?

Fulminou-o com o olhar.

— Recebi todas as opiniões de que precisava, obrigada. Estou a trabalhar em algo novo.

— Não acho que devas descartar o teu manuscrito só porque algumas editoras o rejeitaram.

— Com todo o respeito — virou a cadeira para ele —, deixa-me dizer-te que estás a falar de uma coisa de que não tens ideia.

— Mas a Lou sabe do assunto.

— Desculpa? — Saiu-lhe num tom bastante rude.

— Ela leu o teu livro e adorou. Suponho que a sua opinião conte para alguma coisa, não é?

— Não adorou. Disse que tinha adorado, o que não é o mesmo.

— Porque haveria de te mentir?

— Meu Deus, às vezes, consegues ser muito ingénuo!

— Não te entendo! De onde vem tudo isto?

— Talvez tenha dito que adorava para que lhe emprestássemos oito mil libras para a curta-metragem, Neil! Achas que vamos voltar a ver esse dinheiro? Duvido muito!

Ao ver como ficava boquiaberto ao ouvir aquilo, Sara recordou por um momento fugaz que era um homem que tinha uma bondade inata. De facto, essa fora a qualidade que a atraíra nele ao princípio. Naquele tempo, não gostara do facto de ser crédulo, daquela disposição alegre tão incondicional e fora de moda e do facto de não haver pessimismo existencial nele, por outro lado, adorara que só visse o lado bom das pessoas, que acreditasse no progresso e não visse o pecado com moralismo, apenas de um ponto de vista sociológico. Talvez os tempos tivessem mudado (tinham outras companhias, isso estava claro), mas a questão era que a visão tão otimista e ingénua que o marido tinha da natureza humana passara a parecer-lhe absurda. Sim, parecia-lhe absurda e muito, mas muito pouco sensual.

— Achas que a Lou é tão calculista que seria capaz de fazer uma coisa dessas? — perguntou ele.

— Talvez não de forma consciente, mas estou convencida de que é isso que está a fazer... Melhor dizendo, é o que ambos estão a fazer. Estiveram a cultivar a nossa amizade por pura conveniência.

— Meu Deus! Quando te tornaste tão cínica?

— Talvez tenha sido na oitava ou na nona vez que a Lou nos deixou as crianças enquanto ligava ao seu representante ou tratava do pedido de um subsídio ou... Espera, deixa-me pensar... Quando fez todo o guião gráfico de uma curta-metragem enquanto eu evitava que os filhos se matassem uns aos outros!

— Não me tinhas dito que era uma professora muito boa?

— Sim, foi durante uns minutos, até se aborrecer! — Suavizou um pouco o tom de voz ao ver o ar de consternação dele. — Na verdade, se soubesse que as coisas seriam assim não teria tirado as crianças da escola. Nem sequer me importa que me tenham fodido a vida, o que me incomoda é saber que fodemos a vida das crianças. Em Cranmer Road, pelo menos, estavam contentes. Meu Deus, nunca na minha vida voltarei a criticar os professores! Não sabia quanta energia se requer, quanta criatividade. Têm de estar sempre um passo à frente, têm de fazer com que assuntos aborrecidos pareçam divertidos. Têm de se envolver realmente, têm de investir muito tempo. Foi uma loucura pensar que poderia conciliar as aulas das crianças com escrever.

— Está a ser demasiado dura contigo própria, é normal que uma tarefa assim tenha as suas desigualdades. O que fizeste parece-me muito, mas muito valente. Tentar ter uma vida criativa, dar esse exemplo às crianças e dar-lhes espaço para também serem criativas... Isso não é uma insignificância. Se fores capaz de fazer uma coisa dessas, terás tido um sucesso que superará com acréscimo tudo o que eu conseguir fazer. Mas sabia desde o começo que não seria fácil, é normal que uma coisa dessas não seja uma linha reta.

— É precisamente essa a questão! Essas duas coisas, ter uma vida criativa e dar esses ambientes às crianças, excluem-se mutuamente. Não se pode ter tudo, agora, entendo o Ezra. A criatividade é egoísta, pelo menos, a que leva à arte. Como posso encontrar o tempo de que preciso para mim própria e, ao mesmo tempo, ajudar as crianças a desenvolver o potencial que têm? Não consigo fazê-lo!

— Esse é um ponto de vista muito pessimista, Sara. Estás a aceitar uma visão muito absurda e idealizada do que é a criatividade. Morrer de fome num sótão, cortar a sua própria orelha... Enfim, o mito do génio torturado.

— O que saberás do assunto? — queixou-se, indignada. — O mais criativo que tiveste de fazer em toda a tua vida foi escolher a fonte que vais usar para redigir o relatório anual! — Apercebeu-se de que o magoara com as suas palavras, mas, em vez de voltar atrás, ganhou coragem e o seu sussurro estridente foi enrouquecendo mais à medida que ia avançando. — Talvez a arte seja um mistério para ti, Neil, mas eu posso garantir-te que temos de pagar um preço por ela! Escrever não é algo a que alguém possa dedicar alguns momentos livres de vez em quando, temos de o levar a sério ou parar. Porque achas que estou acordada a meio da noite? Não se deve ao facto de a minha criatividade estar mais ativa às duas da madrugada, garanto-te! Estou aqui porque é o único momento dos meus dias de merda que tenho livre! Não é de estranhar que esteja a escrever uma merda! Não é de estranhar que tenha a caixa de entrada cheia de recusas! Sou uma novata, Neil, e escrevo como tal. Para ser um artista a sério, é preciso fazer sacrifícios! Temos de estar dispostos a deixar que o trabalho nos consuma e que consuma também todos os que nos rodeiam.

— Pelo amor de Deus, não sejas tão melodramática! Olha para a Lou e para o Gavin! Ambos são artistas, mas não exageram tanto a coisa.

Ela recostou-se na cadeira como se acabasse de receber um pontapé e exclamou, atónita:

— Não estarás a falar a sério, pois não?

— Parece-me que se organizam bastante bem — defendeu-se. — Têm os seus respetivos trabalhos, têm a sua família...

— Neil, sou eu que tenho a sua família! Sabias que, agora, também estou a encarregar-me de tomar conta da Zuley?

— Não, a sério? — Parecia estar muito surpreendido.

— Sim, a sério. A Lou discutiu com a Mandy, acha que quer seduzir o Gavin. Portanto, agora, estou a gerir a merda de uma creche. Sabes o que planeou para esta semana que vem? Uma visita à Ponte da Torre, para para aprender sobre alavancas! Imaginas o que vai ser isso com a Zuley a reboque?

— Mas suponho que a Lou também vá, não é?

— É o que ela diz e, provavelmente, acredita que sim, mas podes ter a certeza de que chegará a segunda-feira e surgirá alguma catástrofe que só ela poderá resolver. Terá de ir para filas intermináveis para renovar o passaporte, pedir-lhe-ão que faça alguma mudança urgente num guião ou uma coisa dessas. Quem sabe que novo imprevisto aparecerá, mas aposto a casa em como não estará nem num maldito milhão de quilómetros da Ponte da Torre. As coisas são assim com a Lou e o Gavin.

— Isso não está bem, tens de falar com ela sobre o assunto.

Na opinião de Sara, disse-o num tom demasiado temperado, não parecia suficientemente indignado, e respondeu, num tom gélido:

— Ah, sim?

— Fá-lo-emos juntos. Amanhã, puxaremos o assunto durante o jantar.

Quando Neil tivera o gesto generoso de pagar a conta no Lupercal, Lou sentira-se tão cheia de gratidão (e tão alegre por causa de tudo o que bebera) que insistira em convidá-los para jantar em sua casa e dissera, com imensa modéstia, que seria como uma segunda celebração do seu aniversário.

Naquele momento, Sara esboçara um sorriso forçado porque estava decidida a não voltar a entrar na casa de Lou e Gavin, nem que a levassem de rastos, mas começava a perceber que, no fim de contas, uma noite como aquela poderia ser de utilidade.

26

Sara entrou na banheira com a água quase a ferver e viu como o seu corpo ia adquirindo um tom rosado vívido. Os joelhos, que sobressaíam por cima daquela linha dolorosa, eram a única parte do corpo que mantinha a cor da pele normal. No couro cabeludo formaram-se gotas de suor que foram descendo pela cara, mas permaneceu dentro de água. Era uma prova de resistência.

Depois, sentou-se nua na beira da cama e, enquanto aplicava loção hidratante nas pernas, foi ensaiando mentalmente a noite que tinha pela frente. Pensando bem, a verdade era que seria uma loucura deixar as coisas nas mãos de Neil, porque bastariam alguns copos de vinho para Gavin e Lou o terem a comer da palma da mão. Sentia-se mortificada ao ver como se arrastava à frente deles ultimamente, como se ria das piadas de Gav e aceitava, sorridente, aquela espécie de síndrome de memória seletiva de que Lou parecia sofrer. Ele nem sequer se apercebia da figura ridícula que fazia. Não podia culpá-los por lhe dar um pontapé no rabo se o marido estava decidido a pôr-lhe um alvo e virá-lo para cima. Mas ela não estava disposta a permitir que lhe dessem pontapés, já estava farta.

Parou de massajar as coxas ao ver que estava a fazer tanta força que começavam a aparecer umas marcas avermelhadas na pele. Lançou o olhar para o espelho do tocador, um pouco surpreendida com o seu próprio comportamento, e observou o seu próprio reflexo. O seu cabelo, despojado da toalha, mas ainda sem pentear, sobressaía como um matagal e tinha os olhos escuros como o carvão. Parecia uma das fúrias da mitologia grega, uma vingadora de cabelo de serpentes decidida a resolver injustiças. Decidiu vestir-se de acordo com a ocasião e tirou do fundo do armário um vestido que se ajustava às suas curvas como uma segunda pele, uma roupa que comprara de forma impulsiva num dia em que fora às compras com Carol. O efeito justo e a forma como aplanava os seios pareciam encontrar o ponto perfeito de androginia sensual. Era exatamente o que precisava para recordar a Gavin o que estava a perder, o que ele rejeitara.

— E não quero ficar até muito tarde — disse a Neil, em voz baixa, enquanto esperavam na soleira da casa de Lou e Gavin até alguém lhes abrir a porta.

— Porque não esperamos para ver como corre tudo? — propôs ele, fazendo um esforço claro para falar com tranquilidade. — Talvez até possamos divertir-nos.

Nesse momento, apareceu uma sombra por trás da vidraça da porta e ouviu-se Lou a dizer qualquer coisa por cima do ombro num tom de voz relaxado e caloroso. Parecia satisfeita consigo própria. No momento em que se abriu a porta, quando lhe chegou aquele cheiro tão característico a humidade que identificava a casa do casal, a sua determinação diminuiu por um instante. Recordou todas as vezes em que estivera parada naquela soleira, sentindo-se sortuda (sortuda por poder passar uma noite com eles, por os conhecer) e sentiu um nó na garganta que a obrigou a engolir em seco.

Mas ali estava a anfitriã, emoldurada num halo de luz, sem sutiã e com uma *t-shirt* descolorida e umas calças de seda de estilo tailandês. Voltara a fazer algo estranho com o cabelo e pintara mais os olhos do que de costume.

— Olá! — cumprimentou-os, como se não se vissem há uma eternidade. — Vá lá, entrem! — Puxou-a para si sem olhar para ela nos olhos e inclinou a cabeça sobre o seu ombro num gesto estranho e suplicante.

268

— Olá — respondeu ela, com rigidez. Afastou-se do abraço e viu-a a receber Neil com um cumprimento que, em comparação, foi bastante superficial. — O jantar cheira bem — acrescentou, cedendo um pouco.

A verdade era que lhe parecia estranho que o jantar já estivesse a ser feito. Era a primeira vez que acontecia. Até chegou a questionar-se se seria alguma tática por parte de Lou e Gav, se se teriam apercebido de que tinham abusado. Achavam que conseguiam acalmar as águas com ajuda de Ottolenghi? Se fosse assim, estavam muito enganados.

Ao entrar na cozinha, quase tropeçou em Gavin, que estava sentado no parapeito da janela com as pernas cruzadas à altura dos tornozelos e uma garrafa de cerveja na mão. Achava que estava pronta para enfrentar aquele momento, mas vê-lo foi como receber um choque físico.

— Aqui está, já chegou a minha rapariga! — exclamou ele.

Sara sabia que aquela atitude positiva era puro teatro. Puxou-a com uma brincadeira cómica para a aproximar e, por um instante, sentiu que estava novamente no pátio do restaurante, que tinha o nariz cheio do cheiro masculino do seu corpo e uma coxa apertada com força contra a dele. Ele franziu os lábios para lhe dar um beijo casto, mas ela virou a cara com frieza e foi então que viu os outros convidados.

Gav começou a cumprimentar Neil com um daqueles abraços de homem, antes de dizer:

— Sara, Neil, apresento-vos a Claudia e o Chris.

Sara esboçou um sorriso forçado. Devia ter esperado uma coisa daquelas. Devia ter sabido que iam fazer qualquer coisa para a desequilibrar, que conspirariam para conseguir pô-la à defesa. Nunca antes tinham tido convidados adicionais, tinham sido sempre eles e aquilo foi como uma bofetada. Teria sido quase tolerável se o outro casal convidado tivesse saído do grupinho habitual de pesos pesados do mundo da arte em que Gavin e Lou viviam, mas aqueles dois estavam muito abaixo desse nível. Claudia era uma mulherzinha diminuída que se vestia como uma senhora idosa, usava um casaco comprido de malha e uns brincos compridos. Um cabeleireiro decente teria podido fazer maravilhas com o seu cabelo loiro e sujo, mas pendia a ambos os lados de um risco central em dois apanhados horríveis. Fez um gesto fraco de cumprimento a Neil e a ela do outro extremo da mesa. Quanto a Chris, era ainda menos carismático. A única coisa destacável nele era umas sobrancelhas espessas de cor bege que pendiam sob uma careca incipiente como arbustos agarrados a um precipício, vestia uma camisa de desporto com a gola levantada e, depois de se levantar como uma mola, apertou-lhes a mão, certificando-se de que olhava para eles nos olhos de vez em quando. Nem sequer Neil parecia alegrar-se por o conhecer e era uma pessoa que nunca costumava julgar os outros sem os conhecer. Era como se, percebendo que ia gerar-se alguma controvérsia durante o jantar, Lou tivesse saído à rua e tivesse convidado o primeiro casal que encontrara para evitar uma cena desagradável, mas, mesmo assim, os novos convidados estavam a receber todos os cuidados possíveis (as velas, as flores, um álbum de Sufjan Stevens a tocar com suavidade de fundo...).

Enquanto Lou acabava de cozinhar uns feijões fritos, Gavin começou a conversar com Chris como se estivesse realmente interessado no que podia dizer. A certa altura, Claudia aproximou-se de Sara e brindou com ela com um olhar cúmplice, como se beber vinho fosse um pouco atrevido.

— De onde é que o Neil e tu conhecem o Gavin e a Lou?

— Vivemos na casa do lado — respondeu ela, enquanto lutava para agir de forma civilizada.

— A Sara e o Neil ajudaram-nos muito quando regressámos ao país — disse Lou a Claudia, por cima do ombro. — Meu Deus, Sara, lembras-te do estado em que estávamos?

Sim, claro que se lembrava. Recordava a sensação embriagadora de se sentir incrivelmente sortuda por ter sido escolhida, entre todas as mulheres da vizinhança, para ser amiga de Lou. Recordava estar a beber café enquanto ouvia, contente, a história que Lou lhe contara sobre a Espanha. Recordou que, enquanto as confidências se sucediam, estivera com a respiração contida com medo de que Lou parasse de falar. E, naquele momento, enquanto via como Claudia olhava para Lou com uma admiração encantada e engolia cada uma das suas palavras, pensou na Sara do princípio, a acólita crédula e agradecida.

— Era muito divertido voltar a estar rodeados de pessoas — estava a dizer Lou, com um sorriso nostálgico —, éramos praticamente selvagens. Já para não falar da língua! Eu não parava de misturar o inglês e o espanhol.

«Não, isso não é verdade», pensou Sara para si. Agora que o feitiço se quebrara, conseguia ver com clareza como os esforços da sua anfitriã para impressionar eram óbvios e extremamente infantis. Mesmo assim, enquanto a observava em silêncio, percebeu uma diferença subtil nela. Parecia cansada e um pouco nervosa. Talvez se tivesse apercebido de que estava a perder o afeto que lhe professara.

— A adaptação não deve ter sido nada fácil — comentou Claudia. — Em Londres, as pessoas mal conhecem os seus próprios vizinhos.

Lou respondeu com diplomacia.

— Bom, talvez seja verdade, mas esta é uma vizinhança em que se quebra essa tendência.

Sara interveio na conversa.

— Não sei se será uma tendência ou um clichê, a verdade é que os londrinos nunca me pareceram especialmente distantes.

— Bom, não queria dizer isso — apressou-se a garantir Claudia, com as faces acesas de rubor. — Suponho que sempre me tenha parecido uma cidade intimidante.

— Porquê? De onde és? — perguntou Sara.

— A minha família procede de Derbyshire, mas eu tive uma infância bastante itinerante por causa do trabalho do meu pai. De facto, viajámos por toda a Europa.

— A Claudia é a filha do Jerzy — contribuiu Lou.

271

Sara esforçou-se para recordar qual de todos eles era o tal Jerzy... Ah, sim, o apresentador flexível do circo que tinha um encanto letal e um problema com a bebida. Tudo começava a fazer sentido. Embora aqueles dois tivessem o carisma do lodo inerte, faziam parte de uma dinastia, portanto, por extensão, também eram criativos.

— Ah, está bem. Então, suponho que trabalhas no *Little Creatures*.

— Não, a verdade é que não. — Claudia disse-o num tom de desculpa. — Isso é coisa da Beth, a minha madrasta. Alegro-me muito por o projeto estar a correr tão bem, mas a verdade é que não fui feita para o teatro.

Ia perguntar-lhe o que fazia da vida (apesar de não ter nenhum interesse em sabê-lo, na verdade) quando Lou depositou na mesa um tabuleiro de comida e uma cesta de tortilhas de milho caseiras.

— Vamos comer! — exclamou, antes de se sentar num banco velho.

Sara pôs uma colher do refogado de coentros espesso numa tortilha e começou a enrolá-la.

— Alguém quer salada de abacate? Molho? — perguntou Chris, enquanto ia passando os pratos de um lado para o outro como se o anfitrião fosse ele em vez de Gavin.

Claudia murmurou algum comentário elogioso sobre a comida e, durante um bom bocado, todos se limitaram a comer em silêncio.

— Achava que ias trazer as crianças, Sara — comentou Lou, num tom moderado.

— Não quiseram vir.

Afirmou-o olhando para ela nos olhos com descaramento, cheia de uma ousadia embriagadora. Era incrivelmente libertador ter mandado tudo para o inferno e já não se importar nada com a hipótese de ferir os sentimentos de Lou. De facto, queria magoá-la.

— Ah... — respondeu a anfitriã.

— Não queriam perder o *Top Gear* — disse Neil, num tom de desculpa.

Sara observou Lou em silêncio e apercebeu-se de que, vista de perto, não tinha muito bom aspeto. Tinha capilares partidos nas faces e uma borbulha no nariz... Ah, não, não era uma borbulha, era o buraquinho do *piercing*, parecia estar a infetar. Não, não tinha bom aspeto, mas, mesmo assim, parecia irritantemente atraente. Era como uma cortesã tísica a adoecer por amor.

Nesse momento, a cortesã virou-se para Claudia e disse, com uma vivacidade tensa e frágil:

— Para nós, foi um verdadeiro golpe de sorte viver mesmo ao lado destes dois. Os filhos deles têm praticamente a mesma idade do que o Arlo e o Dash e os quatro dão-se lindamente. Mal damos por eles quando estamos todos juntos, não é, pessoal? Desaparecem sem mais nem menos para...

Mas Claudia e Chris estavam destinados a ficar sem saber porque as crianças desapareciam, porque um grito estridente interrompeu Lou a meio da frase. Ouviu-se o som de passos irados a descer a escada a correr e Dash irrompeu na cozinha segundos depois.

— Têm de tirar a Zuley do meu quarto! Já!

— Querido... — Lou teve a decência de se mostrar um pouco envergonhada com o comportamento do filho. — Acalma-te e diz-me qual é o problema...

O menino respondeu num tom bastante alto.

— O problema é que a Zuley e o Arlo construíram um forte no meu quarto!

— Querido, também é o quarto do Arlo.

— E usaram o meu edredão e derrubaram todas minhas coisas do *Warhammer*, portanto, podes subir agora mesmo e tirar aquela merda de lá?

— Dash! — Gavin fez aquele aviso sem muita convicção. Carrancudo, olhou para Lou, que também não parecia saber o que fazer.

Foi Claudia que se levantou e disse, enquanto passava por trás da cadeira de Sara:

— Eu vou subir para ver o que se passa.

Segurou os ombros de Dash com delicadeza e tirou-o da cozinha com uma autoridade surpreendente. Apesar de como Sara detestava Dash, naquele momento, desejava vê-lo a fazer uma birra. Saboreou a cena de antemão... Os gritos e os palavrões, Claudia a regressar, envergonhada... E surpreendeu-se ao ver que não acontecia nada do esperado.

— É incrível como tem boa mão com ele, não é? — perguntou Lou, ao ver a expressão que fazia. — E só se conheceram ontem!

— Achava que se conheciam há mais tempo.

— Estive muitas vezes com a família, mas a Claud e eu mal nos tínhamos encontrado até agora. Suponho que me sinta próxima dela porque o Jerzy foi como um pai para mim há anos.

«Um pai com quem querias foder», pensou ela, para si.

— Portanto, quando o Gav e eu descobrimos que estavam à procura de um lugar onde ficar, pensámos, porque não aqui?

Sara virou-se para Chris.

— Quanto tempo tencionam ficar?

— Só alguns meses, até encontrarmos alguma casa de que realmente gostemos — esclareceu ele, com a boca cheia de salada de abacate.

— Ena! Eu pensava que me dirias uns dias!

— O Chris e a Claud querem comprar uma casa em Deptford — informou Gavin, antes de se inclinar para a frente para lhe encher o copo.

Era a primeira oportunidade que tinha de olhar para ele com atenção desde a sua chegada à casa e apercebeu-se de que ainda não o superara. Continuava a desejá-lo só de o ver. Imaginar aquelas mãos a acariciá-la, aquela boca e aquela língua... mas, agora, estava por trás de um vidro. Não havia nada que revelasse com maior eloquência a indiferença que Gavin sentia por ela do que aquela atitude afável e impessoal com que a tratava desde a sua chegada. Naquele momento, ela via com clareza que a sedução dele fora morna e tivera pouco interesse. De certeza que nem sequer se teria dado ao trabalho se tivesse tido de tomar a iniciativa. Seduzir era algo inato nele.

Korinna, o avatar do mundo artístico; Rohmy, a ruiva possessiva do clube; Mandy, a ama... todas elas achavam que tinham a oportunidade de o conquistar sem se aperceberem de que eram apenas extras numa peça teatral muito mais ampla, no joguinho do gato e do rato que havia entre Lou e ele. Mas ela pensara que era diferente, que estava acima das outras e que ocupava um lugar privilegiado no que dizia respeito aos afetos de Gavin. Sempre soubera que ele não ia abandonar Lou, não era suficientemente estúpida para não se aperceber. Mesmo assim, pensara que satisfazia nele uma necessidade que Lou era incapaz de cobrir, estivera convencida disso. E também estivera convencida de que iam fazer amor, de que a oportunidade surgiria mais cedo ou mais tarde e seria transformante.

Não acontecera nem nunca aconteceria e não tinha outro remédio senão continuar ali sentada a vê-lo a desperdiçar o seu carisma com aqueles clones, aqueles seres sem personalidade nenhuma que se riam e conversavam e que pareciam ter sido aceites naquele círculo seleto de que ela fora excluída. Ela fazia parte do passado.

— Porque os preços subiram oitenta por cento nestes últimos seis meses — estava a dizer Chris —, portanto, basicamente, é agora ou nunca.

Meu Deus, era tão aborrecido!

— É a primeira vez que compram uma casa, portanto, terão de negociar — comentou Neil.

— Espero que sim. — Chris não parecia ter a certeza e o olhar que lançou a Gavin refletia as suas dúvidas. — Esperamos não ter problemas para nos concederem um empréstimo, porque eu trabalho por conta própria e a Claud ainda não conseguiu um emprego fixo.

— Em que trabalhas, Chris? — perguntou Neil, com amabilidade.

— Sou contabilista.

Ela conteve um bocejo.

— Nesse caso, duvido que o banco encontre problemas — redarguiu Neil.

— Eu também penso assim, mas quererão estudar tudo com uma lupa.

— Deixa que o façam — disse Gav, com displicência. Abanou com suavidade o copo para fazer girar o vinho e bebeu-o de um gole, antes de acrescentar: — Não temos nenhuma pressa. Será incrível ter-vos aqui e isso aliviará o tédio da vida rotineira.

Claudia regressou à cozinha naquele momento, parecia serena e satisfeita consigo própria.

— Tudo em ordem na frente. Li uma história ao Arlo e a Zuley está prestes a adormecer.

— És um anjo! — exclamou Lou. — Será melhor subir para a ver, não me perdoará se me esquecer de lhe dar o seu abraço mágico.

Sara quase se engasgou com o vinho ao ouvir aquilo. Aquela mulher não conhecia a vergonha? Esquecera-se de que ela estava a par de como as coisas funcionavam naquela casa? Talvez estivesse mais interessada em recrutar novos membros para o seu clube de fãs do que em mostrar algo que se parecesse, mesmo que fosse remotamente, com uma personalidade verdadeira à frente de uma amiga cuja opinião parecia importar-lhe menos com cada dia que passava.

— É uma menina muito inteligente, não é? — comentou Claudia. A tortilha arrefecera, mas ela começou a comer com vontade.

— Quem? A Zuley? — Gavin sorriu com petulância. — Sim, não podemos queixar-nos.

Claudia fingiu indignar-se ao ouvir aquilo.

— Ouve, mais respeito! Informo-te de que tem uma capacidade de leitura excecional para a sua idade!

— A sério? — perguntou ele, surpreendido.

— Sim, só tem quatro anos e ensinei crianças de sete que não liam tão bem como ela.

— Ah, és professora? — interveio Sara.

— Acabei de tirar o curso. — Corou e começou a puxar um dos seus brincos. — Suponho que possa fazer substituições por um tempo, enquanto vou ganhando experiência.

— Como funcionam as substituições?

— Ligam-nos quando alguém não pode ir porque está doente ou algo assim.

— O que fazes com o resto do teu tempo?

— Bom, suponho que agora estarei aqui, a ajudar no que puder — respondeu Claudia, com um sorriso.

Sara apercebeu-se de que acabara de descobrir o que realmente se passava. A educação das crianças acabara de ficar nas mãos de uma nova professora. Não era de estranhar que Gavin e Lou estivessem a estender um tapete vermelho aos pés daquele casal, valiam o seu peso em ouro. Enquanto Claudia praticava como professora com as crianças, de certeza que Chris começava a encarregar-se da contabilidade de Gavin. Tudo encaixava de forma tão perfeita que sentiu vontade de desatar a rir-se. Conforme tinha entendido, os tubarões tinham de continuar a nadar sem parar para não se afogarem, não era?

Pouco depois, Claudia inclinou-se para ela e disse, num tom baixo e à defesa:

— Na verdade, foram eles que nos convidaram.

— Desculpa? — A pobre ainda continuava a desfazer-se em demonstrações de gratidão humilde.

— Eles ofereceram-nos alojamento em sua casa, nós não pedimos. Eu só liguei para pedir alguma informação sobre a zona, nem me passou pela cabeça que pudessem fazer-nos essa oferta.

— Aposto que a renda lhes dá jeito.

— Não vamos pagar-lhes nada. Recusaram-se a aceitar uma só libra e, tendo em conta que estamos a falar de uma estadia de tempo indeterminável e de um quarto de tamanho considerável, isso diz muito deles, não achas?

Gavin, que se ausentara por um instante, regressou então, a assobiar e com uma garrafa de Borgonha na mão.

— Uma garrafa das boas e velhotas. Guardo-a há algum tempo, mas, hoje, estamos a celebrar. Perdi alguma coisa?

— Não — respondeu Neil, com um sorriso muito falso —, estávamos a falar de como são hospitaleiros. O que celebramos?

— Ah, a Lou não vos contou? Típico nela! Acabámos de descobrir que o Instituto de Cinema Britânico vai incluir a curta-metragem dela no DVD em honra a cineastas contemporâneas.

— Que bom! — exclamou Neil.

Claudia e Chris ficaram claramente impressionados com semelhante façanha, mas Sara não tinha as coisas tão claras e interrogou-se se aquilo seria realmente um sucesso ou um fracasso. Ao fim e ao cabo, quando um filme ia diretamente para DVD no mundo real, considerava-se que não funcionara bem.

— Isso significa que não vai estrear em nenhuma sala de cinema? — perguntou-o com um pouco mais de entusiasmo do que o devido.

Embora, pensando bem, estivesse a rir-se do mal alheio quando ela também saíra prejudicada. Se a maldita curta-metragem não gerasse dinheiro, eram Neil e ela que sairiam a perder.

— Bom, talvez estreie em algum momento. — A resposta de Gavin não podia ser mais vaga. — Mas, em qualquer caso, isto significa um prestígio fantástico. Impulsionará imenso a carreira da Lou.

A cineasta em questão entrou na cozinha naquele momento e fingiu surpreender-se muito ao ser recebida com uma ronda de aplausos lisonjeiros.

— O que fiz? Ah, é por causa da curta-metragem! Vá lá, não exagerem!

Gavin serviu o vinho com grande pompa e circunstância e levantou-se para propor um brinde. Sara não teve outro remédio senão levantar o copo com os outros.

— Brindo à minha esposa maravilhosa e sensual, que tem um talento prodigioso! Obrigado por nunca seres aborrecida, nunca na vida!

— À Lou! — Neil apressara-se demasiado a responder e a sua voz destruiu o momento respeitoso de silêncio.

— À Lou! — exclamaram todos, em uníssono... Todos, menos Sara, que se limitou a mexer os lábios.

Lou fez um gesto com a mão, como se tentasse tirar importância ao assunto. Os olhos encheram-se de lágrimas e acariciou o esterno, tal como fizera depois da antestreia da curta-metragem quando a emoção a vencera. Sentou-se na cadeira, mas voltou a levantar-se quase imediatamente e disse, num tom rouco:

— De facto... Lamento muito, Gav, mas não posso deixar passar a oportunidade de te dizer uma coisa. — Os olhos encheram-se de lágrimas novamente. — Este homem... — Deixou escapar uma gargalhada soluçante e abanou a cabeça. — Que homem! Se o talento fosse uma palavra que pudesse aplicar-se a mim... E isso é algo com que não concordo... — houve barulhos cheios de desaprovação e murmúrios de protesto generalizados entre os aduladores —, então, terei de cunhar um novo termo para ele. Para ti. — Olhou para o marido nos olhos e, nesse momento, todos os presentes ficaram excluídos. — Posso afirmar com sinceridade que, sem o teu exemplo, não seria nada nem ninguém. A tua arte é o eixo central da nossa vida, é bonita, inspiradora e importante e cada dia agradeço a Deus por ela e por ti.

Houve um silêncio respeitoso e, depois, outra ronda de aplausos obsequiosos que, aparentemente, conseguiram fazê-la ganhar novamente consciência de onde estava.

— Ah, também mencionei que não se safa nada mal na cama? — acrescentou, antes de piscar o olho com atrevimento.

Sara soube pelas gargalhadas cheias de desconforto que se ouviram que não era a única que achara aquilo excessivo. Lou começou a levantar a mesa e Claudia levantou-se da cadeira como uma mola para a ajudar. Enquanto começava a pegar nos pratos e a amontoá-los com diligência, a jovem comentou, sorridente:

— O jantar estava muito bom, Lou! Tens de me dar a receita!

* * *

Gavin pôs outra música e voltou a encher os copos de todos. Lou acabou de arrumar e, então, trouxe uma bandeja de queijos que foi apresentando um a um.

— Este é da Grazalema, um município da Andaluzia. — Pôs uma fatia generosa num biscoitinho salgado que entregou a Claudia. — Nós estivemos a viver na Andaluzia durante a nossa estadia em Espanha e não é um queijo que compre com frequência porque me dá nostalgia, mas como se trata de uma ocasião especial...

— É divino! — Claudia tinha a boca cheia e tapou-a com discrição com a ponta dos dedos enquanto falava. Engoliu e deixou escapar um suspiro. — A verdade é que a Inglaterra parece pequena para quem viveu no estrangeiro, não é?

Fez-se um silêncio melancólico. Foi Sara que o quebrou, dizendo, num tom de voz enganadoramente amistoso:

— Ah! Agora que me lembro! Lembram-se do Steve?

Neil lançou-lhe um olhar de aviso.

— Agora, não consigo lembrar-me... — Gav semicerrou os olhos enquanto tentava lembrar-se.

— Sim, o colega de trabalho do Neil, o topógrafo.

— Queres mesmo puxar o assunto agora? — perguntou Neil, em voz baixa.

— Quero, sim — afirmou, com aspereza.

— Steve... — Gavin continuava a tentar lembrar-se. — Steve, Steve, Steve... Ah, sim, o tipo com o colete de alta visibilidade! Lembras-te dele, Lou? Que veio equipado com toda a parafernália.

Ela franziu o nariz num ar de diversão.

— Ah, sim! Era como uma figurinha de *Lego*, não era? Usava um capacete e trazia uma mochila cheia de ferramentas misteriosas.

— Sim, o próprio! — Sara assentiu. — Bom, o Steve, o do colete de alta visibilidade, diz que temos um pequeno problema.

— Sim, um pequeno problema que talvez seja melhor resolver noutro momento — indicou Neil, antes de se virar para ela e lhe lançar um aviso com o olhar.

— Ouve, deixa-a falar à vontade! — protestou Gavin. Virou-se para olhar para ela, apoiou um braço ao longo das costas da cadeira onde estava sentada e perguntou, com complacência: — Qual é o problema, Sara?

— Obrigada por me deixares falar, Gavin. Lamento ter de puxar este assunto agora, Claudia e...

— Chris — recordou-lhe o próprio.

— Sim. Enfim, de certeza que, quando tiverem casa própria, perceberão que, enfim, o lugar onde vivem deixa de ser um simples conjunto de tijolos e cimento e se torna mais do que isso. Estabelece-se um vínculo emocional. Bom, pelo menos, foi assim no nosso caso. Mudámo-nos para viver aqui há nove anos e meio. O Patrick, o meu filho mais novo, nasceu aqui. Sentimos que é o lugar que estava destinado a ser o nosso lar.

— Sara, pelo amor de Deus! — exclamou o seu marido.

— Bom, disseste que falarias com eles e não o fizeste, portanto...

— É um afundamento! — Neil disse aquilo como quem diz uma asneira e, depois, lançou um olhar irado a Sara.

— Bom, acho que já sabíamos isso — disse Gav, quase sem se alterar. Parecia quase tão satisfeito consigo próprio como antes. — Mas é normal que as casas velhas se mexam um pouco, não é?

— É mais do que um pequeno movimento, amigo — murmurou Neil, com semblante sombrio.

Sara interveio então, cada vez mais embalada.

— As obras que fizeram escavaram os alicerces do edifício. Não sei quem desenhou o vosso plano de obras, mas fez uma porcaria. Esse estúdio onde tu crias as tuas obras de arte bonitas, inspiradoras e importantes fodeu realmente a nossa casa ordinária e pouco inspiradora. Isso foi o que o Steve descobriu, o do colete de alta visibilidade, com a sua — desenhou umas aspas no ar com os dedos —, "mochila cheia de ferramentas misteriosas".

Algumas costas ergueram-se um pouco mais e alguns sorrisos tornaram-se um pouco tensos. Lou levantou-se de repente e aproximou-se do frigorífico, mas, ao abrir a porta, devia ter-se esquecido do que procurava. Depois de a fechar novamente, foi pôr-se de pé por trás da cadeira de Gavin, começou a esfregar-lhe os ombros com vigor como se fosse um talismã e replicou, finalmente, com um sorrisito retorcido:

— Parece-me que esse tal Steve deve ter-se enganado, não pode ser. Pois não, Gav? Porque as obras foram fiscalizadas pelo Jerome, um amigo muito bom. — Deduziu que dizer nomes de pessoas conhecidas já não ia funcionar com Sara, portanto, virou-se para Claudia. — Encarregou-se da galeria de arte Pebble, em Bury St. Edmunds, portanto, acho que podemos presumir que sabe fazer bem o seu trabalho.

— Penso recordar que essa galeria recebeu um prémio, não foi? — inquiriu Claudia, contribuindo com o seu grãozinho de areia.

— Não podemos ficar nervosos — interveio Neil, enquanto fazia um gesto apaziguador com as mãos. — Somos amigos, não somos?

Todos tentaram fingir que esse era o caso.

— Os estudos preliminares do Steve indicam que as obras da vossa casa podem ter contribuído...

— A probabilidade é de noventa e nove por cento — murmurou Sara.

— Indicam que é provável que as obras da vossa casa tenham contribuído para... enfim...

— OK! OK! Está bem! — exclamou Gavin, enquanto dava umas palmadas nas pernas. — Parece-me que todos percebemos a mensagem! Escusado será dizer que temos tanta vontade como vocês de investigar o assunto a fundo, para podermos descartar essa possibilidade.

— Espero que tenhas sorte com isso, vais precisar. — Fazer esse comentário fez com Sara recebesse um olhar de puro ódio de Gavin, um olhar que a magoou, apesar de saber que ganhara.

— Portanto, digam-nos o que temos de fazer para colaborar, por favor — acrescentou ele.

Foi Neil que respondeu.

— Perfeito, obrigado! Não se trata de algo complicado, na verdade. O Steve só precisa dos planos originais e de uma cópia da licença de obras e, se puderem, que lhe digam que sistema usaram para os alicerces.

— Que alicerces? — perguntou Gavin.

Sara jazia na escuridão junto de Neil, que tinha os olhos fechados e o rosto implacável virado para o teto como uma figura esculpida numa tumba medieval. Ela sabia que não estava a dormir porque estava tenso e ressentido, mas parecia teimar em continuar calado. Era um homem que detestava o mau ambiente, sempre fora, mas não era a culpada daquela situação tão desagradável. Porque tinha de aceitar a negligência colossal de Gavin e Lou sem falar? Tinha a impressão de que o marido não estava do seu lado, mas do deles.

Estendeu o braço no meio da escuridão e tocou-lhe numa mão, mas ele afastou-se como se receasse que lhe passasse lepra.

— O assunto tinha de ser puxado mais cedo ou mais tarde, Neil. Nunca íamos encontrar um momento adequado para lidar com uma coisa dessas.

Ao ver que continuava calado, decidiu obter o seu perdão através de outros métodos. Passou-lhe a mão pela coxa com suavidade e ele ficou tenso, mas não a parou. Lenta, muito lentamente, foi virando o corpo para ele. Viu como a sua ereção aumentava e estendeu a mão para tocar nela, mas ele afastou-a.

Sem preâmbulos nem ternura nenhuma, pôs-se em cima dela, apoiando-se numa mão enquanto, com a outra, lhe levantava com brusquidão a camisa de noite. Os seus olhos eram buracos escuros no seu rosto. Estava a agir com uma rudeza que não se parecia em nada com como costumava tratá-la e ela sentiu-se consternada ao sentir como ficava húmida com aquela diferença inesperada. Ele chupou o polegar e passou-o pela ponta do membro sem emoção alguma. Estava claro que não ia haver beijos, que não ia dedicar tempo às carícias e às mordidelas habituais na orelha. E lamber-lhe os seios também estava descartado, obviamente. Pôs a ponta do seu membro ereto em posição e, depois de parar por um instante para ganhar impulso, penetrou-a sem emitir o mínimo som e com um movimento firme que a fez deixar escapar uma exclamação abafada. Prescindiram da troca habitual de palavras ofegantes e dos empurrões hesitantes e o movimento de ancas que servia para satisfazer ambos (na verdade, há anos que não ficavam satisfeitos) foi substituído por movimentos fálicos fortes... Estava a desfrutar imenso! Tinha o rabo esmagado contra o lençol e o tecido irritava-lhe a pele, zumbiam-lhe os ouvidos, o seu cabelo deslizava pela almofada, mais e mais rápido... Mas uma dor aguda, súbita e inesperada fê-la dar um grito de dor. Alguma coisa que parecia um anzol prendera-se na pele terna da base da nádega e entrava um pouco mais com cada novo movimento.

— Ai! Merda... Neil, para!

Mas ele nem se apercebeu da sua súplica. Mais um movimento, dois, três e chegou ao orgasmo.

— Sai de cima de mim! — sussurrou ela. — Queres sair de cima de mim de uma vez? Tenho um... Alguma coisa está a magoar-me!

Assim que ele se afastou, ela apalpou às cegas e, com uma careta de dor, arrancou aquela maldita coisa que a magoara, fosse o que fosse. Segurou-a entre o polegar e o indicador e levantou-a na escuridão. Custava a acreditar que uma coisa tão pequena a magoara tanto.

— Pelo amor de Deus! — resmungou ele, com aborrecimento, antes de estender o braço por cima dela para acender o candeeiro.

Pestanejaram enquanto os seus olhos se habituavam à luz súbita e ela aproximou o objeto do candeeiro para poder vê-lo bem. Era um aro de prata com um fecho de dobradiça e tinha o tamanho aproximado de uma ervilha. Observou-o, carrancuda e sem entender nada e, então, olhou para Neil a tempo de ver que o reconhecia antes de mostrar um ar de não saber o que era.

Ele abanou a cabeça. Começou por ser um movimento lento, mas, numa questão de segundos, tornou-se enfático e cheio de obrigação.

— Não é o que tu pensas!

— Ah, não? O *piercing* da Lou aparece na minha cama e não é o que eu penso? Podes explicar-me então como é que esta merda chegou aqui? O que se passa? Veio ler-te uma história para que conseguisses adormecer? Não, não digas nada! — Tapou-lhe a boca com ambas as mãos para evitar que falasse. — Não piores ainda mais as coisas! Meu Deus, não consigo suportá-lo! Não consigo suportá-lo!

Deixou-se cair para a frente na cama. A dor era visceral, pasmosa. Ouviu um gemido gutural e mal se apercebeu de que estava a sair da sua própria boca.

— Sara, ouve-me! Não foi nada! Não significou nada!

Ele continuou a falar atrapalhadamente («foi um acidente...», «não significou nada para mim...» «sentia-me sozinho», «não sabes como me arrependo») e, quando acabou finalmente, ela levantou a cabeça lentamente, como se estivesse a emergir de um pântano, e olhou para ele. Olhou para aquele homem que a traíra, para aquele homem que já não conhecia.

— Quando? Nem sequer sei quando conseguiste estar a sós com ela! Oh, meu Deus, espera...! Já sei, durante a aula de taekwondo! Eu estava no centro lúdico, a cuidar dos filhos dela. Ena, que maravilha! É tudo perfeito!

Ele continuava a abanar a cabeça, tinha os olhos fechados e parecia um rapazinho a fingir que não pusera a mão no frasco dos biscoitos.

Ela lançou o olhar para o pequeno aro de prata que continuava a segurar entre o polegar e a unha do indicador. Era muito pouca coisa e, no entanto, era tudo. Tanto ausência como presença. Um pequeno círculo, um buraco por onde o seu casamento quase desaparecera.

— Perfeito, perfeito, perfeito! — Repetiu-o várias vezes enquanto se balançava para a frente e para trás, até as palavras se transformarem num gemido contínuo e triste.

27

Dezoito meses depois

Era uma daquelas manhãs de inverno em que o mar, envolto em névoa, lançava as suas ondas contra os seixos com um chapinhar surdo. Reinava um ambiente limpo, como se o lugar estivesse anestesiado pelo frio. Até o lixo que o vento arrastara até ao canto do passeio marítimo parecia uma demonstração de arte *pop*. O cão puxava Sara enquanto andava de um lado para o outro, a cheirar, a levantar a pata nos balaústres ferrugentos de ferro e a ladrar para as gaivotas. Ao princípio, não quisera adotar um cão e muito menos um como aquele pequeno rafeiro que estava sempre a pedir mimos e cuidados, mas estava claro que era algo muito positivo para eles. Compensava um pouco as crianças pelo transtorno da mudança e contribuía com um pouco de barulho e caos, o que era de agradecer numa casa que adquirira um ambiente calado e apagado muito fora do comum neles. Embora ter de o levar à rua todos os dias para fazer as suas necessidades fosse um aborrecimento, era uma obrigação que a fazia levantar-se todas as manhãs, o que era preferível a ficar ali deitada à espera que a luz do amanhecer fosse iluminando lentamente os contornos do seu novo quarto, com os quais ainda não estava completamente familiarizada.

Ainda continuava a sonhar com a antiga casa. Sonhava que estava na soleira, a virar a chave na fechadura sem conseguir abrir ou que subia a escada e, ao chegar ao andar de cima, se encontrava à beira de um precipício. Uma vez, sonhara que, ao abrir o armário para ventilar a roupa, encontrava uma ala escondida da casa onde havia uma sala de baile e um órgão *Wurlitzer* e acordara a sentir-se feliz até recordar que a sala de baile não existia e, de facto, a casa também não. Bom, pelo menos, não existia para ela, já não.

Não costumavam afastar-se tanto pelo passeio marítimo, mas o salão de bingo ficara bastante para trás quando o cão se dignou a cagar. Baixou-se e pôs a porcaria, quente e fumegante, no saco que trazia consigo para esse propósito, mas nem sequer esse ato de degradação conseguiu fazer com que desaparecesse o prisma amplo e de um tom azul otimista sob o qual via o dia. Sentia-se... não feliz, mas reconciliada. Descobrira que essa era a única aspiração realista que podia ter, mas pouco antes parecera-lhe um objetivo terrivelmente ambicioso. Não podia dar-se ao luxo de olhar para trás, não podia permitir-se comparar. Era como se um novo regime tivesse apagado os costumes do antigo país. Tinha de se tornar amnésica, de esquecer. Se pensasse em todos os aspetos do antigo estilo de vida, se começasse a recordar os rituais que tinha, acabaria por enlouquecer de dor e ressentimento.

Caleb dizia que não gostava da sua nova escola, mas, pelo menos, as outras crianças não se metiam com ele. Esse fora o principal medo que tivera, mas, de facto, parecia ser exatamente o contrário. A julgar pelo que conseguia ver ao entrar às escondidas na conta do Facebook do menino, a sua atitude de indiferença e o seu andar de homem enfastiado e experiente tinham-no transformado numa espécie de herói de culto. Mas passava os fins de semana fechado e triste no seu quarto, só saía para se servir de uma boa tigela de cereais e fazer algum comentário a quem estivesse na cozinha nesse momento. Costumava reservar um desprezo especial para Neil, que só estava em casa aos fins de semana e cujas tentativas por se reconciliar com ele durante aquelas estadias breves e tensas lhe partiam o coração. Dos dois, ele sempre fora o melhor progenitor. O seu instinto era bom, o seu amor era incondicional e a sua autoridade, uma autoridade que derivava da sua integridade, fora respeitada. Mas tal integridade ficara devastada e a sua autoridade desaparecera. O seu instinto falhava e cometia um erro atrás do outro. A única coisa que restava era o amor, mas isso não parecia bastar para Caleb.

Magoava-a ver Neil caído aos olhos do seu primogénito e, mesmo assim, lutava para não se sentir um pouco satisfeita. Ao fim e ao cabo, conquistara aquele castigo sozinho. Ele próprio o admitira durante as sessões de terapia. Olhara para ela nos olhos e desculpara-se. Depois, começara a chorar em silêncio. Teria gostado de poder perdoar-lhe e estendera uma mão para ele, mas o seu coração continuara pétreo e inamovível. O terapeuta ouvira todo o relato lamentável... Bom, ela guardara um detalhe relevante para si que, se se soubesse, não a teria deixado numa posição muito boa. Ao longo de várias semanas, esforçara-se para separar a raiva que sentia por Gavin e Lou da que sentia pelo marido. Levara um trabalho árduo a cabo.

Passar oito meses a viver ao lado dos inimigos fora mais do que suficiente. Oito meses a esconder-se por trás da sebe, à espera que o *Humber* começasse a trabalhar e se afastasse, antes de se atrever a sair à rua. Oito meses a dizer ao carteiro que não, a verdade era que não podia ficar com um pacote da *Amazon* destinado aos vizinhos do número nove. Oito meses a recordar-se que as crianças não tinham a culpa de nada e que, apesar de tudo, tinha de felicitar Arlo por fazer uma manobra excelente com o *skate*, mesmo que tal felicitação fosse recebida com um olhar cheio de hostilidade.

A raiva, o estigma e a paranoia tinham feito com que passasse de ser uma vizinha sociável a transformar-se numa marginal social. Atravessava a rua para não enfrentar as perguntas incómodas de conhecidos bem-intencionados, mas que, pelos olhares que recebia, estava claro que sabiam o que se passava. Gavin e Lou pareciam não saber o que era a vergonha. Sara não teria podido afirmar com certeza que estavam a recrutar aliados, mas, durante os meses posteriores, pareciam ter passado de forasteiros enigmáticos a pilares da comunidade. Tinham passado a ser eles que se encarregavam de receber os pacotes dos vizinhos que não estavam em casa, os que davam de comer ao gato e regavam as plantas, os que assinavam petições e os anfitriões de uma festa no dia vinte e seis de dezembro.

A festa fora realmente difícil. Estando sentada na sala de estar, no meio da desordem natalícia, com *O Boneco de Neve* a todo o volume na televisão para abafar a animação da festa, não conseguira resistir ao impulso de levantar o olhar cada vez que ouvia o barulho que indicava que a porta do jardim de Gavin e Lou se abria. Nesse dia, tinham aparecido as mesmas pessoas de sempre (boémios com trajes chamativos, intelectuais grisalhos...), mas o pior de tudo fora ver que vizinhos como Bronte e Mac ou como Marlene e Sandra (que vivia do outro lado da rua e apareceu com o seu filhinho) pareciam estar dispostos a deixá-la de lado em troca de um copo de uísque e de uma fatia de bolo, que passavam do seu lado para o dos artistas recém-chegados que mal se tinham dignado a saber os seus nomes.

Quando a casa já estava há seis meses à venda, um agente imobiliário, que parecia capaz de sentir o desespero a léguas, oferecera-lhe seiscentos e cinquenta. Tinham aceitado a oferta sem pensar duas vezes. Valia a pena para desaparecer dali. Vendê-la a esse preço significava descartar Brighton (lá, não iam encontrar nenhuma casa de quatro quartos que estivesse ao seu alcance) e, como o trajeto de comboio desde Hastings impedia que Neil pudesse ir e vir do trabalho diariamente, só podia visitá-los aos fins de semana. Parecera-lhe um castigo apropriado no seu momento. Embora tivesse de admitir que ele não tinha a culpa do afundamento do chão, era inegável que o seu comportamento contribuíra em grande parte para criar aquele ambiente tão tóxico que fizera com que fosse insuportável viver junto de Gavin e Lou, o que precipitara, por sua vez, o facto de acabarem por vender a casa a um preço tão baixo para poderem mudar-se. Em vista disso, permitir que dormisse num *futon* nas traseiras três noites por semana, parecia muito generoso.

O cão puxava novamente a trela para tentar cheirar o rabo de um labrador cujo dono estava demasiado ocupado a olhar para o telemóvel para os evitar. Quando o tipo levantou finalmente o olhar, ela viu na sua expressão um interesse vago que lhe disse que, apesar de estar desalinhada àquelas horas da manhã, continuava a ser evidente que era uma mulher. Ignorou-o por completo, limitou-se a chamar o cão e a puxar a trela com suavidade até o animal a seguir, contrariado. Mesmo assim, a mensagem subliminal daquele encontro contribuíra para acentuar de forma exponencial o seu bom estado de espírito.

Mas isso não queria dizer que estivesse interessada nos homens. Nada podia estar mais longe da realidade. Se aprendera alguma coisa com aquele episódio desastroso da sua vida fora precisamente isso: Tinha de manter o olhar posto no chão, não devia levantá-lo. Neil e ela estavam bem como estavam antes. De facto, mais do que bem. Quando estava a desempacotar depois da mudança, encontrara um álbum cheio de fotografias tiradas durante diferentes férias. Numa delas, apareciam Caleb e ela sentados nos degraus de uma caravana na Dordonha, a partilhar uma baguete cheia de salame. Estava grávida e faltavam poucos meses para Patrick nascer, portanto, Neil aconselhara-a a que não comesse queijo que não fosse pasteurizado.

Só de olhar para aquela fotografia e recordar o toque do degrau de alumínio, cheio de protuberâncias e aquecido pelo sol, por baixo dos pés, ao recordar o peso reconfortante da sua barriga volumosa, o pequeno desconforto de ter de aguentar o brilho do sol nos olhos enquanto esperava que Neil enquadrasse a fotografia, desejava voltar a ser aquela pessoa. Agora, conseguia ver com clareza que, apesar da exasperação que sentira naquele tempo, no fundo, se sentira sublimemente satisfeita com a sua vida. Havia amor naquele sorriso irónico que fazia com que Neil se apressasse a tirar a fotografia de uma vez, amor na atitude de paciência exagerada com que mantinha a pose. O amor estava por todo o lado naquela fotografia. Filtrava-se através da sombrinha de tecido, ricocheteava no mobiliário de plástico, filtrava-se através da lente do fotógrafo...

Naquele momento, não podiam recuperar essa dinâmica, mas também não estava destruída. Mesmo enquanto estava deitada na cama, sem parar de chorar, em algum canto frio e racional da sua memória soubera que a sua relação com Neil não acabara.

Mas o que não sabia era que seria tão difícil. A dança relaxada e elegante do seu casamento, uma dança em que ela nem sequer tivera de aprender os passos, transformara-se em algo trôpego e descoordenado. Muito depois de ela regressar, depois de passar duas semanas sedada à base de *diazepam* em casa da mãe, muito depois de, supostamente, a terapia de casais ter voltado a encarrilá-los, ainda continuavam a tentar esconder o ressentimento mútuo que sentiam por trás de uma atitude fingida de cooperação.

«O filme que queria ver começa às nove, mas continua a ver o futebol, se quiseres», podia começar a dizer ela, em alguma das conversas típicas que tinham; «Muda de canal, aqui tens o comando», acrescentaria ele; «Não, não vou mudar se estás a ver o jogo. Estão empatados a zero e não és seguidor de nenhuma das duas equipas, mas se estás a ver...»; «Já te disse para mudares de canal, se quiseres, não me incomoda que o faças», insistiria ele; «Tanto faz, esquece. O filme já deve ter começado e perdi o princípio», declararia ela, num tom cortante.

Chegados a esse ponto, Neil levantava-se e saía da sala e ela ficava sentada à frente da televisão, triste e abatida. E isso seria num dia dos bons.

Dizer que fora um alívio sair de Londres não servia para o descrever, por muito que a mudança significasse um claro retrocesso no que dizia respeito ao seu estilo de vida. A casa de Hastings significara ter de se conformar várias vezes. Conformaram-se com viver em Hastings porque Brighton estava fora do seu alcance. Conformaram-se com a localização da casa, que estava situada na parte antiga da cidade, mas não numa das melhores ruas. Com não ter vista para o mar, a menos que subisse para uma cadeira e abrisse a janela das águas-furtadas. Mas o pior de tudo fora a casa em si. Como precisavam de quatro quartos, tinham escolhido Sea Crest, uma antiga casa de hóspedes situada numa fileira de casas germinadas de estilo vitoriano e carente de distinção. A fachada com acabamentos empedrados, o tom azul do esmalte brilhante e o vigamento de tijolos de betão da parede dianteira mostrava porque se fechara o negócio. Era um templo do *kitsch* por dentro e por fora, o que teria horrorizado Carol e, sem dúvida, teria sido causa de deleite para Gavin e Lou. O poder que a estética pouco convencional dos seus antigos adversários exercera sobre ela era tal que, durante uns cinco minutos, pensara seriamente em conservar um vestígio dos oitenta que havia na sala de estar: Um balcão de bar por trás do qual havia um espelho comprido ao longo da parede.

Mas, apesar de tudo, a casa não a deprimia. Supunha que, em algum momento, poriam mãos à obra e a despojariam de toda a parafernália até a devolver ao seu estado original, que se livrariam de algumas das divisórias interiores e descobriram os tesouros que estavam escondidos por trás das paredes e dos armários embutidos, mas ela não tinha nenhuma pressa para o fazer. Era muito confortável viver rodeada das decisões que outras pessoas tinham tomado. Bem sabia Deus que ela tomara decisões erradas suficientes, embora talvez não tivessem sido precisamente no âmbito da decoração de interiores.

Em qualquer caso, quando atirou o saco com a porcaria do cão para um caixote do lixo e atravessou a rua rumo à porta principal da sua própria casa, pela primeira vez, teve uma leve sensação de estar a regressar ao lar. Viu que o carteiro já passara por lá e, depois de fechar a porta do alpendre e de desprender a trela do cão da coleira, puxou um envelope volumoso de tamanho A4 que sobressaía da caixa do correio, o que fez com que uma cascata de envelopes mais pequenos caísse no tapete. Descobriu que o envelope volumoso continha um exemplar da *Inside Housing*. Neil mudara a morada de envio, apesar de ainda estar num período de teste para ver se se transformava realmente num residente permanente de Sea Crest, mas apercebeu-se de que isso não a irritava tanto como seria de esperar. Deu uma olhadela ao resto cartas (havia avisos do seguro, publicidade, várias cartas com ar de não se tratarem de algo importante dirigidas aos antigos inquilinos...), e estava prestes a deitá-las para o lixo quando encontrou um envelope cor de marfim dirigido a Neil e a ela, com a morada escrita à mão.

28

— Eu só digo que podiam ter-nos tido em conta, é só isso — disse Sara, antes de acelerar para mudar de faixa e ultrapassar com a temeridade de alguém que se vira obrigado a percorrer catorze quilómetros atrás de um *Honda* numa estrada de apenas uma faixa. — Poderiam tê-lo celebrado em algum local. Ao fim e ao cabo, não lhes falta dinheiro.

— Parece-me que têm o direito de celebrar uma festa na sua própria casa — afirmou Neil, com calma.

Ela não teve outro remédio senão dar-lhe a razão nisso, mas, de qualquer forma, não seria fácil estar na sala de estar de Carol e Simon e ver a casa de Lou e Gavin pela janela. Esperava ter feito bem ao aceitar o convite. Na altura, parecera-lhe que fazia o correto, que já estava na hora de dar aquele passo. Ou apagavam por completo a vida que tinham tido antes e deixavam de mandar postais de Natal, renunciavam a fazer alguma chamada esporádica e dissuadiam as crianças de falar sobre os velhos tempos de vez em quando ou davam a cara com uma naturalidade firme. Ela esperava que aquela visita estratégica servisse para cauterizar a ferida. Escusado seria dizer que, antes de mais nada, se certificara de que Lou e Gavin não tinham sido convidados para a festa, uma coisa era cauterizar a ferida e outra muito diferente era imolar-se.

Mesmo assim, à medida que o carro foi percorrendo aquelas últimas ruas tão familiares, começou a sentir-se um pouco descomposta e com vontade de chorar.

— A ampliação dos Glover já está acabada — disse Neil, que estava a olhar com curiosidade através da janela do passageiro —, a verdade é que ficou muito bem. E as pessoas que vivem ao lado da Marlene têm a casa muito mais limpa. Ele deve ter ido à junta de freguesia.

Continuou a oferecer um comentário atrás do outro sobre as diferenças superficiais que via entre a rua tal como estava naquele momento e a rua quando eles se tinham ido embora dali. Dava a impressão de que era alheio ao facto de ela manter um silêncio taciturno, mas, assim que o carro parou, deu uma palmada nas coxas com um pouco mais de força do que a necessária e disse, com determinação:

— Muito bem, vamos lá! — Esticou a mão para abrir a porta, mas apercebeu-se de que ela continuava imóvel. — Tencionas vir?

Ela continuou a agarrar-se ao volante como se se tratasse de um salva-vidas. Vista com olhos objetivos, aquela rua residencial de casas de estilo vitoriano parecia-se com centenas de outras, mas conhecia tão bem aquele pavimento, aquelas sebes e aqueles tijolos, que a sensação de pertença, de se sentir identificada, parecia sair das condutas de ventilação como se de ozono se tratasse. Viu a porta principal familiar de Carol, a amolgadela que Neil fizera ao candeeiro ao fazer marcha-atrás com demasiada celeridade quando ela entrara em trabalho parto e saíam para o hospital. A lâmpada que piscava, as sebes de ligustrina, o brilho húmido dos baldes de lixo orvalhados com uma garoa leve... Tudo isso fez com que a embargasse uma nostalgia tão intensa que era quase insuportável.

Pouco depois, Neil subiu, sem pensar duas vezes, os degraus da entrada da casa de Carol e Simon e deu umas pancadinhas firmes na porta. Ela, enquanto isso, aproveitou, ao virar-se para ir buscar o presente de Simon, que estava no banco traseiro, para lançar uma olhadela rápida para o outro lado da rua. A sua casa estava escondida por trás de uns andaimes. De certeza que ia a caminho de se tornar três «apartamentos de tamanho considerável». A de Lou e Gavin, por outro lado, parecia mais ou menos tal como sempre. Havia um pedaço de metal ferrugento no jardim dianteiro que, certamente, devia ser uma escultura, embora não parecesse ser uma das de Gav.

— Sara! Já estava na hora!

A pronúncia típica de classe média de Carol arrancou-lhe uma careta que era tanto de prazer como de vergonha. Saiu do carro e viu-se perdida num cheiro de *Must* da *Cartier* e de caxemira.

— Olá, Carol. — Emocionou-se ligeiramente ao cumprimentá-la.

— Que seja a última vez! — Agarrou-a pelos ombros com tanta força que a magoou. — Que seja a última vez que te afastas durante tanto tempo!

Beberam o chá na mesa de carvalho maciço da cozinha de Carol e Simon levou uma reprimenda por não usar o filtro. Sara esquecera como era agradável conversar sobre coisas sem importância. As camadas de familiaridade tinham dez anos de antiguidade e havia um consenso geral sobre onde valia a pena veranear, que livros valia a pena ler e o que alguém poderia aspirar para o futuro dos seus filhos. Para dizer a verdade, era como uma espécie de jogo, um ritual para apertar laços como se fossem *dingos* ou orangotangos. Olhando para trás, questionou-se porque tudo aquilo a irritara tanto. Não entendia porque é que, da noite para o dia, se sentira tão desesperada para se definir como alguém diferente. Escusado seria dizer que Carol continuava com o seu empenho de ganhar pontos e Simon poderia aborrecer as pedras ao falar sobre os investimentos éticos, mas pareciam-lhe mais divertidos, mais irónicos e sensatos do que recordava. O irmão de Simon chegou acompanhado da sua esposa, prepararam outra chaleira e conversaram sobre o facto de a costa sul estar em alta e os investidores estarem a depositar o seu dinheiro em Margate. Embora se fizessem alguns comentários mordazes sobre Tracey Emin que, no passado, a teriam incomodado, a experiência em geral foi muito mais amena e entretida do que esperava.

Conforme iam chegando mais convidados de forma paulatina, arrumaram as chávenas de chá e alguém lhe entregou uma taça de champanhe. Passaram para a sala de estar, onde se ouvia *Reggatta* de Blanc pelos altifalantes do *iPod*. Carol preparara uma mostra de diapositivos em que se fazia um itinerário da vida de Simon em fotografias e a ideia foi perfeita para quebrar o gelo. Ela estava parada junto de um dos colegas de trabalho de Simon e trocaram alguns comentários sorridentes sobre as imagens que se sucediam: Simon em fralda, sorrindo com timidez; Simon com o uniforme dos escuteiros, faltavam-lhe dois dentes da frente; Simon com uma boina e a segurar ao alto um bilhete para ver os Blow Monkeys; Simon a conduzir Carol através de uma chuva de *confettis*, sorrindo de orelha a orelha; Simon com suspensórios vermelhos e uns óculos dos noventa que fizeram muitos rir-se; a lista continuava, em cada imagem apareciam momentos de uma vida que, embora sortuda, de resto, não tinha nada de importante. Uma vida semelhante à da própria Sara, mas a diferença era que, enquanto Simon aceitara de bom grado os privilégios de que desfrutava, ela se sentira irritada com os seus. Enquanto Simon aceitara de bom grado as responsabilidades do casamento e dos filhos como se fossem desafios criativos, ela sentira-se constrangida por elas. Enquanto Simon nunca duvidara da sua própria individualidade o suficiente para se incomodar em reafirmá-la, ela estivera à beira de destruir a sua vida inteira para demonstrar a dela.

Desde a mudança, escrevia melhor. Fora a única coisa que a mantivera sensata ao princípio, para além de levar o cão a passear. Abandonara o seu romance (pensando nisso *a posteriori*, a verdade era que se alegrava imenso por Ezra não ter chegado a lê-lo) e optara por ir ganhando experiência a escrever pequenos contos. Até tinham estado prestes a incluí-la numa pequena antologia! No fim, não passara a aprovação final, mas fora algo que lhe dera esperanças.

Estavam a mostrar as fotografias pela segunda vez e já não conseguia pensar em mais nada para comentar com o companheiro de

Simon, portanto, mostrou-lhe o seu copo vazio num gesto de desculpa e afastou-se.

Vista da sala de estar elegante de Carol, a casa de Lou e Gavin, embora ainda continuasse a projetar uma certa sensação de diferença, parecia muito deteriorada. Estavam há perto de três anos ali e ainda não se tinham incomodado em pintar os parapeitos das janelas. O canteiro de lavanda que ela própria plantara há anos, para servir de linha divisória entre ambas as propriedades, estava pouco cuidado e espaçado. Parecia um arame farpado e oxalá tivesse sido, oxalá tivesse sabido como defender-se contra as incursões daquele casal em vez de os convidar a entrar na sua vida, em que tinham feito estragos.

Fora muito ingénua, impressionara-se com facilidade e estivera disposta a aceitar os defeitos do casal como virtudes. Confundira o abandono que reinava na casa com uma espécie de alegação estética e preocupara-a que, em comparação, a sua pudesse parecer reluzente e frívola. Mesmo nas vezes em que Lou a elogiara por cuidar tão bem do seu lar, pensara detetar nas suas palavras uma certa condescendência, mas acabara por perceber que o elogio era sincero. Para Lou, «lar» era uma palavra tão teórica como «estúdio» era para ela. Agora, apercebia-se de que não era que Gavin e Lou fossem desleixados de forma deliberada, mas simplesmente tinham tentado abranger mais do que podiam. Para eles, a sua arte respetiva tinha prioridade sobre tudo o resto... sobre a sua casa, os seus filhos, os seus amigos, talvez até sobre o seu casamento. Talvez, afinal de contas, houvesse alguma nobreza nisso.

Ao concentrar novamente a sua atenção na festa, viu Neil a observá-la, pensativo, do outro extremo da sala. Olhou para ele com um sorriso um pouco tímido e agarrou no seu copo como se se dispusesse a aproximar-se, mas antes de conseguir fazê-lo, Carol deixou entrar mais alguns convidados.

— Olá, Sara, como estás?

Quem a cumprimentou foi Toby Warricker, um conhecido da época em que as crianças estavam em Cranmer Road. Carol e

Simon sempre tinham sido muito amigos tanto dele como de Alyson, a sua esposa. Ela dirigia-se naquele preciso momento para Neil, que a via a aproximar-se com um ar de resignação sofrida.

— Olá, Toby. Como está tudo?

— A verdade é que está uma maravilha! Suponho que saibas que montei a minha própria produtora. Hoje em dia, é a única alternativa que resta para quem não quer passar a vida a filmar ingleses tediosos do centro do país «a fugir rumo ao campo». — Levantou uma mão num gesto apaziguador. — Não te ofendas, por favor.

— Não faz mal — respondeu ela, sem muito convencimento.

— Como estão?

— Falas de ir viver para Hastings? Muito bem, é uma zona de que nós gostamos. O Neil sempre quis viver junto do mar.

— O facto de se irem embora afetou bastante a Al — admitiu ele.

— A sério?

Parecia-lhe surpreendente, porque o mais perto que Alyson e ela tinham estado de começar uma amizade fora daquela vez em que se tinham encarregado juntas de uma das bancas durante a feira de Natal de Cranmer Road.

— Sim, sabes como são estas coisas. Raptam o filho de alguém na paragem do autocarro e, de repente, todos começam a pirar-se. Primeiro, foram o Matt e a Jude e, depois, vocês. Não é algo que me preocupe, mas a Al é muito sensível.

Toby continuou a falar sem parar. O olhar de Sara dirigiu-se para a janela. Já caíra a noite e via o seu próprio reflexo sobreposto como um holograma na casa que havia do outro lado da rua. Embora as cortinas estivessem meio fechadas, conseguia ver o brilho frio e azul da televisão e imaginou Gavin confortavelmente sentado na poltrona *Eames* e Lou recostada e descalça no sofá. Talvez estivessem a ver algum filme independente ou talvez estivessem a passar uma noite relaxada de sábado a ver qualquer coisa na televisão. Era tão, mas tão fácil visualizar a cena... A carpete puída à frente da lareira, o cheiro do Pinot Noir misturado com o cheiro a madeira queimada... Apesar de tudo o que acontecera, a cena continuava a exercer uma certa atração.

De onde estava o casal, a casa de Carol devia ser como uma montra aberta e luminosa. As persianas estavam abertas, havia imensas luzes acesas, a sala estava cheia e ainda continuavam a chegar pessoas. Sara desejou que se apercebessem, que se sentissem magoados por terem sido excluídos, mas duvidava muito que fosse assim. O seu olhar dirigiu-se novamente para a sua própria cara, que parecia um borrão fantasmagórico na superfície translúcida do vidro.

— Mas é algo pontual e é isso que as pessoas têm de compreender.

A voz de Toby afastou-a dos seus pensamentos naquele momento. Viu que estava a olhar para ela, sorridente e com uma impaciência que mal conseguia disfarçar, como se esperasse que respondesse e ela corou ao aperceber-se de que não ouvira nada do que ele acabara de lhe contar.

— Olá! — Ele inclinou-se um pouco para a frente e fingiu que lhe dava umas pancadinhas na testa com os nós dos dedos. — Há alguém em casa?

PORQUE ESCREVI ESTE ROMANCE

Desde muito pequena, sempre tive tendência a procurar amigas das que nunca estão disponíveis. Na primária, foi a Jane Braidwood, que adorava tanto que parti em dois todos os lápis de cera que tinha e lhe dei o pedaço maior de cada um deles. A Jane retribuiu o gesto convidando-me para beber chá com mais duas amigas e, depois, deixou-me de fora do seu quarto enquanto as três, sentadinhas na cama, inventavam as regras de um suposto clube onde eu não podia entrar. Gostei menos dela por isso? Não, continuei a adorá-la. O que me salvou de mim própria foi o facto de se ir embora da minha escola aos sete anos, para entrar noutra para crianças mais inteligentes.

Para mim, a Lou e o Gavin são a versão adulta da Jane Braidwood e tanto a teimosia da Sara com eles como o seu mau comportamento posterior se devem ao desejo servil de se juntar aos mais populares. Mas, ao contrário da Jane Braidwood, que era apenas uma menina normal, a Lou e o Gavin são artistas e isso dá-lhes um poder de atração maior. A Sara não sabe se a arte que eles criam é boa (não se acha capaz de o julgar), mas é algo que a deslumbra e o exemplo do casal inspira-a a criar a sua própria arte.

A segunda questão que queria explorar no romance era se os artistas podem jogar de acordo com umas regras diferentes dos outros e, se for assim, se é algo justificado. A Lou e o Gavin pedem aos seus vizinhos uma série de coisas que são realmente intoleráveis e, mesmo assim, quando a Sara olha para trás no fim do livro, continua sem ter conseguido resolver esta questão. Eu também não a resolvi.

Felicity Everett

AGRADECIMENTOS

Agradeço aos membros do Grupo de Escritores Clifton Hill, em Melbourne, pelo seu criticismo construtivo dos primeiros rascunhos, especialmente à Trish Bolton; à Polly Jaeson pelos seus conselhos editoriais e encorajamento; à Sallyannne Sweeney da MMB Creative pelo seu apoio contínuo e à Kate Mills da HQ, HarperCollins, por perceber. Acima de tudo, agradeço ao Adam Goulcher por ser o primeiro leitor, crítico inquestionável e amigo encorajador.